HET LEVEN ZOALS HET IS

Benoîte Groult

HET LEVEN ZOALS HET IS

Vertaald door Nini Wielink

ARENA AMSTERDAM 1993

Oorspronkelijke titel: *la Part des choses*
© Oorspronkelijke uitgave: Editions Grasset & Fasquelle, 1972
© Nederlandse uitgave: Arena Amsterdam, 1992
Vertaling uit het Frans: Nini Wielink
Omslagontwerp: René Abbühl, Amsterdam
Typografische verzorging: Studio Cursief, Amsterdam
Zetwerk: Stand By, Nieuwegein
Lithografie: Koningsveldgroep, Amsterdam
Druk- en bindwerk: Koninklijke Wöhrmann bv, Zutphen
Eerste tot en met derde druk september 1992–november 1992
4e druk februari 1993
ISBN 90 6974 048 6
NUGI 301

I

KERVINIEC

'En plotseling die vreugde waarvan ik alleen kan zeggen dat
ze onzinnig is. Maar je moet je erbij neerleggen dat ze
onzinnig is, tocgcvcn dat geluk nu eenmaal niel anders dan
onzinnig kan zijn, maar het intens beleven.'

Ionesco

Terwijl Marion de aarde omkrabde om er gedroogde,
reukloos gemaakte, geconcentreerde mest uit een plastic
zak in te stoppen, lette ze vanuit haar ooghoek op drie oranje eschscholtzia's die stonden te trillen in dc wind. Het waren de laatste in haar tuin. Ze hield van eschscholtzia's om
hun ranke bladeren, hun vlammende kleur en ook om die
onmogelijke spelling. Al lang probeerde ze er een te betrappen op het moment dat ze 's avonds dichtgaat, een moment
dat zo kort duurt dat je de bloemblaadjes vast zou kunnen
zien bewegen. Je moest ze alleen op heterdaad betrappen:
ze gaan een uur voor zonsondergang dicht. Zelfs als ze afge-

5

sneden zijn en in een kamer op het noorden staan, zijn ze op de hoogte van het tijdstip waarop de zon ondergaat.

Marion keek hoe een van die najaarsdagen ten einde liep waarop de schoonheid van de natuur zo precies een tegenwicht vormt voor haar ongerijmdheid dat er een soort rust ontstaat waarin vragen plotseling onbeantwoord kunnen blijven. De schemering gleed langzaam over het land, verspreidde zich eerst over de akkers en daarna over het zand en het water, onmerkbaar langzaam, zoals dat hier in Cornouailles gaat. Tussen de twee eilanden die je vanuit de tuin kon onderscheiden lag, volkomen onbeweeglijk, een bootje. Aan boord twee eveneens onbeweeglijke gestaltes die de belichaming leken te zijn van het geluk en de eenvoud, zoals ze daar zaten op hun bekende plekje op die bekende zee, die deze avond kleurloos en rustig was, tussen die eilanden die ook bekend waren, met aan de westkant hun donkere rots waar altijd een aalscholver huisde, op zijn plaats, en zichtbaar tevreden dat hij daar zat. Een van de twee mannen had reumatiek en de andere een bedlegerige vrouw die maar niet dood wilde gaan. Maar als je hen enigszins uit de verte bekeek, leken ze in een gelukzalige volmaaktheid te verkeren, op dat langgerekte moment dat geen dag en geen nacht was, geen jeugd en geen ouderdom, geen liefde en geen verdriet, maar een goddelijke afwezigheid.

Marion keek om: ja hoor, ze hadden het spelletje weer eens gewonnen! Ze waren stilletjes dichtgegaan en leken nu op omgekeerde paraplu's. De wereld trok zich heimelijk terug en de omgeving maakte zich klaar om op een ongrijpbaar moment in de nacht over te gaan, net als de eschscholtzia's. De zee zou vijandig worden, andere werelden zouden aan de hemel gaan schitteren en de mannen zouden plotseling onbeduidend en verloren lijken in hun heel oude bootje. De bedlegerige vrouw zou weer pijn voelen, de soep

zou flauw smaken en Marion zou domweg zin hebben in
kaviaar of in een heel mooie onbekende man die zich naar
haar toe zou buigen waarbij hij een vage geur zou verspreiden.
Ze wierp een laatste blik op haar piepkleine tuintje dat ze
met veel moeite had veroverd op het zand van de duinen
die het aan alle kanten omgaven en wachtten tot hun tijd
zou komen, loerden op de geringste onvolkomenheid, om
zich als heersers weer op dat stukje grond te vestigen, en ze
vroeg zich af waarom ze met zoveel genoegen streed op dat
kleine lapje groen. Toen ze twintig was, gaf ze niets om tuinen. Wie tuiniert er nu op die leeftijd? Je houdt van de natuur als geheel, niet van een boom in het bijzonder. Tuinie-
ren is iets voor oude mensen. Toen ze geen onkruid meer
van andere planten kon onderscheiden, ging ze met tegen-
zin naar binnen om haar koffers te pakken, vervuld van dat
vage melancholieke gevoel dat haar ieder jaar bekroop op
het moment dat ze voor een half jaar wegging uit dit dorp.
Hier seizoen na seizoen blijven en de winter verduren in
plaats van als een ooievaar wegtrekken, de vogels die in de
tuin kwamen persoonlijk leren kennen, veel lezen, de tijd
nemen om je te vervelen... een onmogelijke droom die ze
regelmatig koesterde. Je bent tegenwoordig je leven lang
bezig datgene waarvan je houdt te verlaten voor het onbekende, en die reis naar het einde van de wereld die Marion
met Yves zou maken, leek haar plotseling oninteressant, zoals de tropen haar vulgair leken. Als je midden in je tuin
kunt gaan zitten met het gelukzalige gevoel dat je je op het
middelpunt van de wereld bevindt, als je weet dat je met
zuidoostenwind de fluitboei van Merrien zult horen en je
hoort die en denkt steeds weer tevreden: Hé, de fluitboei
van Merrien! Het is zuidoostenwind...; als je blijft volhouden dat je het fsjsjsj van de golven op het strand ontroeren-
der vindt dan alle andere fsjsj-geluiden, als je ten slotte de

behoefte voelt de geur van je land weer te ruiken, als een medicijn, elke keer dat je ongelukkig bent, waarom moet je dan zo nodig ergens anders heen? Marion voelde zich halsstarrig westers, en zelfs Frans, en zelfs Bretons, en zelfs heel precies hier vastgeworteld, tussen Pont-Aven en Trévignon, daar waar de bebouwde akkers tot aan de zee lopen, waar je de boten als beesten aan de bomen op de oever vastbindt, waar de twee werelden, van het land en van de zee, niet duidelijk afgebakend zijn en om de zes uur van gebied wisselen in de beige lieflijkheid van de stranden.

Het Franse woord *demeurer* betekent niet alleen ergens wonen, maar er blijven. Tegenwoordig blijft men niet meer; men houdt hier en daar verblijf, men verscheurt de tijd tot flarden, de aarde tot onderling verwisselbare stukjes grond; men vernietigt de natuur, doodt de seizoenen: men eist Kenia in januari, een openluchtzwembad in de sneeuw, televisie in caravans en het Rusland van de tsaren in de Sovjetunie voor een van tevoren overeengekomen spotprijs. Als je het vergelijkt met airconditioned woestijnen, met steriele rondreizen door het land van de cholera, met de noordpool gezien vanuit een warme Boeing, wat stelt dat kleine dorpje dan voor, dat Breizh heet voor de intimi, met zijn vier jaargetijden, waarvan er twee slecht zijn – en de hemel zij gedankt kun je nooit van tevoren weten welke – met zijn lastige Atlantische Oceaan, met zijn camelia's in februari en zijn gaspeldoorns in oktober, waarvan niemand geniet, de mensen die er wonen niet omdat ze eraan gewend zijn, en de mensen die er niet wonen niet omdat ze altijd ergens anders zijn. Eigenlijk, denkt Marion, houden Yves en ik precies zo van Bretagne als we van onze ouders houden: we zijn blij dat ze er zijn, maar we zijn niet in staat langer dan een dag achtereen bij hen te blijven.

'Ik houd het allermeest van Kerviniec,' zei Yves vaak.

'Je hebt niet het recht te zeggen dat je het allermeest van

een bepaalde plek houdt als je iedere gelegenheid aangrijpt om ergens anders heen te gaan!' antwoordde Marion dan, die plezier had in de rol van de trouwe, consequente vrouw die een afkeer heeft van gemakzuchtig gedrag.

'Jij hebt een totalitaire opvatting van de liefde. Omdat ik van Kerviniec houd, hoef ik nog niet af te zien van Tahiti,' was het snedige antwoord van Yves, die de gewoonte had aangenomen tegenover Marion de briljante maar frivole rol van de dilettant te spelen.

Doordat die rollen steeds maar, bijna voor de grap, werden gespeeld, waren het gemakkelijke gewoontes geworden, en in de beschutting daarvan leidden ze een rustig, al te rustig leven en allebei deden ze tengevolge van die luiheid die de kop opsteekt wanneer je lang samen leeft, alsof ze geloofden dat deze gegevens, die waren vastgelegd in de simplistische tijd van hun jeugd, na twintig jaar huwelijk nog steeds van kracht waren. Je neemt zelden het risico de kaart bij te werken die je van de ander hebt vervaardigd op de leeftijd van de eerste ontdekkingen, toen je voer op gegist bestek, en gebieden die slechts eilanden waren voor vasteland aanzag... Maar je wilt die simpele kaart trouw blijven en vergeten dat als die en die kaap Goede Hoop heet, je er zelf voor hebt gezorgd die zo te noemen. Huwelijksliefde bestaat hierin dat je zo ongeveer blijft lijken op je kaart.

Zo gaf Marion Yves te verstaan dat ze niet brandde van verlangen met hem naar Tahiti te gaan. Maar dat was gedeeltelijk onjuist. Wat ze wilde was precies wat er gebeurde: dat ze er door omstandigheden buiten haar wil om toe gebracht zou worden te vertrekken terwijl ze toch haar bedenkingen zou kunnen uiten. Ze wilde beslist niet in de val van de verre reizen lopen, een excuus of lokmiddel voor zoveel middelmatige mensen. Daarom onderdrukte ze haar gevoelens van vreugde en meende ze zelfs oprecht dat ze die niet ervoer. Terwijl ze bezig was de viskleren van het

hele gezin voor de winter op te bergen, evenals de berg oude, door het zeewater stijf geworden espadrilles die je altijd
het volgende jaar weggooit, bedacht Marion nog eens dat
als ze het geluk had onderwijzeres in bij voorbeeld Quimperlé te zijn, ze in november zou kunnen meedoen aan de
zeevisserij die dat jaar zo'n beetje tot het nulpunt was gedaald, en bovendien eindelijk de ware kleur zou kunnen
zien van haar camelia die altijd zonder haar, in februari,
bloeide. Onderwijzeres in Quimperlé! Dat soort hunkerin-
gen zijn vaak het kostbaarste wat je bezit en je wilt niet weten dat ze leugenachtig zijn. Sommige dingen zijn alleen fijn
om naar te verlangen.

In het huisje met het rieten dak aan de overkant ging een
lamp aan: het enige waaruit de aanwezigheid van mensen
sprak in dit dorp waar de oude mensen waren gestorven en
de jongeren waren weggetrokken. Samen met de dwaze
grootmoeder van de boerderij verderop die 's nachts in het
Bretons zong en nog een fluwelen borstrok droeg, was
Créac'h de laatste echte inwoner van het dorp. Marion zou
bij hem aankloppen om afscheid van hem te nemen. Sinds
haar moeder dood was en haar vader bijna ongepast alleen
verder leefde, voelde ze een intens medelijden met oude
mannen die alleen achterbleven. Als ze geen echtgenote
meer hebben, merken ze plotseling dat ze met haar alle
sleutels tot het dagelijks leven zijn kwijtgeraakt. Ze worden
vreemden in hun huis en op aarde.

'Zolang ik me nog kan redden...' zei grootvader Créac'h,
die per se in zijn eigen huis wilde blijven in plaats van naar
zijn dochter te gaan die een nieuw huis had in het stadje,
'zolang ik me nog kan redden, blijf ik liever thuis. Ik zou het
moeilijk vinden bij anderen in te trekken.'

Laatst was er in de trein van Parijs naar Quimper zo'n oude eenzame man ingestapt in Vannes. Hij keek om zich
heen met de vijandige blik van mensen die weten dat nie-

mand op de wereld meer in hen geïnteresseerd is, en droeg
zo'n versleten jas die geacht werd de laatste te zijn en steeds
nog een jaartje langer meeging. Omdat haar vader net zo'n
aan de rand verbleekte iris had, alsof de oogleden door er
een leven lang overheen te strijken, er de kleur van hadden
uitgewist, had Marion tegen hem geglimlacht in plaats van
automatisch haar blik af te wenden zoals volwassenen doen
om niet door de ziekte besmet te worden. De grijsaard, die
niet meer gewend was voor een man door te gaan, bleef
schuw om zich heen kijken maar gaandeweg was er een zekere vriendelijkheid verschenen op zijn gehavende gezicht.
Eén keer zelfs brak er van heel ver weg enige nieuwsgierigheid door, kwam er een oude reflex naar de oppervlakte en
keek hij naar de benen van Marion. Toen ze in Quimperlé
uitstapte, vergat hij zijn leeftijd en had hij weer genoeg
kracht om haar haar koffer aan te geven en had hij bijna met
een galant gebaar het portier voor haar geopend. Vanaf het
perron wierp Marion een blik op de coupé waar de oude
man weer was gaan zitten: maar hij was weer heel oud geworden na dit korte verblijf in de wereld van de levenden en
zijn blik was uitgeblust.

Maar Créac'h werd heel langzaam kinds, zonder te klagen. Hier vinden ze het gewoon dat je doodgaat wanneer je
er de leeftijd voor hebt. Hij ging ieder jaar wat verder achteruit en begon steeds meer te lijken op die schaaldieren waarop hij zijn hele leven had gevist. Zijn schaal was zo hard geworden dat de dood waarschijnlijk geen opening vond om
zich toegang te verschaffen tot de plek waar nog maar heel
weinig verdedigers over waren. Zijn gewrichten functio-
neerden niet meer en hij bleef overeind door een natuurlijke stijfheid. Omdat hij nooit meer in staat zou zijn zijn akker
te bebouwen, hield hij zich alleen nog bezig met twee of drie
toeristenboten die hem een reden gaven te blijven leven en
de illusie dat hij nog steeds een zeeman was. Maar hij voer

alleen nog maar met behulp van listen, door gebruik te maken van een stroming die hij kende, van een briesje, van een verschil in waterhoogte dat hij als enige zag, om zijn geliefde kudde 's winters voor anker te leggen in een inham van de Aven en die in het voorjaar weer naar open water terug te brengen. Zo had hij zich tot zijn essentiële functie beperkt, waarbij hij dezelfde gebaren maakte als vroeger, maar in een uiterst vertraagd tempo dat alle wintermaanden in beslag nam en dat meer tijd scheen te vergen naarmate zijn kracht afnam. Op zijn vijfentachtigste was Créac'h bijna levenloos geworden.

's Winters praatte Marion met hem, wanneer na het vertrek van de toeristen en de vrienden uit Parijs, die altijd zo hard praatten dat je de mensen uit de streek niet meer hoorde, de geluiden van het dorp weer terugkeerden.

'Vroeger,' zei Créac'h die altijd weer op zijn jeugd terugkwam omdat die, samen met de zee en de oorlog van '14, het belangrijkste deel van zijn leven uitmaakte, 'kon een zeeman alleen trouwen met een zeemansdochter. Geen enkele boer had iets met ons te maken willen hebben: we verdienden niet genoeg. Nou spreek ik van voor de oorlog.'

Voor de oorlog, dat was de tijd waarin de boeren mooie boerderijen bouwden met een bovenverdieping en een leiendak, terwijl de zeelui op een lemen vloer woonden in huisjes die vaak niet van hen waren.

'Boter aten we niet, die verkochten we. 's Middags namen we droog brood mee naar school en een appel. En 's avonds hadden we havermoutpap.'

Hij schudde zijn hoofd. Hij probeerde geen medelijden op te wekken, hij constateerde alleen maar. De jeugd van tegenwoordig leek hem eerder abnormaal met haar auto's, nieuwe huizen en televisie...

'Vijf frank kreeg ik in een zomer als stuurman op een tonijnvissersboot. Vijf frank! En ik moest een gezin onderhouden. Tegenwoordig hebben ze niet te klagen,' zei hij na een stilte terwijl hij zijn blik over zijn huis liet gaan.

De vloer was nog steeds van leem maar er stond een butagas-komfoor in een hoek en hij stak het oude houtfornuis alleen hartje winter aan om het warm te krijgen. Een radiotoestel, zoals hij zei, een heel oud model, met een paneel van beige stof voor de luidspreker, troonde op een daarvoor geconstrueerd wandrekje. Créac'h luisterde alle dagen naar de scheepsberichten.

'Ik hoor jonge mensen klagen,' ging hij verder, 'maar als ze eens wisten hoe wij het hebben gehad... Niemand kan zich voorstellen hoe wij vroeger leefden. Niemand,' herhaalde hij zonder Marion aan te kijken, in zijn totale onmacht om er een beschrijving van te geven.

Zijn hele leven had Créac'h gevaren en 's nachts voer hij nog.

'Het is gek,' zei hij, 'ik droom alleen maar over vis. Iedere avond weer ben ik aan het vissen; en altijd mooie vis. Ik zou nu goed verdienen, als het waar was...! U drinkt toch wel een glas cider? Hij is een beetje hard dit jaar maar hij is altijd nog beter dan die van de coöperatie.'

Marion reikte haar glas aan; hij vulde het met een ondoorschijnende vloeistof die hij nog steeds per se zelf wilde maken. Hij schoof een bord met biscuits die vroeger knapperig waren geweest naar haar toe en ze kwamen op hun geliefde onderwerp:

'Ik geloof dat we regen krijgen: de wind is vanavond gaan liggen in het zuiden, je hoort de zee...'

Ze spitsten hun oren.

'Toch, voor Allerheiligen,' zei Marion. 'Vorig jaar in deze tijd...'

Daarna brachten ze de reis naar Tahiti ter sprake en hij trok een doos naar zich toe waar flensjes in hadden gezeten en waarin hij alle post wegborg die hij in zijn leven kreeg, om Marion een ansichtkaart van de kabelbaan van Hong-kong te laten zien, die hij zestig jaar eerder aan zijn vrouw had gestuurd, in de tijd dat hij in dienst was bij de marine.

'Och, dat was zo'n mooie stad,' herhaalde hij terwijl hij zijn hoofd schudde. 'Van die stad heb ik gehouden.'

De volgende keer dat ik hier weer kom, dacht Marion, zal het netgordijn er niet meer hangen, zullen de blankhouten klompen niet meer in de gang staan en zal Kerviniec voorgoed dood zijn. Er zullen hier alleen nog maar toeristen zijn die bij de eerste regen weggaan en die twee maanden per jaar als krakers zullen wonen in dit dorp met de kleine huisjes met rieten daken waar de schimmen van de dode zielen nog ronddwalen. Niemand zal meer weten wie het scherm van cipressen heeft geplant dat mijn huis tegen de westenwinden beschut... in een tijd waarin je vol vertrouwen plantte voor een toekomst waarvan je je niet kon voorstellen dat die niet aan jou zou denken en dat die jouw beweegredenen zou vergeten; voor kleinkinderen die weg zouden trekken en zelfs niet zouden weten wat voor bomen het waren. En ik, de vreemdelinge, prijs de oude Tréguier telkens als het waait.

'Nou, *kenavo*,' zei de oude man die niet lang kon praten.

Ze omhelsde hem. Hij rook sterk sinds hij pruimde, maar niet vies, en ze zei 'tot gauw' tegen hem zoals ieder jaar, zonder er zelf echt in te geloven. Hij had een bloeddruk van honderdtachtig, en zorgde niet goed voor zichzelf.

'Als mijn tijd is gekomen, kan geen dokter daar wat tegen doen,' zei hij altijd.

Toen ze thuiskwam, vond ze voor haar deur het skelet dat als waakhond fungeerde voor de boerderij verderop. Haar dochter Pauline noemde hem toen ze klein was de roze hond, zo lichtrood was zijn vacht.

'Zo, Slimmie, lieverd,' zei ze terwijl ze zich over het lieve stinkbeest boog, 'kom je luxehondje spelen?'

Hij hief zijn grote kop naar haar op, met de al te expressieve ogen, het brede voorhoofd en de hangoren waardoor hij leek op de halfmenselijke dieren van Benjamin Rabier. Ze had de deur nog maar net geopend of de hond stormde de kamer binnen en ging in de donkerste hoek nederig plat op de grond liggen, met de blik naar beneden gericht om geen vonnis te hoeven lezen in de ogen van Marion. Dat was het spel. Ze begon te lachen. Sinds er een idylle was ontstaan tussen Marion en de roze hond, zagen ze elkaar iedere winter in het geheim. 's Zomers negeerden ze elkaar praktisch. Trouwens, dat beest was weerzinwekkend, dat viel niet te ontkennen. Als je het een vinger gaf, nam het de hele hand! En dan die vlooien... Yves had gauw last van vlooien.

Natuurlijk, je hebt gelijk, lieverd. De boer was woedend, dat was waar, wanneer Slimmie bij de buren voor de deur kwam bedelen en hij kreeg flink wat schoppen als hij terugkwam; ten slotte werd hij op de binnenplaats aan de ketting gelegd tot de toeristen waren vertrokken. Maar 's winters was Slimmie weer vrij en bereid een pak slaag op te lopen, als hij maar aan zijn jaarlijkse portie menselijke liefde kwam. Voorlopig wachtte hij af met zijn kop naar beneden, zijn ver uitstekende botten, zijn trieste vacht en zijn nederige staart... Marion liet het plezier nog langer duren en deed alsof ze boos was en riep toen plotseling: 'Ja, je mag blijven!' waarbij ze inwendig moest lachen bij de gedachte dat ze tegen hem praatte als tegen een man. In een seconde veranderde het skelet in een heel druk keffertje, de bedelaar in een verwend kind. Nadat hij blaffend in volle vaart door de kamer was gerend, installeerde hij zich op de ruige mat bij de voordeur. De fauteuil zou morgen aan de beurt komen. De insluiping bestond uit stadia waar je je schijnheilig doorheen moest werken om daarna brutaal je plaats bezet te houden. Het toppunt was het bed, waar je mogelijk je vlooien kon neerleggen als het een goed jaar was. Overdag weigerde Slimmie het huis te verlaten opdat ze hem niet weer te pakken zouden krijgen. Het hele huis rook naar zijn sterke geur van ongewassen hond. Maar hij jankte van genegenheid als Marion zijn kop in haar handen nam. Je kunt moeilijk de geweldige vreugde die je teweegbrengt weerstaan. Marion maakte luxerijst met grove korrels en twee ons gehakt voor hem klaar, voordat ze voor zichzelf twee zachtgekookte eieren maakte waarvan ze aandachtig genoot. Daarna at ze verscheidene lepeltjes zoute boter die dezelfde dag nog op de boerderij was gekarnd, helgele boter waaruit druppels melkwei te voorschijn kwamen, met een geboetseerde koe op de bovenkant. Wie zou de smaak van die boter nog kennen als de laatste boerderij zich bij de coöperatie had aangesloten? Het tweepondsbrood was goed gebakken. Nog iets wat ze aan het andere eind van de wereld niet zou eten. Ze stak haar neus in het broodkruim, het rook verrukkelijk zoals het hoorde te ruiken. Dat was echt *het* voedsel bij uitstek, het brood van Onze Vader. Binnenkort zou er alleen nog brood bestaan dat in plastic was verpakt, net als de mest. Brood en stront, alles zou in plastic zitten. Geurloze mest die naar brood zou ruiken en andersom. Een smakeloos vooruitzicht!

'Kom, lieverd, we gaan slapen,' zei ze tegen Slimmie, die begreep dat die avond een paar stappen werden overgeslagen maar deed alsof hij dat vanzelfsprekend vond.

Marion legde een doek voor hem neer op het voeteneind van het bed en bereidde zich erop voor dat ze de hele nacht zou horen hoe hij met zijn oren schudde en aan zijn teken en wonden krabde.

Om negen uur stapte ze aan boord van haar grote bootbed, met proviand voor onderweg, boeken, kranten, een fles Plancoët-water en haar aantekenboek.

Is dat nou wel gezond, dacht ze, om er op mijn leeftijd zoveel plezier in te hebben met een hond en een boek onder een veren dekbed te kruipen?

Ze keek lange tijd naar de uitdovende vlammen die soms zonder reden weer opvlamden en ze voelde zich gelukkig: op sommige avonden had je meer aan een hete kruik dan aan een lauwe man en zo'n kruik riep niet 'Haal je voeten daar eens weg!' En het was nog maar net een jaar geleden dat zelfs zachtgekookte eieren, dat onschuldige genot, haar niet meer smaakten! Alles was haar nu weer teruggegeven. Je moest je gelukkig prijzen dat je minder van iemand hield als de liefde bij machte was al het andere zo voor je te bederven. Yves was niet langer de hele wereld voor haar, een onmogelijke rol die ze hem al te lang had willen laten vervullen. Hij was gekrompen tot de afmetingen van een mens van wie veel werd gehouden, en talloze vergeten genoegens waren weer opgebloeid in de ruimte die hij openliet. Het idee dat hij niet ieder moment van de dag aan haar dacht, weerhield haar er niet langer van te genieten van de warmte van haar bed en van het plezier dat ze leefde zonder geestelijk of lichamelijk te lijden. Rust in vrede, dacht ze met een gevoel van opluchting dat heel even een zweem van melancholie bevatte. Slimmie begon luidruchtig met zijn rafelige oren te schudden, die typerend waren voor een hond die veel slaag kreeg, schoof met een gebiedende poot het oude laken opzij en draaide verscheidene malen om zijn as om zijn gelukzaligheid goed te concentreren op dat holletje aan het voeteneind van het bed waar hij een verrukkelijke nacht zou doorbrengen, stevig opgerold opdat er niets verloren zou gaan.

Enige kabellengtes daarvandaan was Créac'h in zijn eigen nacht ook gelukkig. Hij haalde uit zijn eerste fuik een kreeft van twee kilo. Dat begon goed. Hij schoof de gashendel naar voren om naar de plek van de tweede kreeftenfuik te varen die hij precies op de helling van de Roche à l'Homme had neergezet. Meestal een goed plekje.

2
PARIJS

Marion had moeite met het vinden van Gallia-schriften, zoals die waarin ze haar jongemeisjesdagboek had bijgehouden gedurende die eindeloze jaren waarin ze een jong meisje was geweest. Ze ging terug naar haar oude buurt waar niet alles was afgebroken of gemoderniseerd en liep nog eens de weg die ze iedere dag van haar huis naar het Victor-Duruylyceum had afgelegd. De rue de Varenne was nog steeds een uitgestorven straat, gemummificeerd in een keurige eerbiedwaardigheid, met koetspoorten waarachter binnenplaatsen van sobere, preciese afmetingen lagen. De leerlingen van het Duruylyceum spraken het liefst af in de rue de Grenelle waar levensmiddelenzaken zaten, die in de rue de Varennes niet toegestaan waren, en waar ze amandelrotsjes, makarons die bij drie tegelijk op velletjes papier gekleefd zaten of *la Semaine de Suzette* konden kopen. Op de hoek van de rue de Bourgogne herkende ze de sombere winkel voor garen-en-band en schrijf- en kantoorbehoeften waar ze vroeger haar 'schoolbenodigdheden' kocht. De winkel hield nog stand, geflankeerd door een gevel als van een herberg uit de Champagne, met namaakkiezelsteentjes, en een kledingsaloon voor jongeren waaruit de ganse dag rockmuziek klonk.

Maar het toverpaleis uit haar jeugd, waar ze met z'n allen naar toe gingen om na schooltijd de schatten te bekijken – kartonnen pennendozen versierd met alpenlandschappen, punteslijpers in de vorm van een wereldbol waarin je het slijpsel kon opvangen, of die onbetaalbare vulpotloden met zes kleuren – was niet meer dan een slecht verlicht winkeltje. De deur klingelde nog steeds als je binnenkwam, en het was nog hetzelfde geklingel, en het was nog dezelfde verkoopster, die vijfentwintig jaar eerder al 'de oude garen- en bandverkoopster' werd genoemd, die daar in het halfdonker de rest van haar dagen sleet met de verkoop van drukknopen, gommetjes van echt gom, notitieboekjes van zwart imitatieleer, rood op snee, en talloze in onbruik geraakte voorwerpen waarvan de prijs nog in centimes werd berekend.

Vroeger waren het twee zusters: de dames Bertheaume. Je voelde wel dat de straat slechts wachtte tot de laatste zus dood zou zijn, om dan het honderdjarige winkeltje binnen te vallen, de tientallen piepkleine laatjes eruit te rukken en die uitstaldoosjes die niet meer gemaakt worden, die spulletjes waarvan er een al te grote verscheidenheid was in de vuilnisbak te gooien, en ten slotte al die rommel in de stofzuiger te laten verdwijnen en daarmee ook de poëzie, en er een oranje filiaal van Goulet-Turpin te vestigen waar in het volle licht dezelfde produkten verkocht zouden worden als aan de overkant bij le Cercle bleu. Garen- en bandwinkeltjes zie je trouwens niet meer in Parijs.

De Gallia-schriften van de oude verkoopster waren vergeeld. De jongelui, tegenwoordig een Hunnenleger, zei de oude dame, wilden geen Jeanne d'Arc of Bayard meer op hun schriften, maar Johnny Halliday of Elvis Presley. De oude dame weigerde zich met die lui in te laten. Ze zei steeds vaker: 'Dat artikel heb ik niet' en het kon haar niets schelen. Ze wenste alleen maar tot de dag van haar dood in haar winkel in de rue de Bourgogne te blijven zitten, te midden van haar eigen artikelen, en de horde projectontwikkelaars en interieurontwerpers die als aasgieren op haar deur loerden het hoofd te bieden. Marion kocht twaalf schriften van één frank vijftig bij haar. Ze meende dat ze het gesprek met die schriften weer gemakkelijk zou opnemen. Ze zag met een vertederde glimlach de figuur weer die op het kaft stond afgebeeld: een soort keizer die leunde op een enorm zwaard, met de punt naar beneden, en die in zijn hand een bol met een haan erop vasthield, tussen twee hoornen des overvloeds en metropolitaanse voluten. Het schrift was er in vier kleuren, altijd dezelfde: zachtpaars, roze, blauw en oker, met vage strepen ton sur ton, en onder het medaillon stond: wettig gedeponeerd Gallia. In de tijd dat je als kind nog geen reclame zag, gingen die schriften je hele schooltijd met je mee. Ze koos Siéyès-lijntjes. Dat werd aanbevolen voor Frans. 'Vertel over een reis rond de wereld. Geef je indrukken weer en de verschillende gedachten die de landen waar je doorheen reist bij je opwekken.'

Marion verwachtte namelijk dat ze het niet zes maanden zou volhouden om niet te werken. Zoals het iemand niet lukt om zuiver te zingen, zo was zij niet in staat om niets te doen. 'Het is een gebrek,' zei Yves altijd. 'Het is een kwestie van hormonen,' corrigeerde haar dochter Pauline die de ontoerekenbaarheid van het individu beleed, 'je kunt er niets aan doen.' Marion dacht eerder dat luiheid een gebrek was. Yves kon hele dagen op bed blijven liggen. Ze was beslist niet jaloers op hem. Al die uren die leken op de dood! Hij kon ook eindeloos naar de zee zitten kijken terwijl hij voor anker lag. Dat noemde hij schuitjevaren. Terwijl hij

zou schuitjevaren, zou zij schrijven. Om dingen te onthouden, voor haar plezier en in de kinderlijke hoop dat een na-
komeling op zekere dag beschimmelde schriften zou aantreffen en geroerd zou worden door die grootmoeder die
misschien wel talent had gehad. Want talent had ze; of zou
ze zeker gehad hebben als allerlei bijkomstigheden haar
niet hadden verlamd. Als ze het geluk had gehad in de steek
gelaten te worden... of weduwe te zijn.. of als man geboren
te worden... of niet van tuinen te houden, van vissen, van
huizen, van boeken van anderen... of minder van Yves te
houden... of onvruchtbaar te zijn...

Nu stond ze met haar rug tegen de muur. Haar dochters
waren volwassen of getrouwd en tijdens de komende zes
maanden zou er geen tuin, beroep of keuken zijn. Maar het
was wel laat. Door haar verleden was ze meer dan ooit een
vrouw, die per definitie niet anders dan vrouwenliteratuur
kon voortbrengen – aangezien mannenliteratuur literatuur
zonder meer was – en een vrouw die leed aan die schande-
lijke ziekte die de ouderdom is. Ze voelde zich op non-actief
gesteld door al die onbeschaamde jongelui van tegenwoordig die hun eerste gekrabbel durfden te publiceren, waarover iedereen zich met onderdanige welwillendheid boog
uit angst om er schijnbaar niet meer bij te horen. Veel vriendinnen van haar leeftijd hielden een manuscript verborgen
in een la, als een borst die je tegelijkertijd zou willen verbergen en laten zien, het verhaal van hun eerste overspel of
van hun jeugd, dat leek op alle andere en pas dan plotseling
eruit zou kunnen springen als de superieure stijl van Léon
Bloy, van Colette of Gracq eraan te pas kwam. Maar al die
dames die erg ontroerd waren door hun eigen roerselen, al
die jongelui die van hun zus hadden gehouden en geen
Chateaubriand waren... dat ontnam je de lust tot schrijven.
Je moet die droom kunnen opgeven dat je geschapen bent
voor iets anders van hogere orde en afzien van de verwach-

ting dat je die over het algemeen onzegbare ervaring die een leven is zou kunnen overbrengen. Na hun vijfenveertigste worden dromers mislukkelingen, vooral vrouwen.

'Waarom vooral vrouwen?' vroeg Yves dan, die zich ergerde aan de bitterheid van Marion en aan die als bescheidenheid gecamoufleerde trots.

'Nou, omdat een oude man als hij mislukt is eigenlijk alleen in materieel opzicht niet geslaagd is. Met vertedering wordt dan gezegd dat hij een kind is gebleven. Vaak is hij mooi, zoals mensen zijn die geen verantwoordelijkheden op zich hebben willen nemen. Een oude vrouw die mislukt is, heeft haar man en kinderen voor niets ongelukkig gemaakt. Dat vergeeft men haar niet: had ze maar in de keuken moeten blijven, dat is zo'n eenvoudige oplossing waarmee je verzekerd bent van algehele achting.'

'Maar jij hebt toch niemand opgeofferd. En nu heb je zes maanden de tijd, voor jou alleen als je dat wilt.'

Dat ze zo laat pas in de gelegenheid was gesteld, schrikte Marion juist af. Ze voelde zich net iemand bij het amateurtoneel die lange tijd in de coulissen heeft staan wachten en die men ten slotte het toneel opduwt met de woorden: 'Zo! nu zullen we eens kijken wat jij ervan terechtbrengt!' Het uur waarop ze anderen en zichzelf zou teleurstellen, had geslagen.

Ze pakte het eerste schrift, een blauw schrift, en ontdekte weer hoe prettig het was een nieuw kaft te laten kraken en de mooie eerste bladzijde glad te strijken. Eerste bladzijden zijn altijd goed geschreven, vol van dezelfde verwachting. Wat leek dat een gemakkelijke tijd, toen ze alleen nog maar in haar mooie ronde handschrift hoefde te schrijven: Marion Fabre, klas 5 A, Franse Literatuur! Ze borg de twaalf schriften onder in haar koffer weg, samen met balpennen in alle kleuren, lijm en zwarte viltstiften voor de doorhalingen. Ze hield van het ambachtelijke van het schrijven en

had het bevredigende gevoel dat ze 'haar schooltas inge-
pakt' had voor de volgende dag. Haar dochters hadden
nooit gevoel gehad voor hun schooltas; noch voor hun
schriften trouwens. Ze bonden hun ringbanden met uit-
neembare blaadjes zo'n beetje vast met een riem, en schou-
dertassen en leren schooltassen waarop in de loop van het
schooljaar zoveel kostbare sliblagen werden afgezet, bestonden alleen nog in de herinnering van een paar achterlijke oudere leerlingen, samen met Gauloise-pennen en
kroontjespennen, inktpotten die in de tafeltjes zaten, vloei-
bladen, lessenaars met een klep en het dogma dat de meester een heilig ambt bekleedt. Marion had nu een opklapbare
lessenaar moeten hebben om te kunnen vluchten voor de
arrogante, scherpe blikken van haar leerlingen die nooit
meer ongelijk hadden. Wat zou er van hen zijn geworden
wanneer ze de arena weer zou betreden? In dat beroep zou
je eigenlijk niet moeten stoppen. Het was geen heilig ambt
meer maar een krachtsverhouding die je tot elke prijs in je
voordeel moest zien te handhaven. Voor zes maanden zou
ze de strijd staken.

Voordat ze haar werkkamer verliet, sloot ze met een sleutel zorgvuldig de la af waarin ze haar bekentenissen opborg,
het enige persoonlijke plekje dat niet tot gemeenschappe-
lijk bezit was geworden. Ze was niet bang dat Yves er zou
binnendringen, maar Pauline wel. En Pauline zou al die tijd
thuis blijven, want ze had heel snel ontdekt dat de positie
van meisje-dat-thuis-bij-haar-ouders-woont ideaal was
om te genieten van alle vrijheden die tegenwoordig aan die
staat zijn verbonden zonder dat je de bijbehorende prestaties hoefde te leveren. Marion keurde de levenswijze van
haar oudste dochter af, haar keuzen, haar theorieën en zelfs
de manier waarop ze zich kleedde. Gesprekken met haar
liepen doorgaans uit op irritante, vruchteloze botsingen.
Maar ze kon maar niet besluiten haar toelage stop te zetten

en haar eruit te gooien, hoewel Pauline heel cynisch had geweigerd haar studie voort te zetten of een baan te zoeken voordat ze er met geweld toe werd gedwongen. Ze had een zwak voor Pauline en hield van haar zoals je alleen van je oudste kind houdt, het eerste dat je echt hebt gemaakt op aarde. Ze vroeg zich niet af hoe haar dochter van haar hield: zoals alle dochters zou ze daar pas heel laat achter komen, want dat soort gevoelens worden heviger naarmate je ouder wordt. Dominique, haar tweede dochter, was te jong getrouwd en Marion was heimelijk blij dat de 'verloofdes' van Pauline met de noorderzon waren vertrokken voordat ze om haar hand hadden kunnen vragen om haar in de boeien te slaan. Ze zag haar tenminste ongeschonden terug in de tussentijdse periodes, telkens als zich een vacature voordeed op het gebied van de liefde, waardoor ze, onder de lagen die de vorige invasie had achtergelaten, opnieuw de werkelijke contouren van haar dochter kon onderscheiden.

Dat was op het ogenblik niet het geval. Al sinds een paar maanden was Pauline alleen nog maar geïnteresseerd in de filmkunst, in de duistere gedaante van een regisseur in wording, die altijd op het punt stond contracten te tekenen die in de honderden miljoenen liepen, en die intussen nog steeds geen geld had om te telefoneren. Hij had duidelijk het vaste voornemen zich in huis te installeren zodra de ouders, die pottekijkers, waren vertrokken, zodat hij eindelijk een vast adres had, zijn vrienden kon ontvangen en zijn schijnproducers kon opbellen zonder telefoonmunten te hoeven kopen. Wat had het voor zin dat te verbieden? Pauline in het appartement laten betekende impliciet accepteren dat zij Eddie daar ontving, je kon de werkelijkheid net zo goed onder ogen zien.

'Als hij komt, deelt hij in de kosten natuurlijk,' zei Pauline, terwijl ze heel goed wist dat hij niet alleen niet in de kos-

ten zou delen, maar dat hij ze zou verdubbelen volgens een
wet die vrij veel opgang doet in dat milieu en die mensen die
geen geld hebben in de gelegenheid stelt veel geld uit te geven. Eddie bracht zijn nachten bij Castel door en at
's avonds altijd in de beste restaurants, Marion probeerde
maar niet meer te begrijpen hoe. Dit soort types had haar
altijd geërgerd. Ze dacht er liever niet aan. Met Pauline was
het altijd een kwestie van afwachten...
    'Als je nou eens bij me in bed kwam voor de laatste
nacht?' zei ze tegen haar dochter.
    Vriendelijk stemde Pauline ermee in. Marion wist dat
haar dochter liever rustig in haar kamer had liggen lezen tot
het tijdstip dat ze zelf had gekozen en dat zijzelf algauw spijt
zou krijgen van die uitnodiging. Maar plotseling verlangde
ze terug naar de tijd dat Pauline een nacht bij haar in bed als
een geweldige beloning beschouwde, de tijd dat ze haar
dochter nog in haar armen kon sluiten, haar betasten, haar
beknijpen met een dierlijke vreugde.
    Pauline trok haar korte nachthemd aan en kroop in het
bed, haar gezicht volgesmeerd met een zalf tegen acne en
een crème tegen rimpels voor het gebied rondom haar
ogen.
    'Dat is toch belachelijk,' zei Marion. 'Al die crèmes op
jouw leeftijd...'
    'Dat heb je me nou al vijftig keer verteld, mama, je ziet
toch dat het geen enkele zin heeft! *Ik* vind nou eenmaal dat
het nuttig is.'
    Marion haalde maar niet haar schouders op, om hun laat-
ste avond niet te bederven met één van die eeuwige discussies.
    'Ik weet best dat je je nauwelijks kunt inhouden,' zei Pau-
line lachend. 'Maar je moet je er maar bij neerleggen: mijn
opvoeding is nu mislukt. Ik ben bijna drieëntwintig wanneer je terugkomt, weet je. Het is een verloren zaak!'

Marion deed het licht uit en trok haar dochter tegen zich aan.

'Hé, zeg, denk je soms dat je Eddie bent?'

'Ik was er eerder,' antwoordde Marion terwijl ze zich nog dichter tegen haar aandrukte, 'en ik hoop echt dat hij er niet meer is als ik terugkom. En je kunt me maar beter met respect behandelen, want moeders, die gaan lang mee, weet je...'

'Dat begin ik te merken,' zei Pauline liefdevol terwijl ze zich naar de muur draaide om te slapen. Haar àl te blonde haren glansden vaag in het donker. Marion legde haar hand in het dal van haar taille. Ze was merkwaardig gebouwd, die Pauline van haar. Op sommige plaatsen heel smal, en op andere heel bol. Heel anders dan Dominique met haar gewelfde lijnen. Een vreemde in ieder opzicht, de meest intieme vreemde.

'Probeer toch maar werk te vinden voor die periode. Je had me verteld dat je vriend Claude bij de beurs voor landbouwwerktuigen een of ander baantje als hostess voor je wist?'

'Ja, ik zal hem een dezer dagen opbellen,' mompelde Pauline.

'Waarom een dezer dagen? Doe het morgen!' zei Marion, omdat je op perrons altijd nutteloze dingen zegt.

'Ik ben zijn nummer kwijt. Moet ik zijn zus vragen.'

'Heb je dan geen adresboekje? Weet je niet waar je beste vrienden wonen?'

'Oh, mama,' zei Pauline op geërgerde toon.

Moeders zijn onverbeterlijk, dacht Marion, en ook hier is vluchten de enige manier om te overwinnen. Die reis kwam net op tijd om haar te verlossen van deze veeleisende rol.

Yves was met Alex al een week in Toulon om te zorgen voor proviand en buitenlands geld en om het filmmateriaal aan boord te brengen. Iris en zij zouden zich de volgende dag weer bij hun echtgenoten voegen en de zoon van Iris zou met hen meegaan. Marion nam zich voor hem niet te laten rijden: zoals de meeste jonge mensen was hij niet bang voor de dood. Ivan was net in september voor de vierde keer gezakt voor het toelatingsexamen van de universiteit en wilde van de wereldreis die zijn ouders maakten profiteren om zich in Bombay te laten afzetten, waar hij in zijn naïviteit dacht betere bestaansredenen te zullen vinden dan in Parijs. Ieder van ons, dacht Marion, begint aan deze wereldreis om bestaansredenen te vinden of terug te vinden. Ze keek aandachtig naar haar kamer op deze laatste avond, naar dat witte behang met blauwe vergeet-me-nietjes dat haar zo vaak had zien huilen. Het was alsof ze zich, net als de *Moana*, voor het vertrek gereedmaakte, alsof ze een slagveld verliet waar zoveel innerlijke strijd was geleverd dat het terrein voorgoed verziekt was. Ze zou als ze terug was ander behang nemen. En het bed verplaatsen. En zo voort. Een cruise van zes maanden en drie oceanen zouden misschien voldoende zijn om Yang te verdrinken, die kleine dode die hardnekkig tussen Yves en haar in bleef zitten, die waarschijnlijk ook door haar toedoen was gestorven, door haar ontoegeeflijkheid, maar die wel wraak nam door hun nu te beletten te leven. Gelukkig kunnen doden slecht op reis gaan: Marion hoopte echt dat Yang, ver van de vergeet-me-nietjes van haar kamer en hun kinderlijke symboliek, voorgoed zou verdwijnen, maar deze keer door een natuurlijke dood.

Ze drukte Pauline tegen zich aan... overmorgen zou de *Moana* uitvaren; dan zou ze bij Yves zijn. Of hij nu vrolijk of verdrietig was, het zou Yves zijn. Het belangrijkste onder alle omstandigheden is te blijven leven, dacht ze, terwijl ze zich gelukzalig in de slaap liet wegzinken.

3
TOULON

Piraeus, Aden, Bombay, Ceylon, Singapore, Australië, Nouméa, de Fiji-eilanden, de Tonga-eilanden, en ten slotte Tahiti, en daarna de Marquesas-eilanden, de Galápagos-eilanden en Panama: Alex, de leider van het project, is bezig op de enorme wereldkaart die in de salon van de *Moana* is opgehangen met een rood potlood de reisroute uit te stippelen. Onder de passagiers heerst een eerbiedige stilte bij al dat blauw dat ze moeten oversteken. De salon van de *Moana*, met zijn clubfauteuils, zijn beige tapijt, zijn bakstenen open haard waarin imitatie-houtblokken liggen te gloeien, ziet er lachwekkend uit en lijkt totaal ongeschikt om zo'n groot stuk oceaan over te steken. Door de grote vierkante vensters tekenen zich de geruststellende heuvels af die boven de haven van Toulon uitsteken; een uitdrukkingsloze ober die zich beweegt in een zorgvuldig door airconditioning op peil gehouden atmosfeer, reikt garnalencocktails aan en niemand kan nog geloven dat die serie droomnamen voor-

goed een andere betekenis zal krijgen dan die uit de aard-
rijkskundeboeken, de liedjes van Mac Orlan of van het witte doek, en een reeks echte havens zal worden met eigen
geuren en geluiden. Niemand behalve Iris, die door haar
rijkdom al lang het gevoel voor afstanden en het wonderbaarlijke is kwijtgeraakt. Ze heeft op de Bahama's op blauwe marlijn gevist, ze bezit een paleis in Marrakech en een
eiland in het Caribisch gebied, ze heeft in de Hoggar gekam-
peerd met alle moderne comfort, twee slaapkuren ondergaan in New York en een ontwenningskuur in Ville-
d'Avray, en dat ze erin heeft toegestemd aan dit nieuwe
avontuur te beginnen, hoewel mensen haar niet meer
amuseren en de zee nog minder, is om te proberen te vergeten dat ze over een maand vijftig wordt; omdat Alex, haar
man, nog maar heel af en toe lief tegen haar is en er geen
reden is waarom hij opeens weer naar haar zou verlangen,
gezien de plaatselijke situatie; omdat haar gedichten, die tegen hoge kosten in luxe-edities zijn gepubliceerd, zijn verschenen om redenen die niets met haar talent te maken
hebben; omdat haar enige zoon het beroep van hippy heeft
gekozen, want dat is een geloofsbelijdenis die hem op een
eervolle manier de moeite bespaart om een andere bezigheid te kiezen en die hem op zijn drieëntwintigste de mogelijkheid biedt om zich dood te luieren zoals anderen zich
doodwerken; en ten slotte omdat ze er met al haar rijkdom
niet in slaagt aan die verschillende gegevens iets te veranderen. Ze raakt haar garnalencocktail niet aan: sinds enige tijd
krijgt ze eczeem van schaaldieren. Van schaaldieren of van
het steeds duidelijker besef dat ze ongelukkig is, een gevoel
dat ze voor de zoveelste keer probeert te analyseren en aan
Yves uit te leggen met dat Russische accent dat ze nog steeds
heeft en waardoor haar ellende nog erger lijkt.

Yves luistert uiterst vriendelijk naar haar omdat hij zich
gelukkig voelt, wat hem lang niet is overkomen. Gelukkig

omdat hij zes maanden op een boot zal leven en de kans zal hebben twee idealen te verwezenlijken die over het algemeen met elkaar in tegenspraak zijn: werk gaan doen dat hij leuk vindt en de trossen van zijn dagelijks leven losgooien. Zes maanden lang geen problemen meer wat zijn levensonderhoud betreft: hij gaat een film maken waarvan hij tegelijk de schrijver en de regisseur is, met financiële hulp van Alex en Iris die tegelijk zijn producers en zijn vrienden zijn. Bovendien maakt hij zich los van een moeder die hij aanbidt maar die ziek is en wier aftakeling hij van dichtbij moeilijk kan verdragen; van kinderen die zo tactloos zijn om op hem te lijken, wat hem vervult met een vaag verantwoordelijkheidsgevoel; van een liefdesavontuur waarbij een dode en twee gewonden zijn gevallen; en ten slotte van vrouwen die niet altijd minnaressen zijn maar ook niet helemaal meer vriendinnen, een heerlijke maar hachelijke toestand waarvan hij door de keiharde aanwezigheid van Marion niet met de gepaste lichtzinnigheid kan profiteren. Yves, die niet in staat is te breken en dat ook nooit echt wenst, omdat hij tegelijkertijd welwillend ten opzichte van iedereen en trouw aan zijn herinneringen is, voelt op zijn zesenveertigste de dwingende noodzaak schoon schip te maken. Hij sleept in zijn kielzog twintig jaar veroveringen met zich mee, mosselkoloniën, lege schelpen, verlepte aanbidsters, vrienden die als enig pluspunt hebben dat ze getuige zijn geweest van de beste momenten van zijn jeugd en daar ten onrechte glans aan ontlenen. Hij zou graag hebben gewild dat, als het zover was, dingen en mensen vanzelf uit het zicht verdwenen, volgens een stilzwijgende afspraak, want hij heeft er een hekel aan uitleg te geven. De *Moana* kwam als de meest elegante oplossing naar voren. Wat is er beter dan een boot om er zomaar tussenuit te trekken? Zijn moeder zou hem meedelen dat het goed met haar ging, wat zelfs voor een zoon moeilijk was voor te stellen wanneer je haar zag. Een paar vrouwen zouden hem schrijven: 'Lieve Yves, Parijs is zonder jou niet meer wat het was en schrijf me gauw', en Yves zou zes maanden lang telkens als hij die brieven in een la of in een zak tegenkwam, denken dat het aardig zou zijn als hij antwoordde... dat hij zelfs zou antwoorden! Maar wat? Ik verveel me zonder jou? Fout. Yves verveelde zich nooit. Niet zonder iemand en niet met iemand. Ik verlang ernaar om je weer te zien? Fout. Als je op weg bent naar Tahiti, denk je niet aan de vriendinnen van vroeger; nog niet. Ik houd van je? Dat was gevaarlijk terrein! Bovendien zou het twee weken duren voor de dames de brieven zouden ontvangen en Yves was vooral beducht voor woorden waarvan de betekenis pas achteraf duidelijk werd. Hij had zich twee keer heel vriendelijk tot trouwen laten bewegen, maar had nooit een vrouw ten huwelijk gevraagd: dat was ook een daad waarvan de betekenis pas achteraf duidelijk werd.

Terwijl Yves verstrooid zat te luisteren naar Iris, wier ongeneeslijke smarten hij uit zijn hoofd kende, keek hij naar Marion die tegenover hem zat. De afwezigheid van zijn vrouw zou zijn plezier hebben bedorven maar haar aanwezigheid beloofde ook onenigheid. Niet gelukkig met jou, maar ook niet zonder jou, dat was het probleem.

'Je bent niet gelukkig met Alex en ook niet zonder hem, maar je moet je niet zo laten obsederen door de eerste zinsnede, de tweede is nog meer waar,' zei Yves tegen Iris, die zich gretig op die opbeurende woorden stortte. Hij was er een expert in de pil te vergulden, omdat hij wel wist dat het vaak voldoende is de waarheid in een andere vorm te presenteren om die minder pijnlijk te maken.

Wanneer zal Yang nu eindelijk dood zijn? dacht Yves, die plotseling zin had in alle rust gelukkig te zijn, zonder die psychoanalytische kleefstof die mensen tegenwoordig zo indiscreet afscheiden. Laten we de ellende van Iris en van

Yang en het verdriet van Marion overboord zetten! Die zelfmoord die tussen hen in bleef staan, een bom waarvan geen
van beiden voldoende zeker wist dat die onschadelijk was
gemaakt om haar weg te durven halen! Hij was zesenveertig potverdorie, en hij had niemand vermoord! Je mag op je
zesenveertigste toch wel zes maanden op reis gaan naar het
einde van de wereld, vergeten wat je graag wilt vergeten en
zonder wroeging genieten van de schoonheid van dingen?
Er werd koffie geserveerd, echte en cafeïnevrije, en
drankjes en sigaren. Yves nam van alles wat, zoals iedere
keer als hij aan Yang dacht. Dat zou later gecompenseerd
moeten worden door een Binoctal, Gélusil of Pulmo-fluide.
Hij zou hijgen bij het vrijen als hij er lang over deed. Hij zou
de volgende ochtend wat krachtiger zijn luchtwegen
schoonschrapen die verstopt waren met schadelijke afval-
stoffen. Hij zou wel zien. Het ging er in de eerste plaats om
door te gaan alsof er niets aan de hand was, zoals men vrolijk bomen kapt totdat het te laat is en het klimaat in het hele
land is veranderd. Men is althans gelukkig tot het laatste
moment, tot aan de laatste rivierkreeft in de laatste heldere
beek, tot aan de allerlaatste walvis in de Noordelijke
Atoomijszee.

De enorme havanna die hij in zijn smoel stak, maakte dat
zijn mond de vorm kreeg van een sluitspier in werking,
maar hij hield van die grote krengen. In het voorbijgaan
vrat de alcohol die hij genietend zat te drinken nog verder
aan de erosie van zijn maagslijmvlies die binnen één of twee
jaar wel een maagzweer zou worden. Maar het etiket was
zo mooi voor een kenner: Marc de Champagne Pommery!
Yves kon geen weerstand bieden aan het proza van de alcohol. Dat enigszins brandende gevoel vanbinnen? Dat zien
we later wel! Op dit ogenblik, dit goddelijke ogenblik, begon
de Middellandse Zee woelig te worden: Yves keek ernaar
door de grote vensters van de salon en het deed hem boven-

matig, onbegrijpelijk veel plezier, zoals alles wat de zee hem gaf. Hij probeerde de blik van Marion op te vangen om dit ogenblik te delen. Ze hadden zelf ook wilde zeeën meegemaakt en waren niet helemaal ten onder gegaan... Omdat ze de blik van Yves op zich gevestigd voelde, sloeg ze haar ogen op: er kwam een dikke rook uit alle monden, uit alle handen en de reuzenstinkstok van Yves zou nog minstens een uur meegaan! Ze wierp hem een vijandige blik toe. Yves' ogen werden meteen dof en hij begon aan iets anders te denken. Er waren zoveel andere dingen in het leven, potverdorie!

Even later in zijn hut, bij het lichtgroene tapijt en de fauteuils van zalmkleurig satijn met matte en glanzende strepen, viel Yves in één keer in slaap. Natuurlijk had Marion het voor elkaar gekregen langdurig op de kleur van de fauteuils af te geven, over de lits-jumeaux te klagen, te voorzien dat ze onder dergelijke omstandigheden geen slecht weer zou kunnen verdragen, waarbij ze verklaarde dat ze trouwens niet op een boot zaten maar in een oud luxehotel van la Croisette dat bij vergissing het water was ingeduwd en absoluut ongeschikt was om te varen; dat alles zonder erin te slagen het onwrikbare geluk van Yves aan het wankelen te brengen. De zee lag onder hem in de eerste van een lange reeks nachten en hij was blij dat hij haar zachtjes voelde bewegen in de haven, alsof ze sliep. Het gevoel dat hem vlak voor dit vertrek vervulde, deed hem denken aan sommige momenten waarop hij zich als kind onmetelijk gelukkig had gevoeld, van die momenten die je nooit meer meemaakt, die je niet kunt delen of beschrijven.

Aan de andere kant van de hut begon Marion gelaten in haar lits-jumeau aan *Le temps retrouvé*, deel i, pagina i. Ze had Proust altijd opzij gelegd, omdat ze zich het recht had voorbehouden hem te lezen wanneer ze gedwongen zou worden stil te zitten, wat op zekere dag ongetwijfeld zou gebeuren: tuberculose, een gipsverband of opsluiting. Het derde geval deed zich voor in de vorm van deze boot waar ze zes maanden zou moeten uitzitten. Ze keek naar de slapende Yves, zo ver weg. Een onzichtbaar lichaam scheidde hen, een hemellichaam zoals bij de godsdienstlessen werd gezegd, om te definiëren wat niet bestond. Dat idee van een hemellichaam stelde haar gerust en deed haar glimlachen. Ze was heel wat banger geweest voor de mond, de benen, de billen of de telefoontjes van Yang. Na die tastbare ellende had de dood van deze persoon niets afschrikwekkends meer. Marion geloofde niet in verdriet en schreef dat van Yves toe aan mannelijke romantiek, aan een adolescentie die hij nooit te boven was gekomen, want ze weigerde toe te geven dat je kunt huilen om iemand wie je tijdens haar leven geen geluk wilde schenken. Deze kruidenierslogica was wat Yves het meest verafschuwde bij zijn vrouw. Zozeer dat ze er geen idee van had! Maar juist het feit dat ze meende dat die karaktertrek van haar goedaardig was, maakte het Yves onmogelijk haar uit te leggen dat het niet veel had gescheeld of ze had hem voorgoed afgestoten. Ze weigerde te begrijpen, zij die alles afwoog, dat maten en gewichten in de gevoelens van Yves niet voorkwamen. En je beschouwt de ander graag als gebrekkig als hij mist wat jijzelf gebruikt om te lopen.

Op de bovenste verdieping, in de meest luxueuze hut aan boord, probeerde Iris voor de zoveelste keer de lusten van haar man op te wekken door kunstgrepen die uiteindelijk maar beperkt in aantal waren en door herhaald gebruik niet erg doelmatig meer. Haar gezicht werd opgesierd door een rode, slijmerige, gulzige mond waarvan de aanblik alleen al Alex alle lust ontnam. Op Iris' lichaam was hij uitgekeken. Op ieder lichaam trouwens. Die tijdschriften vol opgerichte borsten en gespleten valstrikken, al die rommel waarin een vrouwelijk geslacht zus of zo verlangde in naam van de on-

aantastbare rechten van de vrouw op genot, die erotische
boeken die Iris liet slingeren in de kinderlijke hoop dat ze
hem zouden opwinden, die internationale Sexorama's die
leken op landbouwbeurzen, hadden alleen maar gemaakt
dat hij geen enkele behoefte meer had mee te doen aan die
wedloop waarvan de prestaties in de salons van commentaar werden voorzien.

Hij was schroomvallig wat seks be-
trof en hield er een simpele smaak op na die was gevormd
gedurende een kuise, aan studie gewijde jeugd en zijn eerste jaren als leraar klassieke talen aan een religieus college.
Alle leraren Grieks hebben wel eens gedroomd van Nausicaä, de dochter van Alcinoüs, die naar de rivier gaat om zijn
was te doen, en de dromen van mannen vervult door haar
dubbele status van dienstmaagd en prinses. Alex bleef ieder
jaar lang stilstaan bij het vijfde boek van Homerus, met een
smachtend verlangen, waar zijn leerlingen spottend om
lachten... Maar tegenwoordig geven leraren Grieks geen les
meer en voeren prinsessen geen heerschappij meer. Alex
werkte aan de alfabetisering van zwart Afrika in het kader
van de Unesco en bij fonteinen kwam hij alleen nog brutale
herderinnen tegen die gewapend waren met transistors.
Iris, die vroeger een krachtige vrouw leek, was door de
doem van de veertigjarige leeftijd en een slecht begeleide
psychoanalyse veranderd in een hartstochtelijk lezeres van
handboeken op het gebied van de seksuologie, de theosofie
en de diëtiek, die algebraïsche vergelijkingen maakten van
eten, leven en genieten. Steeds meer droomde Alex van een
kwiek herderinnetje dat met smaak vlees zou eten zonder
over eiwitten te praten, niet zou leven van calorieën maar
van aards voedsel, geen Cogitum zou innemen om te kunnen denken, over haar ziel zou praten zonder te verwijzen
naar het karma en niet zou weten hoeveel en welke eroge-
ne zones ze bezat.

Er bleven hem als toevlucht twee dingen over: de zee en

de Oudheid, een soort vervangend vaderland waar hij sinds zijn jongensjaren vaak woonde. De film die Yves wilde maken en de te grote boot die Iris van haar eerste man had geërfd en die ze per jaar verhuurde voor luxecruises maar die deze winter toevallig vrij was, had hij als voorwendsel aangegrepen om zes maanden verlof te vragen bij de Unesco en eindelijk die wereldreis te maken waar iedereen zijn leven lang van droomt, waarbij hij eilanden zou aandoen waar de officiële tochten geen aandacht aan besteden. Iris had zich vol enthousiasme op de organisatie van de reis gestort maar ze begon al weer last te krijgen van dat gevoel van teleurstelling dat ze altijd had als de werkelijkheid naderde. Ze was overal bang zichzelf tegen te komen, die ouder wordende vrouw die Alex zojuist een kus op haar wenkbrauw had gegeven voordat hij in zijn hoek van het bed wegkroop. Hij wilde per se verscheidene boeken over India lezen voordat hij er aan land zou gaan. Iris was totaal niet geïnteresseerd in India en wilde iets zachts en warms in zich voelen. Allebei vielen ze ten slotte in slaap met de gedachte dat de ander een beul was.

Aan de andere kant van de tussenwand dacht de beste vriend van Alex, met een boek over Gandhi in zijn handen en zijn vrouw sluimerend naast zich, aan het geluk. Aan het geluk dat hij leefde. Hij had de dood zojuist van dichtbij gezien – een hartinfarct op zijn drieënveertigste – en was van plan goed te profiteren van de nieuwe kans die hij door middel van de vorderingen van de medische wetenschap en zijn eigen inkomen als tandarts in de meest gunstige omstandigheden had kunnen grijpen.

Tot dat infarct had zijn sanguinische temperament, gepaard met een christelijke opvoeding, ervoor gezorgd dat hij voor liefde aanzag wat niet meer was dan een onschuldige gehechtheid aan zijn echtgenote, ene Patricia van goede afkomst, in wie hij zonder er al te veel bij na te denken vijf kinderen had gedropt. Dat zijn dingen die je gemakkelijker wel dan niet doet, hoewel de felicitaties van vrienden en de maatschappij de ouders zouden doen geloven dat ze zojuist een topprestatie hebben geleverd. Wordt een dropautomaat er soms mee gefeliciteerd dat hij dropjes uitbraakt in de metro?

Die christelijke opvoeding weerhield hem er niet van met zijn assistente de liefde te bedrijven, ook op een onschuldige manier, al vele jaren lang. Een man is een man. Trouwens, zijn spreekkamer was oververhit en het kan niet anders of een vrouwenlichaam, naakt onder een witte jas, brengt je op zekere dag het hoofd op hol.

Er waren natuurlijk ook een paar aardige avontuurtjes hier en daar, want een tandarts bevindt zich, net als een dokter, al in een gunstige positie omdat hij zich buigt over patiënten die altijd min of meer zijn aangedaan. Dat alles, en daarbij nog succes in zijn beroep dat hem tien uur per dag en zes dagen per week op de been hield, had geleid tot deze donderslag.

'Sinds mijn man een hartinfract heeft gehad...' bleef Patricia steeds maar zeggen zonder te weten dat ze door die onschuldige verdraaiing nog sneller uit de gratie zou raken.

De eerste keer had Jacques zijn vrouw gecorrigeerd: 'Infarct, Patricia! Van het Latijnse farcire.'

Maar infract klonk echter. In de eerste plaats deed het denken aan fractuur, dat was bekend terrein. Dus had hij, toen hij drie maanden lang in bed veroordeeld was het gekakel van zijn vrouw aan te horen, haar met boosaardige vreugde, met een bijna bewuste perversiteit steeds maar weer horen zeggen: 'Met je infract.. Na je infract, arme snoes... Toen je je infract kreeg...', waarbij hij steeds meer een hekel aan haar kreeg met een kleingeestig maar venijnig gevoel van haat. In de eerste plaats was het niet *zijn* infarct, maar *een* infarct dat hem was overkomen. Een ongelukje. Patricia zei ook, en daarmee groef ze met haar tong haar eigen graf en maakte ze een herrijzenis bij voorbaat onmogelijk:

'Je moet niet denken dat je net zo kunt leven als vroeger, arme snoes...! Je zult nu op je gezondheid moeten gaan letten...'

De snoes zou haar aan haar woord houden: niets zou inderdaad meer zijn als vroeger. Hij zou er inderdaad op letten dat hij... een nieuw leven kreeg, ja. Want in die drie maanden dat hij de deur niet uit kwam, was hem wel het een en ander duidelijk geworden. Het belangrijkste was dat hij in werkelijkheid al dood was, aangezien voor hem de koek al op was. Zonder dit ongeluk zou hij geblinddoekt recht vooruitlopen, vrolijk als een bedelaar van Breughel, op weg naar zijn pensioen en zijn tweede dood, voorafgegaan door zo'n eindeloze ouderdom die je tegenwoordig doormaakt, een ouderdom waarin je te weinig lichaamskracht, en zelfs te weinig morele moed en objectieve redenen hebt om te kunnen ontkomen aan de Eeuwigdurende Aanwezigheid van je partner. Je blijft omdat je vroeger ook bent gebleven; dat is alles.

Toch was Jacques heel bang geweest dat hij zelfs dat leven zou moeten missen. Eigenlijk geloofde hij niet dat hij werkelijk op zijn levenskapitaal had ingeteerd, het soort illusie dat soms veel langer standhoudt dan je jeugd. Door het ongeluk wist hij in één klap hoe oud hij was: de ene dag was hij nog die jongeman die 's zondags bridgede met zijn oude studievrienden, nooit een jachtpartij van mannen onder elkaar, een skiweekend, congres of etentje van de Vereniging oversloeg... de andere dag was hij een man van drieënveertig die op het punt stond dood te gaan, vader van vijf weeskinderen!

Al heel gauw was de dood niet meer zo dichtbij: alleen de jongeman was er niet meer. Wat overbleef was een rijpe man, dat wil zeggen een man die geen keus meer heeft. De kinderen groeiden op als hongerige wolven en in de ogen van Patricia was niets te goed voor hen. Toen Jacques vijftien was, had hij zelf een kristalontvanger gebouwd en speelde hij iedere zondag het tonnenspel of croquet in de tuin van zijn grootmoeder. Toch herinnerde hij zich als kind gelukkig te zijn geweest. Maar ze hadden hem in zijn gezicht uitgelachen toen hij van plan was geweest zijn oude ton van zolder te halen om haar op te schilderen, met die sympathieke pad in het midden en de twee schoepenwieltjes aan weerskanten die draaiden wanneer ze dat wilden...

'Toe nou, snoes, daar vindt toch niemand meer wat aan, aan dat ding van jou! Trouwens, de helft van de speelschijven is weg. Nee, koop liever een racebaan voor ze!'

Ze moesten alles hebben, alles wat Jacques en Patricia niet hadden gehad: judo voor de twee jongens om hun agressiviteit in balans te houden, klassieke dans voor de drie meisjes voor een elegante houding, zeilkampen die onvermijdelijk leidden tot de aanschaf van een Vaurien – 'tweedehands, Papa, een koopje!' – wintersport met een bronchitis of een fractuur gratis erbij – ook een koopje – reisjes naar Engeland om moeiteloos de taal te leren – vooral moeiteloos! – een cursus pottenbakken, zonder dat het speciaal nut had – het nutteloze was erg nuttig! – een platenspeler omdat jonge mensen niet zonder muziek kunnen en een walkie-talkie 'omdat je vader dat ook wel leuk zal vinden'. Jacques had niet veel tijd voor zijn kinderen omdat hij immers zoveel voor hen werkte, maar Patricia bleek een voorbeeldige moeder te zijn. Ze had gewillig het vocabulaire van de moderne moeder geleerd, had het over spellingsblindheid als iemand te lui was om de gebruikelijke woorden te leren, over asthenie als een kind 's ochtends weigerde uit bed te komen, en over asociaal gedrag bij kleine kruimeldiefstalletjes, het weigeren je spullen uit te lenen, lelijke

streken en diverse wreedheden die de jeugd eigen zijn.
Dat alles werd natuurlijk behandeld door gespecialiseer-
de specialisten. Patricia zei 'behandelen', Jacques vertaalde
dat in 'betalen'. Want terwijl hij steeds meer werkte en
steeds duurder werd voor zijn patiënten, begreep hij niet
hoe het kwam dat hij voortdurend niet bij machte was bij
voorbeeld eens tegen zijn vrouw te zeggen:
'Laten we driehonderdduizend frank over de balk smij-
ten en onszelf eens een keer een plezier doen: ik neem je
mee naar Madeira!'
Iedere keer dat vader wat extra's verdiende, volgde er, als
ware het onvermijdelijk, een extra verlangen of behoefte
van de jonge wolven, waardoor het nieuwe overschot tot
op de laatste frank werd weggewerkt en de reis naar Madeira voor de zoveelste keer werd uitgesteld.
Jacques die, net als zoveel andere vaders, vastzat in dat
raderwerk waarvan hij niet had voorzien dat hij er pas uit
zou komen op een leeftijd waarop hij niet zoveel zin meer in
dingen had en nog minder in zijn vrouw, was tot dan toe
zonder al te veel protest met geld over de brug gekomen,
omdat hij nog steeds dacht dat de volgende dag de blinde-
darmontsteking wel betaald zou zijn, de privé-lessen tot
hen zouden zijn doorgedrongen en de beenbreuk gezet zou
zijn, en dat hij dan een beetje rustig aan zou kunnen doen
en op adem komen. Maar de volgende dag reed zijn oudste
zoon, een week voordat hij zijn rijbewijs zou halen, in een
bocht van de weg zijn auto in de prak en maakte hij een
huisvader invalide; werd zijn dochter van het lyceum gestuurd en was ze gedwongen naar een zogenoemde bijzondere school te gaan met alle financiële gevolgen van dien;
en de volgende dag zou Jean-François veertien worden en
moest hij een Solex hebben, namelijk om naar judo te kunnen gaan...
Wat een zegen was dat hartinfarct eigenlijk! Dat was net

voldoende geweest om de twee oudsten op een kostschool te doen en de drie anderen naar oma te sturen, wier migraineaanvallen, nu er niets anders op zat, als bij toverslag waren verdwenen, zodat je plotseling weer tijd kreeg om te lezen, te denken, naar de bomen te kijken en je vrouw te zien. Nu hij zich sinds enige tijd weer gezond voelde, jeukten zijn vingers en nam hij zich voor om... ja, wat eigenlijk? Voorlopig kon hij niets anders bedenken dan meer neuken dan vroeger, en beter dan vroeger; een armzalig gebruik van de vrijheid wanneer je erover nadenkt met de dood voor ogen. Maar de angst had hem nog niet te pakken. In de euforie van zijn verrijzenis, in zijn opgetogenheid dat hij dat al met al toch heel toonbare lichaam weer terug had, kon hij nog niet toegeven dat hem in feite nog maar één weg overbleef, en dat was doorgaan. En dat alles weer opnieuw zou beginnen, omdat angstgevoelens en dromen helen, net als hartweefsel. Gelukkig was hij zo verblind dat hij wilde geloven dat die herstelperiode van zes maanden, waarin hij een wereldreis zou maken, dat dat uitstel dat hem door zijn oude vriend Alex zo wonderbaarlijk was aangeboden, hem de oplossing, het licht zou schenken, waarbij hij vergat dat je een probleem kunt oplossen, maar een situatie niet. En zijn situatie was dat hij naast Patricia lag en haar niets kon verwijten behalve dat ze de vrouw was die hij twintig jaar eerder had gekozen. Bovendien waren er nog die vijf kinderen waarmee hun liefde was getekend.

Eigenlijk zou mijn vrouw Matricia moeten heten, dacht Jacques rancuneus.

Hoe kon hij iedereen, en haar vooral, uitleggen dat als je op je drieënveertigste net bent geboren, je niet verder wilt met op je rug een oude last waaronder je al een keer bent bezweken?

Nou ja, zover was hij nog niet.

Jacques, die helemaal in beslag werd genomen door het feit dat hij zonder pijn kon ademen, dat hij zijn dierbare hart in zijn binnenste hoorde kloppen en de wind buiten hoorde waaien, zag de toekomst met vertrouwen tegemoet. Hij dacht dat hij de tijd had om na te denken. Vooral omdat Matricia onderweg in Bombay van boord zou gaan. De wereld zit nog niet zo gek in elkaar, dacht hij: het was maar beter dat mannen hartinfarcten kregen. Wat een ramp zou het zijn als Matricia zes maanden moest herstellen! Wat zou ze daar trouwens mee moeten beginnen? Ze is het leven verleerd. Ik vraag me zelfs af of ze dat wel beseft.

Hij draaide zich om naar zijn vrouw, zo'n Vlaamse waar schilders verzot op waren, met een huid waar je dwars doorheen keek, alsof de Schepper had vergeten er de buitenste laag omheen te doen. Ze vocht dapper tegen haar misselijkheid en wierp hem een pathetische blik toe. Plotseling sprong ze op en keek heel zorgelijk... maar te laat. Vrouwen die niet langer bemind zullen worden, zijn geneigd tot dit soort ongelukken. Jacques draaide zich weer naar de muur om de klonters niet te hoeven zien die overal over het tapijt lagen.

'Denk je dat het de hele nacht zo zal doorgaan?' vroeg ze klaaglijk.

'Hoe moet ik dat weten?' antwoordde Jacques, die niet tegen de lucht van braaksel kon. En omdat hij zijn vrouw die avond bijzonder lelijk vond en hij sinds zijn ongeval opeens boosaardig begon te worden, voegde hij eraan toe dat de storm nog maar net was begonnen en het normaal gesproken in dit seizoen minstens vierentwintig uur kon duren, misschien langer. Hij insinueerde dat het niet veel goeds beloofde als je in een haven al ziek was.

Patricia nam een pepermuntje om haar man niet lastig te vallen. Ze hield niet van pepermunt maar had al lang geleden de gewoonte aangenomen meer rekening te houden met de smaak van haar man dan met haar eigen smaak. Onderdanig begon ze zijn rug te masseren en zielsgelukkig viel hij in slaap. Ze durfde het licht niet weer aan te doen om een slaappil te pakken.

Kort voor de dageraad van de 25ste november 1958 werden de passagiers in hun zachte bedden vaag wakker van de verschillende geluiden van de afvaart. Het regende. Alleen Alex en Yves kwamen naar de brug om te zien hoe de boot de haven verliet. Toulon lag te slapen, omgeven door bergen. De wind was nog niet opgestoken maar de lucht was betrokken en de weersverwachting slecht.

'Toch,' zei Alex, 'als ik bedenk...'

Het einde van zijn zin ging verloren in het geraas van de vijftienhonderd paardekrachten die van wal staken.

In een halfwollen jekker, met een enigszins lachwekkende wollen muts op die door zijn moeder was gebreid, glimlachte Yves naar de Middellandse Zee en zodoende naar alle zeeën waarmee hij eindelijk eens kennis zou maken.

4
HET GALLIA-SCHRIFT

'Wat zou ik graag willen dat men zichzelf accepteert zoals
men is, dat men de onvermijdelijkheden van zijn karakter
intelligent gebruikt: dat is pas het ware genie.'

Julien Gracq

Aan het andere eind van onze hut is Yves, ongevoelig voor
het slechte weer en druk als een mier, in de weer met een
bezigheid waarvan de noodzaak ongetwijfeld terugvoert tot
lang vervlogen tijden: een hol graven om in te slapen. De
operatie begint met een paar handgrepen die als doel hebben het mooie gladde bed van 's avonds binnen enkele se-
conden te veranderen in een beslapen nest. Sinds we gescheiden slapen, wordt de maniakale praktijken van Yves
de vrije loop gelaten en enigszins geïrriteerd sla ik de kwalij-
ke ontwikkelingen gade. Hij zal eerst de dekens tot onderaan lostrekken – claustrofobie – het kussen in verticale
stand zetten opdat het gedeeltelijk over zijn hoofd heenvalt

– heimwee naar de baarmoeder – rechtop op de matras
gaan staan – kinderlijke symboliek voor de overwinning –
de lakens met zijn voet opzij schuiven – luiheid en een begin van verstijving van de wervelkolom – eronder gaan liggen – normaal – en daarna het geheel op een afschuwelijke
manier bewerken totdat de overslag van het vreselijk ge-
kreukte bovenlaken onder de wollen deken verdwijnt. En
ten slotte langdurig met zijn pootjes in zijn holletje rond-
stappen: een opleving van het dierlijke instinct. Als hij eindelijk ligt, wroet hij hardnekkig in het kussen zodat hij zijn
snuit er goed kan indrukken. Al die tijd kijk ik met onbescheiden opdringerigheid naar hem, maar het beest heeft
het te druk om me te zien.

Ik heb lang gezocht naar een type matras waarbij de omgeving geen last zou hebben van dat gewoel. Schuimrubber
is niet aan te bevelen: telkens als Yves voor everzwijn speelde, werd ik de lucht in geslingerd. Bij een springveren matras veranderde de ceremonie in een concert voor metalen
spiralen. Wol dempt die eigenaardige handelingen altijd
nog het best.

Met een laatste flinke ruk wordt het hol mooi rond gemaakt en tevreden rolt hij zich erin op. Het wordt stil in de
hut, een stilte die door het aanhoudende geronk van de
twee motoren nog completer wordt dan echte stilte, en de
roze met groene slaapkamer gaat hobbelend op weg naar
Zuid-Italië.

'Ik vraag me af waarom ze jouw bed opmaken,' zeg ik.

'Jij ligt erbij alsof je op je sterfbed ligt,' antwoordt Yves.

'En ik heb altijd gezegd dat ik liever had dat ze mijn bed niet
opmaakten. Ze zouden af en toe de lakens eens moeten ver-
schonen, dat is alles... Maar nee! Ik weet dat ik dat nooit
voor elkaar zal krijgen.'

Hij heeft de dag doorgebracht met het versjouwen van
zijn filmmateriaal en draait zich naar de muur om zonder

meer duidelijk te maken dat hij doodmoe is en dat mijn spreektijd voorbij is. Twee eenpersoonsbedden, op zich afschuwelijk, hebben wel het voordeel dat je weer de vrijheid krijgt om je aan je eigen zonden over te geven. En dan bedoel ik schrijven. Als je naast een man in bed ligt, kun je niet, zonder dat het belachelijk wordt, in je aantekenboekje noteren dat je niet begrepen wordt of teleurgesteld bent, dat hij je dit of dat heeft aangedaan... Het zou zijn alsof je voor zijn ogen masturbeerde. Trouwens als je eenmaal getrouwd bent, ben je nooit meer helemaal oprecht. Maar toch, in die vreemde hut, waar het geluid van de vijftienhonderd paardekrachten van de *Moana* ons beter van de buitenwereld afsnijdt dan een muur, en ik zo ver van mijn huis en mijn dochters ben en ook nog last heb van een laatste restje rancune, ben ik weer een beetje een meisje. Natuurlijk zal ik niet de hele waarheid vertellen. Misschien alleen de waarheid: dat is al heel wat. Ik zal inschikkelijk tegenover mezelf zijn en streng tegenover anderen. Het is niet mijn taak om over het leven van de heilige Yves van de Zeven Smarten te vertellen maar om medelijden te hebben met mezelf. En ook om me te verzoenen met mijn leven; en met die ander misschien, die onschuldige daarginds – want iedereen is onschuldig – die mij het eindeloze schouwspel van zijn slaap opdringt. Het is per slot van rekening nog maar tien uur.

'Yves, slaap je?'

'Ja.'

'Weet je wat ik net in *Le Monde* las? Dat tabak ook nog een rampzalige invloed op je bloedvaten heeft. Hier, ik heb het voor je aangekruist. Luister maar wat professor Milliez schrijft: ''Wanneer ik een artritispatiënt ondervraag, weet ik zeker dat hij me zal antwoorden: 'Ja, dokter, ik rook mijn sigaretten tot het eind toe op en ik slik de rook door.' '' Hoor je dat?'

'...'

'Wil je soms dat je niet alleen longkanker krijgt maar dat ook nog je beide benen eraf moeten?'

Yves doet alsof hij snurkt maar ik trap er niet in. Al tien jaar plak ik doodskoppen op de bodem van de asbakken, knip ik waarschuwingen uit de kranten en foto's van bronchiën vol teer die opgezwollen zijn door de tabak, die ik dan in zijn kasten ophang, zonder enig resultaat. Maar ik ga door:

'Ik heb nog liever dat je drinkt. Levercirrose maakt geen geluid terwijl de bronchitis van oude rokers... Jou de hele nacht je keel te horen schrapen zou mijn krachten te boven gaan. Ik ben van plan honderd te worden, dus dan heb ik veel slaap nodig.'

'Artritis maakt ook geen geluid,' gromt Yves.

'Wat dacht je van de krukken? Als oude mensen bij wie een been is geamputeerd 's nachts opstaan om een plasje te doen... klop klop klop in de gangen zoals kapitein Achab...'

'Ik zal niet wachten tot mijn beide benen eraf zijn om bij jou weg te gaan, wees maar gerust.'

'Maar ik wil niet dat je bij me weggaat... ik wil dat je benen niet bij ons weggaan!'

We maken graag grappen over onze toekomst, waarschijnlijk omdat we bang zijn om over het verleden te praten. Er komt een moment in het leven van een echtpaar dat je om obstakels heen loopt in plaats van ze frontaal aan te pakken. Het innerlijk vuur is bij allebei niet heet genoeg meer om ze uit de weg te ruimen, het verlangen naar de waarheid is gezwicht voor het onnodig lijden dat het met zich meebrengt en voorzichtigheidshalve loop je met een grote bocht om de gevarenzone heen. Zo ontstaan tussen twee echtelieden eilandjes van stilte, omgeven door een ruime veiligheidszone. Met 'Heb je dat artikel over Korea in *Le Monde* gelezen?' of 'Het weerbericht klopt van geen kanten, heb je dat gezien?' loop je geen kans verzeild te raken op klippen waar je elkaar al hebt afgemaakt. Sinds Yang in ons leven is gekomen, en vooral sinds ze er weer uit is verdwenen, praten we veel over Korea en het weerbericht. Ook over vrienden, want vrienden bieden een echtpaar dit belangrijke voordeel: je kunt aan je eigen wonden krabben en een beetje kokende olie op die van je partner gooien terwijl je intussen onschuldig zit te babbelen. Je moet je zo nu en dan eens aan heet water kunnen branden want op de dag dat de wonden dichtgaan, is de liefde dood. Dan is er natuurlijk nog wel de echtelijke liefde. Voor twee mensen die er niet in geslaagd zijn aan hun fundamentele onenigheid een einde te maken, vormen Julien en Eveline een uitgelezen prooi, waar vaak op gejaagd wordt. Ze boden me de mogelijkheid Yves voortdurend op hetzelfde terrein aan te vallen, waarbij ik steeds maar hoopte hem er door argumenteren van te overtuigen dat hij ongelijk had op een gebied waar de beste argumenten ter wereld niets mee te maken hebben. Dat is het terrein van de echtbreuk. Eveline bedriegt haar man al twee jaar elke week in hun buitenhuis waar ze nog steeds de weekends doorbrengen. Ik kan maar niet wennen aan die regeling.

'Omdat jij vindt dat het heel wat anders zou zijn in een hotel?' zegt Yves meestal, geduldig als hij is.

Tja, dat vind ik. Of dat vond ik althans. Natuurlijk... als het eens een keer zo uitkomt... Een bed is geen tabernakel. Maar plekken en dingen waarvan je samen hebt gehouden, ik vind het een rotstreek, zolang je nog bij elkaar bent, dat anderen daar gebruik van maken.

'Als je zo redeneert,' zei Yves dan, 'is het lichaam van Eveline ook iets waarvan ze samen hebben gehouden...'

Ja, maar haar lichaam is tenslotte alleen van haar, terwijl hun huis... Wat ik hem in werkelijkheid nooit heb kunnen vertellen, is dat ik ook een keer de spullen van Yang in de la van mijn nachtkastje in Kerviniec heb aangetroffen. De Equanil en de Valium die ze de laatste tijd nam, waarschijnlijk om te vergeten dat ik bestond. Yang had zelfs aan mijn kant geslapen; Yves had het niet nodig gevonden aan de andere kant te gaan liggen. Misschien had hij haar wel de mammoet aangewezen die door vocht op het plafond is ontstaan. Misschien had hij haar wel het meisjesgilletje laten horen dat het uiltje slaakt dat iedere nacht in onze tuin op jacht is. Door die dingen is slapen met een andere vrouw in je eigen huis een vergrijp. Maar die woorden kwamen niet over mijn lippen en zolang ze niet waren uitgesproken, kon ik me nog aan de werkelijkheid onttrekken. Yves had er ook geen belang bij dat ze gezegd werden: hij wilde op zijn manier ook niet alles door elkaar halen. Toch had hij minstens één keer Yang meegenomen naar Kerviniec. Natuurlijk is een hotel niet erg romantisch, maar met welk recht kun je alles tegelijk eisen, een heel nieuwe liefde, de vrijheid ervan te genieten, de zegen van je partner en bovendien nog het bed en de kleine hebbelijkheden van die persoon?

In feite heb ik nooit een aanvaardbare gebruiksaanwijzing voor echtbreuk gevonden en Yves verzette zich tegen dit onmiskenbare feit. Waar het om gaat, zei hij altijd om zich vast te klampen aan een zekerheid, is dat Julien het weet en het goedvindt. Zeker, maar moet je dan onder het voorwendsel dat de ander genoeg van je houdt, die ander tot het uiterste drijven? Ik heb nu de indruk dat Yves me instinctmatig drie jaar lang precies zoveel verdriet heeft gedaan als ik kon verdragen zonder in te storten. Maar hij wilde graag een andere voorstelling van zaken geven, altijd weer de twee kanten van de waarheid: Eveline deed Julien 'zo weinig mogelijk verdriet' en in ieder geval 'bedroog' ze hem niet. Inderdaad wordt Julien niet bedrogen: hij weet heel goed dat twee dagen per week in zijn tweede huis en met zijn toestemming zijn hart wordt gebroken. Zo kan de beul zich de luxe veroorloven een zuiver geweten te houden. Wat blijft Julien anders over dan de schaamte dat hij jaloers is in een tijd waarin dat geen fatsoenlijk gevoel meer is, en dat hij een spelbreker is bij het rondneuken in een tijd waarin die activiteit een bewijs van beschaving en verfijning is geworden? Oprechtheid in de liefde is een gevaarlijke illusie: die leidt ertoe dat je de ander, door te bekennen dat je hem of haar bedriegt, veel meer verdriet doet dan je plezier hebt door dat bedrog. Het is dus ook een leugen! Julien heeft natuurlijk nog de mogelijkheid zich te gedragen als wat Yves 'een beschaafd mens' noemt. Er wordt niet gedreigd, niet met vaatwerk gesmeten, je gaat niet uit elkaar, behalve natuurlijk als het je vriendelijk wordt gevraagd, en je blijft veel genegenheid voor elkaar voelen; veel respect vooral, want dat is het fijnste van het fijnste. En rancune die kun je in je reet stoppen met leed erachteraan. Ze vragen je zelfs, terwijl ze je zo goed gezind zijn, of je ronduit blij wilt zijn met al het goeds dat de ander overkomt buiten jou om. Dat is het toppunt van beschaving. Altijd hetzelfde akelige liedje! Wat is dan nog het verschil met moederliefde? Het feit dat je het fijn vindt als de ander tegen je zegt: 'Ga je gang, schat, en amuseer je vooral,' met een glimlach als van een oude mama vol begrip, komt doordat het prettiger is plezier te hebben als je weet dat je 's avonds niet een rood behuild gezicht aantreft; maar het komt vooral doordat je geen echte liefde meer voor die ander voelt. En in dat geval ligt de zaak anders. Als geen van beiden meer hartstochtelijk van de ander houdt, wordt het gemakkelijk om beschaafd te zijn. Tevreden verlaat ik me op die zekerheid die ik op latere leeftijd heb gekregen. Mij verkopen ze geen knollen voor citroenen meer.

Die gedachten die gedurende zoveel slapeloze nachten door mijn hoofd hebben gespookt zonder dat ik er een logi-

sche houding aan kon ontlenen, kwellen me tegenwoordig
niet meer, maar het is me nooit gelukt er openlijk met Yves
over te beginnen. Vroeger niet omdat ik een moeizaam
evenwicht niet in gevaar wilde brengen; nu niet omdat de
dood van Yang de situatie heeft vertekend en mij een twij-
felachtige overwinning heeft bezorgd. Ik weet nu dat het
probleem onoplosbaar is of dat er talloze oplossingen voor
bestaan, wat erop neerkomt dat geen enkele oplossing goed
is. Op zekere dag moet ieder zijn Kaap Hoorn alleen zien te
passeren. Op zekere dag word je tegen je zin meegezogen in
de afschuwelijke engte waarin je moet verdragen wat on-
aanvaardbaar is, werkelijkheden erkennen die dodelijk
zijn, en berusten in alles waarvan je op je twintigste nog zo
had gezworen het niet toe te zullen laten. Je spartelt wild
tegen met je ogen vol zout water, je zinkt honderd keer weg
en je denkt dat je de bodem van de wanhoop hebt bereikt en
dat je nooit meer van het leven zult genieten... En dan op
een goede dag, ja, een goede, ben je, zonder dat je kunt zeggen hoe, Kaap Hoorn gepasseerd. Ontroerd en verbaasd
merk je weer hoe warm de zon is en hoe heerlijk onbezorgd
het leven smaakt, een smaak die je was vergeten. Het valt je
niet meteen op dat je jeugd en je hartstocht overboord zijn
gevallen... maar waren dat niet twee gevoelens die in de
praktijk onleefbaar waren? Als je erin geslaagd bent je zeil-
tuig te redden, is dat het belangrijkste, dan hoef je je alleen
nog maar vol vertrouwen te laten meevoeren. Er kunnen
geen twee Kapen Hoorn in een leven voorkomen.

Een gerust gevoel is heel iets anders dan je dacht toen je
twintig was.

De nacht vordert en de deining wordt al heviger, hoewel
we nog in de beschutting van de Italiaanse kust varen. Ik
vraag me af of ik eraan zal wennen om te slapen terwijl ik als
een wrak heen en weer word geslingerd. Ik voel mijn skelet
in mijn huid rollen, er heerst in mijn binnenste een voort-

durende bedrijvigheid, al mijn organen zweven, gaan heen
en weer, hebben steeds een ander steunpunt en sturen
boodschappen van verbazing en vervolgens van protest
naar mijn oververmoeide hersenen, die er nooit in slagen in
te dutten. Bovendien verandert Yves, om me te tarten,
's nachts in een meneer die ik nauwelijks ken en steeds als
ik naar hem kijk, ben ik weer even verbaasd dat ik die
vreemdeling in mijn leven heb! Wanneer hij slaapt, wordt
zijn neus ontzaglijk lang en krijgen zijn gelaatstrekken een
trieste en strenge uitdrukking, waardoor hij lijkt op de Grote Condé. Zijn gezicht is star, zijn mond recht en zo dun als
een sabelhouw... Waarom heb ik ervoor gekozen te leven
met die man die helemaal mijn type niet is? Zelfs toen ik
met hem trouwde, was hij mijn type niet. Toen ik hem ont-
moette, overkwam me een ongeluk. Een ernstig ongeluk,
want ik onderga er nog steeds de gevolgen van... Eigenlijk
houd ik van mannen zoals Alex, met mooi zilvergrijs haar
aan hun slapen, mannen die er melancholiek en niet erg
handig uitzien, met heel zachte ogen en vooral van die ge-
krulde wimpers die ik altijd zo ontroerend heb gevonden bij
een man. Mijn hele leven – en dat is nu lang genoeg om er
lering uit te trekken – heb ik me aangetrokken gevoeld tot
academici, zo mogelijk met bril, in ieder geval met complex-
en, donker bij voorkeur, vol utopische ideeën, die de Griekse en Latijnse grammatica kennen, in de vooruitgang geloven, van gedichten houden en verlegen zijn tegenover
vrouwen. Ik ben overigens getrouwd met eentje die vol-
deed aan die normen: bijziend, meer op zijn gemak in het
hanteren van ideeën dan van voorwerpen, verstrooid, edelmoedig en een pechvogel. Zes maanden later werd Olivier
op de boulevard Saint-Germain door een taxi aangereden
en stierf hij aan een schedelbasisfractuur. Ik had geen tijd
om te weten te komen of ik gelukkig met hem zou zijn geweest en hij had alleen tijd om een kind bij me te verwek-

ken, dat hij niet heeft gekend en dat niet eens op hem lijkt.

Yves gaf echter de voorkeur aan het humane boven de humaniora, had het gezichtsvermogen van een lynx, had ongehoord veel geluk en viel bij vrouwen maar al te goed in de smaak. De eerste keer vond ik hem helemaal niet leuk en zei ik tegen hem dat hij op Henri Garat leek.

Hij smeerde brillantine in zijn haar, droeg een te licht grijs kostuum, had voor iedereen zonder onderscheid een persoonlijke glimlach, maakte vlotte woordspelingen, had een zachte bleke huid, vrouwelijke handen, en een klein mondje zoals dat in trek was bij verleiders van voor de oorlog; en ten slotte leefde hij liever 's nachts en raakte hij zoals alle nachtbrakers in de ban van de alcohol. Eigenlijk weet ik niet door wat voor listen hij zich die reputatie van verleider aanmatigde want hij had kleine oogjes van een onduidelijke kleur, omsloten door strakke oogleden zoals vogels hebben, en hij vertoonde het abnormale kenmerk dat hij een kastanjebruine iris maar grijze ogen had. Verder waren zijn sportprestaties matig, zijn schouders nogal smal en was zijn stem niet van fluweel. Maar al die details vond hij volkomen van ondergeschikt belang, en anderen kennelijk ook, want het leek voor eens en altijd vast te staan dat hij won in het spel en bij de vrouwen.

'Het is een losbol, arm kind,' zei mama steeds.

Ik vond hem zo onsympathiek dat ik geen argwaan koesterde. Ik ging vaak met zijn zus uit en dan kwamen we hem tegen in het gezelschap van allerlei soorten meisjes met wie hij op precies dezelfde voet van intimiteit scheen te staan en aan wie hij evenveel plezier scheen te beleven.

Op de boot leerden we elkaar beter kennen. Op het strand, in zwembroek, was hij meer dan ooit een losbol met zijn kromme rug, zijn magere armen en zijn benen die zo wit waren dat ze wel hemelsblauw leken. Hij had trouwens een hekel aan de zon, aan sport en aan badmeesters. Ach, ik liep echt geen enkel risico! En toen brachten we die dag op de boot door. Hij had verstand van motoren; ik dacht tot dat moment altijd dat hij zat op te scheppen. Hij manoeuvreerde handig met het zeil en hij praatte goed over de zee, wat niet gemakkelijk is. En, het belangrijkste, we hadden voor de eerste keer geen ander meisje of een vriend bij ons. Ik besefte het niet meteen, maar wat ik in hem niet kon uitstaan, waren de anderen. Die dag speelde hij zijn rol voor mij alleen, en voor de zee die hem altijd zijn beste rol heeft toebedeeld. Desondanks had hij zijn fles muscadet in een emmer meegenomen.

's Avonds zouden we naar het station gaan om een meisje af te halen dat voor hem kwam. Het deed er niet toe wie, hij had geen enkele voorkeur, dat wil zeggen niets stond hem tegen. De laatste, een dikke met geel haar, was de vorige dag vertrokken en hij legde het altijd zo aan dat er geen vacature ontstond. Maar het meisje zat niet in de trein. We gingen naar huis, al pratend over het leven en de liefde, en ik had nog steeds niets in de gaten. En toen werd ik het meisje van die avond, omdat er geen ander was. Ik weet zeker dat Yves geen betere reden had en alleen veel vriendschappelijke gevoelens voor mij, hoewel hij later het tegendeel beweerde, omdat hij iemand graag een plezier doet en het niet minder waar was dan iets anders. Ikzelf werd overrompeld. Hij scheen de situatie zo gewoon te vinden dat ik bang was een uilskuiken te lijken door te zeggen: 'Zet dat maar uit je hoofd!' Ik heb nooit erg goed overweg gekund met dat soort mannen, ze maken dat ik de kluts kwijt raak en terwijl ik nog nadenk, is het al gebeurd. De volgende dag bestelde hij het andere meisje, dat een telegram had gestuurd, af en gingen we met z'n tweeën ergens anders heen om de anderen te ontlopen. In die haven waar hij al jaren zijn vakantie doorbracht, was het niet uit te houden.

Al die tijd dat we samen waren, ging alles prima. Omdat

het zijn levensbehoefte en talent was zich aan anderen aan te passen, paste hij zich perfect aan mij aan. Maar waar zou hij niet de behoefte hebben gevoeld zich aan te passen? Welke vorm van aanpassing was zijn meest natuurlijke van al die vormen waartoe hij in staat was? Die vraag heeft me altijd beziggehouden en daarop heb ik nooit een duidelijk antwoord van hem kunnen krijgen. Hij vindt alle vormen van aanpassing prettig omdat zich aanpassen nu juist datgene is wat hij graag doet! Er was dus geen enkele reden waarom ik meer bij hem in de smaak zou vallen dan een andere vrouw.

Toen hij weer in Parijs was, ging hij terug naar zijn vreselijke hotel vol wezens die al van tevoren aan wie dan ook waren aangepast, en die hij altijd maar weer tegenkwam in de gangen, in de straten in de buurt, in het restaurant waar hij nog heel laat bleef zitten drinken, niet zozeer omdat hij zo nodig moest drinken maar omdat hij hield van datgene wat alleen bij een glaasje wordt gezegd. En ze vonden hem zo aantrekkelijk en zo briljant als hij gedronken had, en ze zeiden dat hij op een grote hazewind leek, die arme simpele zielen die verblind waren door het verlangen om te bestaan, dat wil zeggen bij een man te horen, en ze deden allemaal niets liever dan hem 's ochtends voor het ontbijt zijn eerste whisky brengen, met die nederigheid die kenmerkend is voor verpleegsters en die, als ze zich eenmaal een plaats hebben verworven, zo snel het bazige gedrag van een feeks wordt. Ik dacht bij mezelf dat ik met mijn eisen, mijn jaloezie en de slechte dunk die ik van hem had, niet lang stand zou houden tegenover hen en dat ik hem bij hen weg moest halen voordat iemand die minder goed was dan ik hem aan de haak sloeg, zoals dat al eens eerder was gebeurd. De arme hazewind kan, omdat hij niet in staat is onaardig te doen, geen nee zeggen.

Ik herinner me dat ik mijn besluit heb genomen in de

nacht dat ik in zijn hotel sliep en er successievelijk twee meisjes zijn kamer binnenkwamen alsof ze thuis waren. De ene was goed gedresseerd en zei meteen dat ze zich in de deur had vergist, maar ik had de tijd gehad om te zien hoe ze onder haar kamerjas, die wijd openhing, enorme borsten had met tepels als vrachtwagenbanden. Wat nu? Hield hij van enorme borsten of van kleine? Het tijdstip was gekomen waarop hij moest kiezen. Ik weet nog steeds niet waar zijn voorkeur naar uitgaat. Wat het andere meisje betreft zal hij wel een vergissing hebben gemaakt in zijn notitieboekje dat altijd helemaal vol stond, want ze bleef lang op woedende toon bij de deur staan onderhandelen.

Toen hij gesommeerd werd een keuze te maken, koos hij voor de kleine borsten en kwam hij in huis wonen bij mij en Pauline, die twee jaar was. Hij leek gelukkig, zoals gewoonlijk; ik ook, maar mama hield helemaal niet van Yves. Of althans niet voor mij: ze dacht dat ik niet tegen hem was opgewassen.

'Als je gaat "hokken", gaat je vader dood van verdriet,' zei ze steeds maar tegen me, want ze wist dat ik een zwak had voor mijn vader en dat hij haar nooit zou durven tegenspreken. Ze gebruikte altijd de lelijkste woorden om over de liefde te praten. Met opzet.

Ik was vierentwintig, had een baan en een dochtertje, maar ik was achterlijk genoeg om nog te geloven dat ouders kunnen doodgaan van verdriet om zulke dingen! Dus vroeg ik Yves weer om uitsluitsel en de arme kerel stemde er meteen in toe met me te trouwen. Ik weet nog steeds niet of hij alleen ook op het idee zou zijn gekomen. In ieder geval trouwde hij een maand later met me. Hij beviel me nog steeds niet, noch lichamelijk noch geestelijk, maar ik was verliefd. Dat was erg.

Ik bleef nog steeds gevoelig voor intellectuelen met bril, want mijn smaak veranderde niet zomaar doordat me een onvoorziene gebeurtenis was overkomen. Trouwens, Yves is er in het geheel niet op vooruit gegaan. Het lukte me om ongeveer tien procent van de hazewindjaagsters weg te werken – een miniem percentage – en verder de te lichte kostuums en de brillantine, omdat zulke details hem eigenlijk koud laten en het hem hoe dan ook altijd goed gaat. Brillantine wordt trouwens niet meer gemaakt, zou de garenen bandverkoopster zeggen. Het was van die blauwe Roja! Maar hij heeft nog wel zijn vogeloogjes met die koele blik, zijn vermoeide tred, die innemende glimlach, die honingzoete praatjes en een liefdevol gebaar voor alle vrouwen die de leeftijd hebben om een kanten slipje te dragen. Hij is twintig kilo aangekomen, maar twintig kilo van zijn eigen materie: hij is niet veranderd. En hij houdt er steeds meer van nieuwe mensen te ontmoeten omdat die nog geen druk kunnen uitoefenen op zijn leven en hij een hekel heeft aan iedere verplichting. Hij loopt alleen wat krommer dan vroeger omdat hij ondanks alles wel het een en ander heeft meegemaakt. En omdat hij zo nu en dan nog het dode lichaam van Yang met zich meedraagt.

Je overleeft alleen als je je ontdoet van spoken, heeft Bachelard gezegd. Maar Yves maakt niet graag iemand dood, zelfs geen spoken. Hij stopt alles goed diep in zichzelf weg en probeert er niet meer aan te denken. Daarom houdt hij ook zoveel van de zee: die bespaart hem verdere gedachten. Zoals hij daar gisteren op de brug stond met Alex en de kapitein, terwijl hij zich vertrouwd maakte met het besturen van die grote witte potvis die de *Moana* is, met het vooruitzicht dat hij er zes maanden tussenuit zou zijn, ik geloof dat hij van zijn leven nog nooit zo gelukkig was geweest. Je trouwdag de mooiste dag van je leven? Dat geldt nooit voor een man. Het doel van hun bestaan is veel meer dan een vrouw, het is kiezen voor het leven in zijn geheel. Als vrouwen dat ook maar eens konden begrijpen...

Yves weigert al een jaar te denken. Sinds de dood van Yang. We verlaten vandaag niet alleen Frankrijk maar ook dat jaar stilte. Niet zozeer die zelfmoord heeft ons lamgeslagen als wel ons echec inzake het belangrijkste probleem van twee mensen die van elkaar houden en samen door het leven gaan. Toch waren we het in het begin eens geweest, welgemeend en zonder aarzelingen. Yves had eens tegen me gezegd, nog steeds naar aanleiding van Julien en Eveline die als stel zo'n beetje het negatief van ons vormden:

'Het verdriet van Julien laat ik voor wat het is, maar er is één ding dat ik in alle gevallen ontoelaatbaar vind, en dat is chantage door middel van verdriet: "Doe het niet, omdat ik er te veel verdriet van zou hebben." Zelfs tussen ouders en kinderen is dat een oneerlijk argument dat je jezelf zou moeten verbieden te gebruiken. Dat ik nooit zal gebruiken. Ik kan me voorstellen dat je verdriet hebt maar dat geeft je geen enkel recht op het leven en de daden van iemand anders. Ieder moet voor zich uitmaken of hij wel of niet tegen het verdriet kan dat hij veroorzaakt.'

Het zwakke punt van deze redenering is dat je niet in staat bent het verdriet van de ander naar waarde te schatten; daarom kun je er zo goed tegen. Ik onderschatte zelfs het verdriet dat ik zou voelen. Maar we waren het eens over het principe. Pech gehad! Mij viel de gelegenheid ten deel het als eerste toe te passen. Mijn aangeboren trots en de vrees om schijnbaar ook maar de geringste chantage uit te oefenen, zorgden ervoor dat Yves kon geloven wat hij maar al te graag wilde geloven: dat deze hele affaire in mijn ogen niet anders dan onbelangrijk kon zijn omdat die niets veranderde aan zijn 'diepste' gevoelens. Maar die mooie redeneringen werden alleen gebruikt om te maskeren dat we het tijdperk van compromissen en berusting ingingen. Wanneer gevoelens er prat op gaan dat ze zo diep zijn, is dat omdat ze te weinig oppervlakte hebben. En de huid is belangrijk in de liefde. Voortaan bedreven we de liefde in een treurige stemming. Was ik de enige die zich zo melancholiek voelde? Ik vroeg het niet aan Yves want als we hadden geconstateerd dat de vreugde, zo niet het genot, uit onze relatie was verdwenen, was daardoor onze situatie alleen nog operationeel geworden: je blijft ook aan elkaar gebonden door het genot dat je schenkt of veinst te ontvangen. Bovendien was ik het over het principe nog steeds eens en wilde ik het hoofd graag koel houden juist omdat mijn hart van streek was en ik gevoelens van jaloezie koesterde waarvoor ik weinig respect had.

'Het is angstaanjagend,' had Yves eens tegen me gezegd toen we spraken over het leven met z'n tweeën, 'als je bedenkt dat het huwelijk bijna in alle gevallen een onderneming wordt waarbij het individu en zijn vrijheid en iedere vorm van verrijking buiten het huwelijk om worden vernietigd. Het is al een hele krachttoer je leven lang met iemand gelukkig te zijn, vind je niet... zonder dat je probeert de weg al te smal te maken.'

Natuurlijk vond ik dat. Maar ik vond ook dat het een hele krachttoer was om met iemand ongelukkig te zijn en daar vrolijk bij te blijven.

Ik kon vrolijk blijven zolang niemand duidelijk woord voor woord tegen me zei: YVES IS DE MINNAAR VAN YANG, en ik vermeed alle gelegenheden waar ik kans liep die onherroepelijke woorden te horen, want ik wist dat ik vervolgens zou terugverlangen naar de tijd waarin de waarheid nog maar net aan de oppervlakte kwam, als een ijsberg waarvan zeven achtste deel voor rekening van het onderbewuste komt. Dank zij die weigering en omdat ik niet goed wist uit welke reserves ik putte, noch wat het me op zekere dag zou kosten, slaagde ik er twee jaar lang in tamelijk correct om te gaan met het overspel van Yves, het handschrift van Yang bij de post te verdragen, niet te controleren of bepaalde weekends zoals gezegd werk-weekends waren, niet voor het raam te gaan staan als hij wegging, om niet de 4 cv van Yang beneden op hem te zien wachten, en hem iedere ochtend de telefoon te overhandigen zonder dat daardoor mijn dag voorgoed bedorven was. Dat het mijn leven bedierf, realiseerde ik me pas later. In crisisgevallen is het soms voldoende om gewoon door te gaan met je dagelijkse bezigheden.

En toen op een dag gebeurde het, iemand vuurde die zin recht op me af, waardoor mijn hersens gedwongen werden te registreren wat alles in me al lang wist. En die iemand was Jacques. We zaten samen in een restaurant te eten, ik zal me die martelkamer altijd blijven herinneren. Yves was op reis voor een serie lezingen over Groenland en Patricia was die avond een beetje ziek, zoals gewoonlijk, wat ons de mogelijkheid bood voor zo'n intiem dineetje dat door twintig jaar vriendschap was toegestaan en dat we voor niets ter wereld hadden opgegeven, want we vonden het belangrijk te laten blijken dat we bij elkaar een streepje voor hadden op grond van rechten die al lang aan de orde waren voordat onze respectieve echtgenoten ten tonele verschenen. Jacques vertelde me dan over zijn leven, dat wil zeggen bijna uitsluitend over zijn liefdes, en door een veel voorkomend eigenaardig trekje dat me goed van pas kwam, stelde hij me altijd heel weinig vragen over mijn liefde. Maar die rampzalige avond meende hij, nadat hij me had verteld dat hij pas had kennisgemaakt met een – zoals gewoonlijk – werkelijk uitzonderlijke jonge vrouw, dat het van hartelijkheid getuigde interesse te tonen voor mij.

'Ik heb veel bewondering voor het paar dat Yves en jij vormen,' zei hij. 'Dat zal niet elke dag gemakkelijk zijn. Jullie zijn het enige voorbeeld dat ik ken van een in dat opzicht volkomen geslaagde relatie.'

Waarom niet elke dag gemakkelijk? Geslaagd in welk op-

zicht? Vooral niet verder op ingaan. Maar Jacques ging door
met zijn pikhamer zonder te weten dat hij de dijk zou afbre-
ken die mij beschermde.

'Ik zou je een onbescheiden vraag willen stellen: ben jij
zoals Simone de Beauvoir, weet je... in *L'Invitée*? Zijn Yang
en jij... eh...'

'Ben je gek?'

Dat was alles wat ik kon uitbrengen voordat de water-
massa waarin ik schipbreuk zou lijden me overspoelde. Ik
hield die uit alle macht tegen, met als enige zorg dat Jacques
niet door zou hebben dat ik niets wist. Ik wist het trouwens
wel, maar ik wist niet dat ik het wist. Bij heel veel echtparen
kun je een Oedipus aantreffen, die zichzelf de ogen uitkrabt
of gek maakt om een ondraaglijk probleem te omzeilen. En
dat werkt, tot op een dag...

Wat een hel, dat restaurant! Mijn lichaam liet me volkomen in de steek. Ik slaagde erin de schijn op te houden en
Jacques, die plotseling alles had begrepen, bracht me heel
snel naar huis.

Als Yves die nacht in Parijs was geweest, was ik losgebar-
sten: 'Doe het niet, omdat het mij te veel pijn doet... Ik
smeek je afstand te doen van de helft van je leven... Kies
maar: het is zij of ik...' alles waarvan we gezworen hadden
het nooit tegen elkaar te zeggen! Gelukkig heb ik nooit door
de telefoon een gevoel onder woorden kunnen brengen. Ik
had trouwens het adres niet van Yves die iedere dag in een
andere stad was. Toen heb ik Yang geschreven. Ik wilde dat
zij ook verdriet had en dat zij dan maar degene was die de
bewuste zinnen tegen Yves zou zeggen.

Toen hij terug was, wachtte ik tot er daar iets zou gebeuren. Maar er gebeurde niets: ze wist het goed te incasseren.
Iedere ochtend bij het ontwaken dacht ik aan Yves en Yang
en dan viel er een emmer ijskoud water over mijn hoofd,
maar daarna redeneerde ik dan bij mezelf: Yves houdt van

me; hij wil niet bij me weg; wat ons bindt is nog steeds belangrijker dan wat ons scheidt; ik verveel me nooit met hem en zelfs als ze zijn piemel er af zouden hakken, zou ik nog graag met hem willen leven. Dus? Dus bleef alles hetzelfde. Ik heb het gevoel dat ik mijn bijdrage aan het leven dat jaar wel heb betaald en een onbeperkt krediet heb gekregen: Yves kan voortaan heel wat verdriet hebben zonder het helemaal te verbruiken. Ik geloof trouwens niet dat hij verdriet heeft: het is erger. Hij is er getuige van dat zijn illusies in rook opgaan. Door de zelfmoord van Yang is de waarheid plotseling aan het licht gekomen: hij heeft zich op beide fronten vergist door te denken dat hij Yang genoeg geluk schonk zonder dat hij mij te veel afnam. Daar draait het om, wat hij er ook over zegt, om die vergelijking die steeds verandert en nooit wordt opgelost. En die constatering achteraf boezemt hem afgrijzen in. Ook wij hebben ons niet kunnen onttrekken aan die smerige, treurige wetten waarop gevoelens zijn gebaseerd die graag voor buitengewoon edelmoedig doorgaan. Die beoordelingsfout heeft hem zijn animo in het leven en in andere mensen ontnomen, terwijl dat, geloof ik, het beste van hemzelf was. Hoe leef je verder zonder het beste van jezelf? Hij neemt het niemand kwalijk, hij houdt nog van me, maar het is niet meer dezelfde man die van me houdt. Hij kijkt toe hoe er een jonge man in hem sterft, zijn jonge man, die veel meer vertegenwoordigde dan zijn jeugd, namelijk de voorwaarden zelf die hij aan het leven stelde om het voor hem draaglijk te maken.

Yves is ongelukkig zoals een dier: hij lijkt op een gewonde hond die niet begrijpt dat de wereld zo hard is. Op zulke momenten niet in staat uitleg te geven, elke gedachte in een verdedigingsreflex geblokkeerd op een dood punt, en alleen nog verlangend naar een schuilplaats waar hij zich kan verstoppen of slapen. Wat heeft hij niet geslapen sinds een jaar! Zijn lichaam zint op middelen om ziek te worden zodat hij een bezigheid heeft. Als er geen enkele ziekte beschikbaar is – dat komt zelden voor – wordt hij overspoeld door een oneindige vermoeidheid. Wat is hij niet moe geweest sinds een jaar! Daarvoor kan hij dan de huisarts raadplegen, of zelfs een gerontoloog, want je bent tegenwoordig al heel gauw ziek van ouderdom. Een van beiden schrijft hem een lange reeks onderzoeken voor en Yves telt hoge bedragen neer om te horen dat hij het gestel heeft van een man van zesenveertig, dat hij te veel rookt, dat hij iedere dag genoeg alcohol drinkt om zijn maagklachten te houden, dat stadslucht niet goed voor hem is en dat gymnastiek gezond voor hem zou zijn, zoals voor alle mannen van zesenveertig die roken, drinken, werken en ouder worden in een grote stad, kortom, die een normaal leven leiden. Men raadt hem aan een Adam's Trainer te kopen, die drie keer wordt gebruikt, of Gerontix te gebruiken, waarbij je van de naam alleen al oud wordt van ellende. Hoe het ook zij, Yves weet heel goed wat hij heeft. Maar we zeggen nooit dat we 'de zaak voor eens en altijd tot klaarheid moeten brengen', want we weten dat er geen klaarheid is, of het moest een pijnlijke zijn, dat we bij onze standpunten blijven omdat het geen theorieën zijn maar een deel van onszelf, en dat er eigenlijk geen sprake is van een 'zaak' maar van de voortdurende veranderingen in die twintig jaar die we samen hebben doorgebracht en waarin we zo nauw met elkaar zijn verbonden dat woorden als verantwoordelijkheid of schuld helemaal niets meer betekenen.

Jammer genoeg is het in een relatie zo dat hoe minder je hebt gepraat, des te minder je praat. Het werd tijd dat we uit het moeras kwamen. Wat die film betreft die Yves zonder grote verwachtingen op Tahiti hoopte te maken: Jacques, onze tandarts en toch onze vriend, kende iemand die daarvoor als producer kon optreden. Iris had zin om risico's te nemen en had geld te verliezen. Alex wilde vissen op de Rode Zee en India zien. En Ivan, de zoon van Iris, wilde leven te midden van de analfabeten, waarschijnlijk omdat zijn stiefvader zich al tien jaar wijdde aan de alfabetisering van Togo zonder erin te slagen zijn enige zoon te laten studeren. Zo werd de film verrijkt met verschillende extraatjes, met coproducers en medewerking van diverse mensen, om ten slotte zo niet een vaststaand feit, dan toch op zijn minst een onverwachte mogelijkheid te worden om er zes maanden tussenuit te trekken zonder een cent uit te geven. Het zou *schandalig* zijn geweest als hij die gelegenheid niet had aangegrepen, had Yves gezegd, en daarmee gelastte hij mij bij het Onderwijs zes maanden onbetaald verlof te vragen.

'Besef je wat een kans dat voor ons is?' zei hij steeds weer. 'Samen naar het andere eind van de wereld vertrekken en misschien veel geld verdienen...'

'Je verkoopt de huid van de beer voordat je hem gefilmd hebt!' zei ik steeds, uit principe terughoudend tegenover buitenkansjes, terwijl ik heel goed weet dat die alleen gunstig zijn voor wie erin gelooft. Maar op gevaar af mijn kans mis te lopen, weiger ik te geloven, want ik heb nooit kunnen nalaten een soort morele waarde toe te kennen aan tegenspoed, alsof die een teken is van een superieur karakter, en boos te worden op Yves om de gunsten die de voorzienigheid hem schenkt, alsof die het resultaat zijn van een of ander compromis! Deze reis had te veel weg van een sprookje om fatsoenlijk te kunnen zijn... en ik sloeg geen gelegenheid over erop af te geven, om een bres te slaan in dat stelselmatige optimisme, om tegen zijn beschermengel in te gaan die ervoor zorgt dat hij op het beslissende moment een klaveraas omkeert of midden in de nacht in een dorpje van vijftig inwoners een jeugdvriend tegenkomt die hem uit het nauw zal redden. Ik ben zijn ongeluksvogel geworden, die met boosaardige vreugde komt vertellen dat het morgen ongetwijfeld hondeweer is, dat zijn auto een raar geluid maakt, dat hij meer belasting moet gaan betalen of dat Pauline met een nietsnut gaat trouwen die we zijn leven lang zullen moeten onderhouden. Voor dat spelletje is de zee mijn favoriete domein want die overtreft altijd de ergste verwachtingen: je kunt er rustig op vertrouwen dat het er altijd slecht weer is en juist dat soort slecht waarvan je het meest last hebt bij datgene wat je wilde doen. Ik besef dat ook deze keer het zilte nat me weer gelijk heeft gegeven. Ze zullen regelmatig tegen je zeggen dat dit nog nooit vertoond is, dat het voor het eerst sinds 1883 zulk weer is. Geloof er niets van. Lach erom en zie de werkelijkheid onder ogen: op zee komt wat zeldzaam is veel voor. Wanneer je naar het oosten vaart, komt de wind altijd pal uit het oosten. Als je wilt proberen de Indische Oceaan voor de moesson over te steken, begint die dat jaar drie weken eerder. Op de dag dat je zeil wordt gerepareerd, begeeft je motor het en op het moment dat je je roeispaan doormidden hebt gebroken en je al peddelend met de restanten de oever probeert te bereiken, steekt er plotseling een rukwind op die precies zo lang aanhoudt als jij nodig hebt om uitgeput bij de kust aan te komen. Harpen van Zweeds staal breken het eerst, gegalvaniseerde kettingen roesten het snelst, kortom, het meest onwaarschijnlijke gebeurt het vaakst. Bedenk één ding goed: de zee is het ergste sekreet dat er bestaat. En ze wacht nooit tot ze kleur heeft bekend.

We hadden het anker nog niet gelicht of Patricia was al zeeziek en achtenveertig uur later was geen van ons meer in staat naar de eetzaal te komen. We hadden de eerste dag oliejassen willen aandoen en ons laten nat spatten op het voordek: de eerste golven zijn altijd leuk. We vergaten dat de *Moana* geen boot is maar een bulldozer die de zee doorploegt met een vaart van vijftien knopen zonder rekening te houden met oneffenheden. Yves kreeg de bronzen klok op zijn scheenbeen en Alex' fototoestel werd hem door een guitige golf uit handen gerukt.

'Dit is storm,' kreunde Iris terwijl we nog maar aan een 'flinke bries' toe waren.

De volgende dag was de wind, voor de lol en om ons duidelijk te maken hoe de zaken ervoor stonden, nog aangewakkerd. Zoals we daar in stadskleding in de grote salon met het Engelse chintz zaten, bij de open haard waar onverstoorbaar het vuur van namaak-houtblokken lag te gloeien, leken we wel gasten van Maxim's die door een vloedgolf overvallen en hevig ontstemd waren. Iris was duidelijk razend dat ze de ober niet kon roepen om hem te vragen onmiddellijk een eind te maken aan die grappenmakerij. Dat is nu de macht van de zee: ze trekt zich niets aan van rijken, van luxeboten en geperfectioneerde apparaten. Ze verdraagt die hooguit. Nooit een voorkeursbehandeling.

Een kamermeisje kwam onze fauteuils aan de vloer vasthaken, alle snuisterijen van de planken weghalen en, ondanks ons protest, ons rantsoen aan Dramamine uitdelen. 'Zullen we niet eens naar bed gaan?' stelde Alex tot algemene opluchting voor, hoewel het nog maar net negen uur was. Wat had het inderdaad voor zin om te vechten? Aangezien de *Moana* met behulp van een gekwalificeerde bemanning vanzelf vooruitkwam, was er niets wat ons verplichtte de schijn op te houden en we verdwenen naar onze slaapkamers met de zachte ondergrond. Je kon zelfs geen bad nemen, want het water in een badkuip blijft, in tegenstelling tot het zeewater, hardnekkig horizontaal en richt zich niet naar de bewegingen van de boot. Wanneer de badkuip naar beneden gaat, blijft het badwater in de lucht hangen.

De derde dag maakte niemand ook maar de minste aanstalten om zijn bed te verlaten en daarom werden er dienbladen gebracht naar de kooien die tegen het slingeren van schotten waren voorzien, door onverschrokken personeel dat we in de gangen van de ene wand naar de andere hoorden springen. Ook die dag lukte het me om te eten. Maar de zee was nog niet met ons uitgespeeld: 's avonds werd er windkracht tien voorspeld. Je kon niet meer slapen of lezen, je kon helemaal niets meer, behalve je vastklampen aan de schotten en wachten tot de uren voorbijgingen, die ontelbaar waren en leken op de golven, terwijl je je afvroeg of je zin had om te eten of om te braken, of het te koud was of te warm, of het verstandig was om nog een tabletje te nemen, een plasje te gaan doen, jezelf met eau de cologne te besprenkelen, of je ogen dicht te doen om te sterven, want al die dingen leken hetzelfde en allemaal even oninteressant. Bij het dalen weeg je vijftig kilo veren en zweef je op een paar centimeter afstand van je bed dat wegzinkt; en wanneer je eindelijk beneden bent en vijftig kilo lood weegt, kom je de matras tegen die juist weer omhooggaat zonder zich iets van jou aan te trekken.

Nee, ik heb geen last van zeeziekte maar van iets verraderlijkers, een gevoel van weemoed, van onlust, dat de afschuwelijke gedachten uit het diepst van mijn wezen, waar ik ze meestal verborgen houd, naar boven haalt. Mijn bestaansredenen op aarde? Met afgrijzen kan ik er plotseling geen enkele meer bedenken. En op zee nog minder! Ben ik eigenlijk wel op zee? Is het dag of nacht? Sinds ze stalen luiken op onze patrijspoorten hebben geschroefd, ben ik niet meer dan een zielige cavia die zit opgesloten in een ijzeren hok dat door een maniak heen en weer wordt geschud. Na vierentwintig uur metafysische angsten waarvan ik misselijk van benauwdheid word, houd ik het niet meer uit: ik moet Yves wakker maken die daar al bijna twee dagen de onrechtvaardige slaap van de zeeman ligt te slapen, waarbij hij te voorschijn komt en weer verdwijnt achter de schotten van zijn bed alsof hij in vertraagd tempo copuleert met de zee.

'Een lek! Iedereen aan dek.'

'Hè? Wat?' roept Yves, terwijl hij rechtop gaat zitten. 'Wat is er?'

'Er is een lek, iedereen aan dek,' zeg ik rustig, want ik heb niet eens de kracht om iets beters te bedenken.

'Buitengewoon geestig,' zegt hij. 'Is het te veel van je gevraagd om iemand te laten slapen?'

'Sorry, schat, maar je hoestte en toen dacht ik dat je wakker was.'

'Is het tien uur 's ochtends of 's avonds?' vraagt Yves, die net op zijn horloge heeft gekeken.

''s Ochtends natuurlijk! Je slaapt al achtendertig uur! We zijn de Straat van Bonifacio gepasseerd, voorbij de laars van Italië...'

'En wat voor weer was het?' vraagt de hazewind in alle oprechtheid.

5
TOULON – PIRAEUS:
1004 MIJL

Met hun ogen dichtgeknepen tegen de zon, als dieren die net uit hun winterslaap kwamen, verlieten de passagiers van de *Moana* hun schuilplaats. Aangezien in iedere hut dezelfde oorzaken dezelfde gevolgen hadden gehad, had iedereen zich na die drie dagen van beproevingen plotseling onverklaarbaar opgeruimd gevoeld en schreef iedereen deze abrupte recuperatie aan zijn aangeboren zeemanskwaliteiten toe. Ze merkten niet meteen dat de deining minder was; ze keken argwanend naar het meubilair dat drie dagen als een gek tekeer was gegaan... maar het meubilair was weer schijnheilig het ameublement van een luxehotel aan de wal geworden en wist van niets. Dus kwamen ze met vaste tred hun bed uit om aan dek te gaan opdat er een of andere medische oorzaak kon worden aangevoerd die zo'n lange afwezigheid rechtvaardigde. Er zou terloops, als per ongeluk, op het weer worden gezinspeeld:
'Je weet hoe het gaat, je bent zo moe als je uit Parijs ver-

trekt... Tussen twee haakjes, het heeft behoorlijk gewaaid, nietwaar?'

'Een aardige rukwind. En de Middellandse Zee is ruwer dan je denkt.'

'Bovendien is stampen lastiger dan slingeren, vind ik,' zou iemand zeggen, volgens die universele wet die maakt dat je de beproeving die je niet hebt doorstaan minder zwaar vindt.

'Mijn lever speelt soms zo op...'

De Middellandse Zee, die gluiperd, die op dat moment tussen de oevers van het kanaal van Korinthe zat inge-klemd, lag blauw te grinniken en dacht bij zichzelf dat ze die lui nog wel zou krijgen.

De storm had Patricia flink te pakken gehad. Het was alsof haar vaalbeige lange broek aan de twee uitsteeksels van haar bekkenbeenderen hing. Alleen haar vlammende, schuimige haardos, van een luchtige, lichtelijk weerzin-wekkende materie die aan een suikerspin deed denken, trok de aandacht en wekte de ongezonde neiging die aan te raken. Jacques, die dacht aan het geringe aantal mijlen dat ze nog samen moesten doorbrengen, voelde zich grootmoe-dig en pakte zijn vrouw bij haar schouder: ze stak hem haar bittere mond toe. In de wereld van Patricia gaf het huwelijk automatisch recht op de mond, een recht dat algauw was veranderd in een zouteloze plicht, waar aanspraak op werd gemaakt bij opstaan, naar bed gaan, stations, vliegvelden, verzoeningen en ogenblikjes van tederheid. Wat bleef hun in geval van extase anders over dan weer die mond? Jac-ques drukte er de zijne op, en maakte daarbij geluid om het kinderlijke aspect van die kus te benadrukken. Zijn vrouw was voor hem doorzichtig geworden, heel oud en nauwe-lijks meer in de verte te onderscheiden, aan de andere kant van zijn hartinfarct.

Voor de verandering nam hij een olijf.

Patricia was zich er niet van bewust dat ze in ongenade was gevallen en vertelde links en rechts dat ze had overgegeven en wat ze had overgegeven toen ze niets meer had over te geven.

'Gal, pure gal!' benadrukte ze, en het speet haar zichtbaar dat ze er niet een beetje van had bewaard om het te bewijzen. Ze behoorde tot die vrouwen die het in gezelschap over hun binnenste hebben en met name even graag over hun specifieke organen als over Korfoe of Djerba. Omdat ze niet gereisd had, weinig las en zich niet interesseerde voor politiek, sport of wetenschap, bleef haar als enig epos de gebeurtenissen in haar huishouden en haar baarmoeder over. Haar Austerlitz, haar slag bij de Marne, haar Waterloo waren de geboortes, verhuizingen en miskramen. Zoals een generaal alles met zijn veldtochten in verband brengt, zo verwees zij altijd naar haar buik om van allerlei kleine gebeurtenissen uit haar huwelijksleven de datum te bepalen.

'Na Jean-François hebben we ons buitenhuis gekocht, toen ik *mijn* verzakking had, weet je nog, Jacques?'

Jacques haatte die evocaties, want hij huiverde als hij zich voorstelde dat de buik van zijn vrouw bezaaid lag met losse onderdelen.

'In '49 zijn we niet met vakantie gegaan... nee in '50, want toen had ik *mijn* bloeding, weet je nog, snoes?'

'Ja, ja, schat,' zei Jacques haastig om nadere beschrijvingen te vermijden, en hij draaide zich om naar Yves of Alex om te ontkomen aan dit soort gesprekken waar hij, zoals al zijn soortgenoten, slecht tegen kon.

Dan bleven als publiek nog de vrouwen over, die verondersteld werden welgezind te zijn. Zo slaagde Patricia erin gezelschappen waarin ze verkeerde in tweeën te delen, waarbij ze de mensen met borsten belette zich te mengen in de gesprekken van de mensen zonder borsten, want het was haar wel duidelijk dat die twee categorieën slecht beleefde interesse konden voorwenden wanneer ze zich toevallig genoodzaakt zagen naar elkaar te luisteren. Iris, die om diverse redenen nu juist alleen van de gesprekken van mannen hield, verheugde zich erop dat Patricia de *Moana* in Bombay zou moeten verlaten, 'vanwege de kinderen', zoals ze bedrijvig en hulpeloos zei. 'Dat is heel vanzelfsprekend,' antwoordde Iris met een ironie die Patricia er nooit wist uit te halen.

De storm had Iris in een slecht humeur gebracht: je hoefde niet zoveel geld te hebben en een plezierreis met een boot te maken om je als een ordinaire emigrant door elkaar te laten schudden. In de felle zon van die decembermorgen leek ze vijftig en geen jaar minder, en haar al te fris gekleurde bedjasje van roze nylon deed haar donkere teint geen goed. Ze kwam op die beangstigende leeftijd waarop je van het ene op het andere uur kunt veranderen van een nog mooie vrouw die er pretenties op na kan houden, in een oude vrouw op wie de blikken afschampen zonder ooit geestdriftig te worden. Langzaam maar zeker zou de tweede vrouw definitief op de voorgrond treden, waarbij ze de eerste nog enige tijd zou toestaan af en toe kortstondig en op hartverscheurende wijze te verschijnen.

Verslapt door de reinigingscrèmes, zonder haar valse wimpers, sieraden en magische accessoires, leek Iris met haar zigeunerinnenkapsel op een aan lager wal geraakte tovenares die haar toverkunsten was verleerd. Ochtendjassen flatteren alleen heel jonge mensen. Toch zag Alex zijn vrouw het liefst zo weerloos. Hij vond haar altijd vertederend als ze er bij het ontwaken een beetje gebutst, door het leven getekend uitzag en vreemd genoeg deed ze hem dan meer denken aan de levendige jonge vrouw met het bezielde gezicht met wie hij vijftien jaar eerder was getrouwd. Op zulke momenten had hij haar wel in zijn armen willen nemen. Maar hij voelde wel dat ze gespannen was, zich haastig wilde verschuilen achter een beschermende laag uit een tube, potje of spuitbus, naar haar badkamer wilde rennen, die op een operatiezaal leek, om over te gaan tot die moeizame bevalling die hem iedere ochtend een vreemde vrouw in wapenrusting opleverde. Maar hoe kon hij haar duidelijk maken dat hij liever de klamme, kinderlijke geur rook van haar hals als ze het warm had gehad, dan de krachtige aroma's van haar parfums? Dat hij geen enkele behoefte voelde om Miss Dior of Madame Rochas te omhelzen, maar alleen een vrouw die zijn naam had en haar eigen geur? Hoe dan ook, Alex wist dat hij niet bij machte was bij Iris die angst om oud te worden weg te nemen, die voortaan ieder uur van haar bestaan vergalde.

'Denk je soms dat het geruststellend is om met jou te leven?' zei ze vaak tegen hem. 'Jij ziet het nooit als ik een andere jurk of een ander kapsel heb. Zelfs niet als ik een andere kleur haar heb!'

'Waarom wil je altijd weer opnieuw gerustgesteld worden? Ik heb je eens en voor altijd verzekerd van mijn gevoelens voor jou. Die stel ik niet alle dagen opnieuw ter discussie.'

'Maar ìk verander toch,' riep Iris dan, 'waarom veranderen jouw gevoelens dan niet?'

'We veranderen natuurlijk allemaal, maar gelukkig niet wat smaak betreft. En als ik ooit niet meer van je houd, zal dat niet om je haar zijn.'

'Waarom dan wel?'

'Als ik dat wist, zou ik al niet meer van je houden, arme Iris.'

'O, alsjeblieft, noem me niet "arme Iris".'

Wat zou er terechtkomen van zijn arme Iris, zijn 'stomme vrouwtje', zoals hij haar liefdevol noemde, in de loop van de komende jaren die haar alleen maar redenen tot ontevredenheid zouden geven? Hoe moest ze deze reis en de meisjes van de Eilanden met hun verleidelijke manier van doen verdragen, zij wier schoonheid steeds minder duidelijk werd naarmate ze verder van Parijs wegvoeren, zoals met die voorwerpen die plaatselijk zijn vervaardigd, Berber-sieraden of Japanse snuisterijen die je ter plekke opgetogen hebt gekocht en die bij de douane al belachelijk lijken en thuis ronduit onbruikbaar? In Athene zou ze er nog mee door kunnen; in India zou ze al belachelijk worden; op Tahiti zou ze idioot lijken. Wat zou hij met haar moeten beginnen op Tahiti?

Alex vond plotseling dat zijn vrouw met haar roze doorschijnende gewaad het tragische gezicht had van Medea, een gezicht dat rampen voorspelde.

Wanneer je naar het einde van de wereld gaat, lijkt Griekenland bijna een voorstad. Athene kwam hun tegemoet, wit en vertrouwd, verlicht door de ondergaande zon, en gaf Alex, Yves en Marion het gevoel dat ze terugkeerden tot hun bronnen. Als je in je jeugd Grieks hebt geleerd, ben je hier nooit helemaal in den vreemde. Alle drie maakten ze deel uit van die kleine tot uitsterven gedoemde broederschap die de namen van de muzen beter kent dan die van de Beatles, veelbetekenend glimlacht als een van hen zegt: ouk eladon polin, het kinderrijmpje van de hellenisten onder de middelbare scholieren, en met weemoed terugdenkt aan de aoristus, de spiritus lenis of de spiritus asper. De oudleerlingen van het baccalaureaat in de a-vakken, uit de tijd dat je in de retoricaklas begon en in de filosofieklas eindigde, voordat er een praktisch maar zielloos tijdperk aanbrak waarin je in de hoogste klas eindigde, zouden hun hele leven verder doordrongen blijven van het bitterzoete gevoel dat zij de laatste liefhebbers waren van een manier van onderwijs geven die uit de tijd was geraakt in een beschaving die algauw niet meer geïnteresseerd zou zijn in de consecutio temporum, de overeenstemming van de participia en de spelling die ze met zoveel moeite hadden geleerd en met zoveel plezier kenden. Hun vaders en grootvaders hadden hun woordenboeken intact aan hen doorgegeven, en hun hartstocht, de culturele folklore zoals het *Epitome* of het *De viris*, hun wachtwoorden, de twee zelfde verzen van de *Aeneïs*: 'Tityre tu patule recubans...', de eerste regel van de *Catilinariae*, en al hun goden en helden, de lichtvoetige Achilles en de blauwogige Athene. Daardoor waren ze er nog steeds van overtuigd dat Griekenland zo'n beetje de bakermat van het geheel was, gevoelsmatig de bakermat, want Rome was ondanks alles de bezetter geweest. Aan de Grieken hadden ze geen enkele slechte herinnering: er waren alleen de banden van het hart. De kleine Antigone hing voor die Fransen broederlijk naast Jeanne d'Arc in de serie familieportretten en Agamemnon met de sneeuwwitte baard was goed beschouwd gewoon een vroegere broer van Karel de Grote. Zij zouden niets van die schat kunnen doorgeven. De plotselinge verandering had zich na de oorlog voltrokken en hun herinneringen verbleekten zoals hun jeugdjaren die aan de overkant waren achtergebleven, samen met de oudheid, met de jeugd van hun ouders die hun steeds nader kwam en zelfs meer vertrouwd was dan die van hun eigen kinderen. En dat was niet alleen een kwestie van leeftijd.

Ze waren blij dat ze samen Griekenland zagen.

'De zich steeds herhalende zee...' zei Alex, 'Valéry heeft dat eigenlijk van Homerus overgenomen. Atrugetos: de eindeloze zee. Dat is ook een mooie uitdrukking.'

'Schitterend,' zei Marion. Xenophon heeft zich er gemakkelijker van afgemaakt met thalassa, thalassa!'

'Xenophon was een goede verslaggever, maar geen dichter,' zei Alex.

'Het klopt dat de zee in Griekenland paars is,' merkte Yves op. 'Het is ontroerend dat tweeduizend jaar later te zien, en

dat het dan nog steeds waar is! Toen wij bij Homerus "de wijnkleurige zee" moesten vertalen, beschouwde ik dat als een dichterlijke fantasie, jullie niet? De Atlantische Oceaan is nooit paars. Hoe was dat ook al weer in de *Odyssee*?'
'Daar zeg je me wat, kerel,' zei Alex met een gezicht waaruit bleek dat hij het niet wist.

Ze voelden zich als broers en dat was prettig. Wat zouden hun kinderen tegen elkaar zeggen bij het zien van de heuvels van Attica? 'Wat een klein stadje,' zouden ze zeggen. 'Is dat nou het vaderland van de democratie?' Ze zouden het trouwens niet eens weten. Het zou de hoofdstad zijn van een onbelangrijk gebied, omgeven door naamloze heuvels.

Voor Iris was Athene de stad waar die Griekse vrienden woonden die een heel mooi huis op de Likavittós hadden. Ze zouden er die avond met z'n allen gaan eten. Voor haar bestond de wereld niet uit volkeren die je kon leren kennen of steden die je kon bekijken, maar uit aanlegplaatsen waar ze haar gelijken aantrof. Ze behoorde tot die vrijmetselarij van rijkelui, die een reis om de wereld kan maken, een bepaalde wereld, en daarbij steeds weer bij dezelfde mensen terechtkomt, in hetzelfde soort huizen waar je alleen uit enige variatie in de plantengroei of de kleur van het huispersoneel kunt opmaken of je in Mexico bent of in Nepal.

Zesendertig uur later zou de *Moana* uit Europa wegvaren nadat de twee laatste passagiers aan boord waren gegaan, een cameraman die Tibergheim heette en die door Yves Tiberius werd genoemd vanwege het bruine, heel korte ponyhaar dat hij over zijn voorhoofd droeg, en een scriptgirl van wie men wel hoopte dat ze de twee taken die men op grond van haar tweevoudige benaming mocht verwachten, op zich zou nemen.

Marion hing over de reling en keek aandachtig naar die al oosterse stad, de laatste van *haar* werelddeel. Van nu af aan zou ze andere werelddelen tegemoet gaan, Afrika, Azië,

Oceanië... Ze herinnerde zich de wereldkaart op school, waarover mevrouw Zuber, de aardrijkskundelerares, die zo'n zware wrong blond haar had, waarvan je, als ware het een feest, hoopte dat die eens zou losgaan, haar zwarte liniaal met de vierkante doorsnede liet glijden met een geluid dat haar enigszins verontrustte... die prachtige geel met blauwe kaarten van boekhandel Hatier, die in iedere klas hingen en die, als je een beurt kreeg, omgedraaid werden met de blinde kant naar voren... Binnenkort zouden de kaarten niet blind meer zijn.

6
HET GALLIA-SCHRIFT

'Hier heb je je koffie: het is thee.'

Ionesco

Betty bezit die ongedwongenheid die je alleen al krijgt door
het feit dat je jong bent in deze tweede helft van de twintigste eeuw. Alles gaat over haar, verheerlijkt haar, werkt in
haar voordeel, de mode, de muziek, de stripverhalen en
zelfs de reclame op de muren van de metro. Je ziet alleen
haar, de vrouw van mijn leeftijd is verdwenen, weggemof-
feld. In de persoon van die jonge meisjes, die de charmes
van de adolescentie aan de vrijheden van de volwassen leeftijd paren, komt de beschaving voortaan in haar meest volmaakte vorm tot uiting. Ze hebben daardoor een houding
en een onverstoorbaar lef gekregen die wij, uit de eerste
helft van deze eeuw, nooit zullen bereiken. Jong meisje was
in die tijd synoniem met meisje dat uitgehuwelijkt moest
worden. Wij waren slechts tijdelijke wezens, die maar op

één doel waren gericht, op één functie waren voorbereid, en die conditionering werkte verlammend op ons. In die tijd was de Vrouw aan de macht. Wij wachtten op de achtergrond in stilte tot we dat werden. Daarna slokte de oorlog een groot deel van onze jeugd op en toen we dan eindelijk Vrouwen waren, waren de Meisjes aan de macht gekomen! We waren beetgenomen. Wij zullen nooit van die onbeschaamde pantertjes zijn geweest, die zeker zijn van wat ze wel en niet leuk vinden, die serieus genomen worden en die ons voorschrijven op hen te lijken of te verdwijnen. Op de leeftijd waarop ik nog naar de keuken werd gestuurd als mijn ouders 'gasten hadden', dineren mijn dochters bij 'La Tour d'argent', waarheen ze worden meegenomen door mensen van mijn leeftijd, en ik zit in de keuken op hen te wachten!

Net als Betty behoort Tiberius, cameraman, gewezen modefotograaf en iemand die kortstondige roem creëert, tot die luisterrijke generatie. Hij draagt een opvallend overhemd van roze voile dat op springen lijkt te staan bij iedere samentrekking van zijn mooie lange spieren, en een broek die er handig voor zorgt dat de blik op zijn edele delen wordt gevestigd, die hij op een heel klein plekje wegbergt, links natuurlijk, en waarvan je je kunt voorstellen hoe die daar helemaal opgerold, zacht en hinderlijk in de weg zitten, zo van hoe vind je ons...

'Het is een prachtig dier!' fluistert Iris me in het oor.

Het verschil is dat geen enkele van de hier aanwezige mannen last heeft van complexen ten opzichte van hem, terwijl wij ons allemaal een beetje schamen ten opzichte van Betty. Schamen omdat we min of meer gehavend zijn, omdat we onverbiddelijk afwijken van het ideale type mens, omdat we naast onze echtgenoten, vaak zonder andere reden dan onze anciënniteit, een plaats bekleden waar veel mannen al Betty's hebben geïnstalleerd. Betty's die het leven net zo goed kennen als wij maar nog zulke heldere ogen hebben, zo'n ranke hals, zo'n frisse mond en zo'n tweeslachtig lichaam. We kijken zo'n beetje als bedelaressen naar de nieuwaangekomene, behalve Patricia misschien die in haar onnozelheid gelooft in rechtvaardigheid, in het gelukkige gevoel je plicht te hebben vervuld, en nog niet merkt dat de tijd van beminnen voor haar erg kort is geweest. O zo kort!

Maar de mannen aan boord komen tot leven en worden steeds jonger, zelfs de wijze Alex. En Yves als eerste, bij wie het gebruikelijke proces in gang zal worden gezet om de nieuwaangekomene voor zich te winnen. Als hij de sympa- thie van de vorigen eenmaal heeft verworven en veilig gesteld, wendt hij zich altijd volledig tot de nieuwen, dat is ziekelijk. Hij begint met toevallig naast haar aan tafel te zitten, zonder dat met opzet te doen natuurlijk. Ik heb hem daar ongetwijfeld toe aangezet. Hij is juist heel erg in het beroep van scriptgirl geïnteresseerd. Ach? Is ze Baskisch? Dat is interessant: het Baskische streven naar autonomie, daar weet hij alles van, dat heeft hem altijd geboeid. Hij kent drie woorden Baskisch. Waar haalt hij die vandaan? Hij neuriet het Baskische volkslied. Waar heeft hij dat geleerd? Ik heb altijd de indruk dat hij vijf of zes levens extra leeft naast het leven dat hij aan mij besteedt. Van de Basken gaat hij over op zijn geliefde onderwerp: de Kelten. De typisch Bretonse mentaliteit, de minderheidsculturen, Bécassine, de sleepnetvisserij, het systematisch om zeep helpen van de Bretonse taal, het jakobinisme van de Franse Staat met zijn provincies... Hij weet alles, denkt het meisje, en wat een liefde voor de medemens spreekt er uit zijn woorden... En ja hoor, als per ongeluk pakt hij haar bij haar blote arm om uiting te geven aan zijn verbazing of aan ieder ander gevoel, net zoals het uitkomt, in een opwelling van charmante spontaniteit. Nee maar! Kent ze die en die? Wat toevallig!

En zo gaat het de hele avond door, hij laat zien dat hij welbespraakt is, er zijn volop gemeenschappelijke vrienden en anekdotes, hij citeert een of andere beroemde schrijver, schijnbaar zonder er belang aan te hechten, en stelt vragen die rechtstreeks het hart van de nieuwaangekomene treffen, bij wie ik zienderogen het gevoel van dankbaarheid zie toenemen dat ze zo goed doorgrond wordt en de voldoening dat ze opgemerkt wordt door zo'n ontwikkeld mens. Dat is het vertrek-platform dat hij altijd moet opbouwen, achteraf ziet hij wel of hij vertrekt. Door een aangeboren afwijking wordt hij ertoe gedreven om te verleiden, net zo dwingend als een zonnebloem wordt aangetrokken door de zon, op-en-top Eskimo als hij onder de Eskimo's in Groenland is, stotterend met de stotteraars, een infantiel ventje met infantiele ventjes, geniaal met genieën en altijd afgestemd op zijn gesprekspartners door middel van een gevoelsmatige mimicry waar een toeschouwer versteld van staat.

Hoe kun je een sprinkhaan ervan weerhouden te springen? Dat heb ik me afgevraagd tijdens de eerste jaren van mijn huwelijk, waaraan ik een gevoel van frustratie en voortdurende inspanning heb overgehouden. 'Het lukt me nooit, mama had gelijk!' zei ik steeds weer tegen mezelf, waarbij ik stilzwijgend bedoelde: de macht over hem uitoefenen die hij over mij heeft; het lukt me nooit onvervangbaar voor hem te lijken; dat hij meer naar mij verlangt dan ik naar hem; dat hij degene is die bang wordt om mij te verliezen, bang dat ik me met hem verveel. En inderdaad gingen de jaren voorbij zonder dat Yves ergens last van scheen te hebben, tevreden als hij was dat hij uitging, tevreden dat hij thuiskwam, tevreden dat hij in de smaak viel, niet ontevreden dat ik dit merkte maar niet in overdreven mate, gehecht aan zijn huis maar enthousiast als hij het kon verlaten, en dat alles met zoveel vreugde dat het egoïstisch, laag-

hartig, jaloers, kortom weinig beschaafd zou zijn geweest
blijk te geven van een onvoldaan gevoel.

'Ik ben volmaakt gelukkig met jou,' zei Yves altijd.

Kon ik dan antwoorden: ik zou het ook wel fijn vinden als
je af en toe ongelukkig was?

Ik maakte deel uit van de generatie die, in twee opzichten, niet heeft leren leven: als meisje van goede familie en
als studente taal- en letterkunde. Als meisje omdat mijn ouders me niet beschouwden als een persoon op zich maar alleen als een echtgenote en moeder in wording, die pas een
werkelijk en fatsoenlijk bestaan zou hebben op de dag dat
een persoon van het mannelijk geslacht haar zou weghalen
uit die onzekere toestand waarin vrouwen zonder man tot
aan hun dood blijven dobberen. In hun ogen ging het er in
de eerste plaats om hun dochter 'intussen' te laten leven op
een manier die zo weinig mogelijk weg had van een onomkeerbare keuze. Je moest namelijk, als het zover was, zonder onderscheid doktersvrouw of vrouw van een ontdekkingsreiziger, ingenieursvrouw of vrouw van een cadet
kunnen worden. De keuze van de studie bleek dus een gevoelige kwestie te zijn, waarbij de vaagste studies het meest
waren aan te bevelen. In theorie, dat wil zeggen ervan uit-
gaande dat ik mezelf als een normaal mens had beschouwd,
had ik zonder aarzelen voor de geneeskunde gekozen. Met
zachte maar onverbiddelijke dwang werd ik afgehouden
van die zeven studiejaren die, naar men mij verzekerde, ongetwijfeld een handicap zouden betekenen in de uitoefe-
ning van mijn functie als echtgenote. Ik werd liefdevol in de
richting van de Sorbonne gedreven, want 'intussen' een of
twee kandidaatsexamens in de letteren halen, had een
meisje nog nooit belemmerd te trouwen. Jammer genoeg
had ik met al dat wachten een licenciaat in de klassieke letteren en vervolgens een doctorale graad gehaald voordat er
een gegadigde die voldoende garanties bood door het fami-

lietribunaal was goedgekeurd. Het werd tijd: mijn ouders werden al achtervolgd door het spookbeeld van de graad van geaggregeerde, waarvan je een oude vrijster met een bril wordt.

Door de herinnering een stuk vee op de markt te zijn geweest, waarop de kopers zich, ondanks al het optutten van zijn verzorgers, niet snel genoeg hadden gestort, voelde ik me jarenlang hevig vernederd ten opzichte van mannen. Als studente had ik evenmin leren leven. Nu besef ik dat ik de dode talen had gekozen uit angst voor levende dingen. Lerares zijn kwam erop neer dat ik alleen een andere plaats innam in de klas, waarbij ik in zekere zin binnen de beschutting van dezelfde muren doorging de school, waarvan ik zo had gehouden, als beroep te hebben. Ik had gekozen voor een kooi, maar om de wereld buiten te sluiten. Ook Olivier dartelde rond in een vergulde kooi, de kweekschool, waar hij maar niet af wilde komen en het ene diploma na het andere haalde. We waren elkaar tegengekomen, van elkaar gaan houden en getrouwd, zo'n beetje als broer en zus: we hadden immers dezelfde grootouders, de klassieken.

Nadat ik al heel snel weduwe was geworden, nog voor de geboorte van Pauline, kreeg ik, ondanks een hevig verdriet, de gelegenheid in één keer te ontdekken wat geestelijke vrijheid en materiële onafhankelijkheid betekenden. Weduwe was, zelfs voor mijn ouders, een achtenswaardige titel, bijna een positie in de maatschappij! En als het weduwschap vroegtijdig genoeg plaatsvindt, kan het sommige overlevenden de mogelijkheid bieden eindelijk hun jeugd te beleven. Nu ik was bevrijd van de bevoogding van mijn ouders, nog niet onder die van een echtgenoot stond, een appartement bezat, een beroep waarvan ik kon leven en een dochtertje dat in mijn behoefte aan tederheid voorzag, genoot ik van de enige status van werkelijke vrijheid die een meisje van vijfentwintig jaar in die tijd kon kennen.

Toen ik na een heerlijke leertijd van één of twee jaar een partner zocht, wilde ik niet langer een broer maar een man voor wie ik een beetje bang zou zijn... De werkelijkheid die Yves bood, overtrof mijn verwachtingen en ging mijn krachten bijna te boven. Maar hij haalde me definitief uit dat soortement van trieste schooltijd waarin ik nog steeds verkeerde, uit verlegenheid en uit een bescheidenheid die grensde aan een minderwaardigheidscomplex.

Hij, die op zijn zesentwintigste al gitaar had gespeeld in een Spaanse kroeg, schilder, pottenbakker en poolreiziger was geweest, en had geassisteerd bij het maken van films, voelde behoefte aan een degelijke ankerplaats zodat hij naar believen rond kon zwalken zonder meteen een vagebond te worden. Hij kwam op de leeftijd waarop je wel voelt dat je alleen uit je eigen huis echt met plezier weggaat. Mijn stugheid, mijn neiging om met beide benen op de grond te blijven staan, brachten bij hem tegelijkertijd een voortdurende oppervlakkige irritatie en, naar ik meen, een duister soort opluchting teweeg.

Na de geboorte van Dominique, mijn tweede dochter, en achttien jaar van een bestaan dat boeiend was maar bezaaid met valstrikken, waarbij ik, in tegenstelling tot wat ik op grond van buitengewone omstandigheden in mijn leven mocht verwachten, kon merken dat ik in wezen een geaffecteerde studente en een vrouw met complexen was, deed zich zo'n gebeurtenis voor waarvan het bijzondere is dat die een leven in tweeën deelt en degenen die dat leven hebben geleid, dwingt hun bestaan voortaan te beschouwen in termen van *ervoor* en *erna*. Die gebeurtenis was de zelfmoord van Yang.

Yves was bezig de laatste hand te leggen aan een film over IJsland toen het plotseling gebeurde. Yang was al lange tijd onze vriendin, en misschien drie jaar de vriendin van Yves. De conciërge van Yang belde ons natuurlijk op; wij waren

haar enige familie: Yang had alleen tijdens de negen aller-
noodzakelijkste maanden een moeder gehad; haar vader,
een Franse onderofficier, had haar erkend en uit Indo-Chi-
na meegenomen in zijn officierskoffer toen ze nog maar net
geboren was, want hij vond het niet nodig naar zijn eigen
land de nha-qué mee te nemen die in Hué twee jaar lang la
dolce vita voor hem was geweest, maar die hij naar zijn idee
toch moeilijk in Frankrijk, in Caen, kon voorstellen aan zijn
vader, boekhouder bij de staatskas. Hij was trouwens heel
jong gestorven zodat hij Yang als tweevoudige wees achter-
liet. Ik begrijp dat Yves zijn keus op haar liet vallen: in zijn
plaats zou ik ook niet bestand zijn geweest tegen die vloeibare zwarte haren die tot onder haar middel reikten en haar
een weerloos uiterlijk gaven, wat nog versterkt werd door
haar schoonheid. 'Het natuurlijke sieraad van de vrouw,'
dacht je bij jezelf wanneer je die haardos zag. Vergeleken
met de zwarte, schitterende halvemaantjes die haar ogen
waren tussen eventjes opbollende oogleden, zagen mijn
grote westerse ogen er waarschijnlijk uitpuilend en rood
dooraderd uit. Haar zachte, magere handen, haar
maankleurige huid, die jeugdigheid waarop de tijd geen vat
scheen te hebben, dat alles vormde voor mij de kwintessens
van vrouwelijkheid waarbij andere vrouwen boers of ordi-
nair leken. Omdat Yang bij het Legioen van Eer was opgegroeid, had ze geleerd over 'onze voorouders, de Galliërs...'
maar in haar was nog duidelijk die rijkdom van een ander
ras zichtbaar gebleven, die haar aandoenlijk en kostbaar
maakte als een handschrift waarvan het geheim verloren is
gegaan.

Ik moest met dat heel kleine lijkje mee naar het ziekenhuis. Toen ze doodging, was ze plotseling heel geel geworden, alsof haar land haar uiteindelijk weer had teruggekre-
gen. Ze lag nog op haar bed borrelende geluiden voort te
brengen toen ik kwam en had er deze keer niet aan gedacht

de foto van Yves en haar van haar nachtkastje weg te halen,
een uitvergroting van een kleine foto die ik precies drie jaar
eerder had genomen. Of had ze het misschien met opzet gedaan? Of voelde ze misschien behoefte ernaar te kijken
toen ze doodging? Het was aan boord van onze eerste boot,
de *Va-de-bon-coeur*, en Yang lachte met haar hoofd naar de
zon geheven, misschien omdat ze toen van Yves begon te
houden; hij had zijn zeemansgezicht, dat altijd veel ontroe-
render is dan het andere, het gezicht dat hij in de stad heeft.
Terwijl ik op de ambulance wachtte, boog ik me over hun
beider gezichten. Ik ben altijd degene die de foto's neemt en
in al onze albums, waar ik niet in voorkom, ziet Yves eruit
alsof hij op vakantie is met andere dames! Deze had ik genomen vanaf de voorsteven van de boot, dat kon ik me heel
goed herinneren, staand tegen de mast, en op dat moment
was er nog niets gebeurd maar begon het allemaal zonder
dat ik het wist. Een hond had het waarschijnlijk wel gevoeld, maar mensen hebben geen enkel instinct meer voor
die dingen, ze redeneren: het huwelijk moet niet een onderneming worden waarin het individu kapot wordt gemaakt... je hebt groot gelijk, lieve Yves. Dus:
'Lieve Yang, kom toch eens bij ons lunchen een dezer dagen, Yves zal het leuk vinden je te zien...'
'Kleine Yang, als je eens met ons meeging op wintersport...?'
'Yang, schatje, ik ga twee dagen naar Lyon waar mijn film
wordt vertoond, hoe zou je het vinden om met me mee te
gaan...?'
'Hallo, lieveling? Ik heb een uur vrij, hé, kan ik langs komen...?'
En ja hoor! Van het mooie gezicht van Yang op de foto,
vol vreugde en onzinnige verwachtingen, kwamen we terecht bij die gedaante die dwars over het bed lag te sterven
zoals in de film, met een hand die naar beneden hing en
verwarde haren.

'Wat een trut!' zei ik plotseling hardop zonder precies te weten of ik het tegen Yang of tegen mezelf had. Wat een stomme trut!

En alsof door dat woord de sluizen werden opengezet, begonnen gevoelens die ik lange tijd had onderdrukt van alle kanten los te barsten: mijn begrip voor de situatie, mijn mededogen voor de eenzaamheid van Yang, de 'beschaving' die Yves in mij waardeerde, de ironie waarmee ik er tot nu toe in was geslaagd de dingen te beschouwen, het gevoel dat ik, ondanks alles, het beste deel had, dat alles werd weggevaagd door een golf van weldadige woede. In één middag veranderden de redeneringen die me zo goed hadden overtuigd van de noodzaak om alles maar te verduren, in drogredenen. Ik voelde me niet in staat nog een dag langer ver driet te hebben zonder het tegen Yves uit te schreeuwen, zonder alles in ons leven kapot te maken. Als Yang het zou overleven... nou ja, wat dat betreft konden we het ergste verwachten. Een boosaardige vreugde maakte zich van me meester.

Terwijl Yang, die in Hué was geboren, in Boucicaut op sterven lag, begon ik, onder het voorwendsel dat ik identiteitspapieren probeerde te vinden die algauw bij niemand meer zouden horen, het piepkleine appartementje te doorzoeken. Het was echt een schuilplaats voor een vrouw alleen. Huizen waar geen enkele man permanent woont, herken je altijd aan dezelfde tekens: te veel prulletjes op de boekenplanken, geen as in de asbakken, de w.c.-bril nooit omhoog. Sinds haar scheiding tien jaar eerder en de zelfmoordpoging die daarop was gevolgd, was Yang niet meer helemaal met beide voeten op de grond terechtgekomen. Ze werkte voor haar levensonderhoud bij Comera, Keukeninrichtingen in soorten en kwaliteiten, maar ze had een hekel aan haar kantoor, haar beroep, aan hechte gezinnen en modelkeukens. Ze trok zich steeds vaker terug in haar huis, die tweekamerwoning onder de hanebalken waarvan ze een bolwerk tegen de werkelijkheid had gemaakt, vol voorwerpen die nutteloos waren of met zorg een andere functie toebedacht hadden gekregen; een museum ook, waar alles sloeg op vroegere kussen, op mannen die er niet waren of die verdwenen waren, op vervlogen geluk en een verloren vaderland. Ze had geen plaats meer om te leven te midden van alle herinneringen die tegen de tafels en de boekenplanken opkropen als een allesoverwoekerende melaatsheid, een stukje van het fries van het Parthenon dat ze had opgeraapt op een moment van geluk, dof geworden schelpen, suikerbonen waar de smaak af was, verboden lucifersdoosjes, verbleekte foto's, oude dingen waar de wanhoop zich aan vastklampt.

In systematische razernij doorzocht ik alles, sneed ik eindelijk het abces open. Mijn handen trilden en toch kon ik niets nieuws te weten komen. Maar wat een verschil nu ik het zag! Achter het decor dat officieel aan de vrienden werd getoond, achter in de laden, verstopt onder vloeileggers, aan de binnenkant van kastdeuren, was een tweede decor te zien dat intiemer was en volkomen aan Yves gewijd. Als een bezeten mier had ze alle voorwerpen van de met zorg uitgevoerde eredienst die ze aan hem had gewijd, opgepot, foto's van ieder formaat, uit tijdschriften geknipte artikelen, recensies, magneetbanden met *zijn* stem, reusachtige posters van hem met een stel Eskimo's in Groenland – Hé, die had ik niet – zijn boek over de volksverhuizingen van de Noormannen, waarvoor ze had gemeend zich te moeten interesseren, en een klein in leer gebonden zakboekje waarin de mooiste gedachten van Yves eerbiedig met de hand waren opgeschreven door zijn aanbidster, om gesavoureerd te worden... wanneer er niets beters voorhanden was. Ik voelde me vulgair, dat was goed. Harteloos, dat was ook goed. Zowel bij haar thuis als bij mij waren er mappen, artikelen, recensies... gegarandeerd dezelfde... en die god die op twee altaren werd aanbeden, kwam me opeens belachelijk voor. En vervolgens onsympathiek. En ten slotte zelfs onuitstaanbaar.

Ik zocht tevergeefs naar de sporen van een briefwisseling; Yves schreef weinig, eerder uit luiheid dan uit voorzichtigheid. Er was één enkele brief, een heel korte, uit IJsland, die heel gewoon eindigde met 'veel liefs'. De vlammen sloegen me uit toen ik de brief openvouwde en daaraan merkte ik dat ik er niet tegen had gekund te lezen: ik houd van je. Yves is erg spaarzaam met zulke woorden. Maar alleen al door de aanblik van zijn kleine verzorgde handschrift daar in die tas van een vreemde, door de bijna echtelijke toon van intimiteit van die brief, was mijn weldadige woede vergald. Je zou voor elke vrouw een ander handschrift moeten hebben.

Toen ik een laatste lade opentrok, zag ik een aangebroken slof van de favoriete sigaretten van Yves. Yang rookte niet. Wat zit het leven toch stom in elkaar! Iedereen houdt zijn troetelhondje bij zich met dezelfde snoeperijtjes. Je denkt ondanks alles dat je een beetje uniek bent, je verbeeldt je dat je een geheim genootschap in het klein vormt met degene van wie je houdt, maar dan zou je nooit bij anderen thuis moeten rondneuzen: hier rustten Yang-en-Yves en het was wel degelijk dezelfde als de Yves die met mij leefde. Hij was helemaal niet uniek, maar overal dezelfde, overal intiem, met dezelfde tegenstrijdige voorkeuren, en waarschijnlijk dezelfde verlangens om ervandoor te gaan, want hier was hij ook niet gebleven, en hij zou op dezelfde manier zijn tanden poetsen terwijl hij zich omdraaide, en hij zou de mouwen van zijn badjas binnenstebuiten laten zitten, en ook in de liefde dezelfde gebaren maken, waarom niet? Op het nachtkastje aan bakboord veelkleurige pijpestoppers in een glas. Bij mij thuis zijn ze naar de werkkamer verbannen. Je vindt nog niet dat pijpen stinken als ze door een minnaar worden gerookt. Ik ging zitten op het overhoop gehaalde bed waar Yang waarschijnlijk vaak dezelfde dingen had gedacht als ik, en ik begon te huilen. Zelfmoord plegen kan in twee opzichten misdadig zijn: soms dood je niet alleen jezelf.

Voordat ik het appartement verliet, rukte ik de foto's los en nam ik de voorwerpen van de cultus mee. Er zou een schoonzus uit Zwitserland komen en het was nergens voor nodig dat zij Yves zou beschouwen als de belangrijkste reden die Yang had gehad om te sterven.

De brief kwam de volgende dag. Ik herkende het gedrongen, naar links overhellende handschrift dat zo zichtbaar getuigde van problemen met de aanpassing aan de werkelijkheid. Ze hadden Yves in IJsland niet kunnen bereiken en de kleine Yang had zojuist helemaal alleen de laatste adem uitgeblazen zonder weer bij kennis te zijn geweest... het was bijna geen indiscretie meer: je hebt toch het recht om te weten of een vrouw wel of niet een eind aan haar leven heeft gemaakt voor de man van wie je houdt. In de brief stond:

Yves,

Ik kan mezelf niet meer uitstaan. Ik weet al lang dat mijn leven is verknoeid of dat ik mijn leven heb verknoeid, wat maakt het uit? Nu rest me nog te zorgen dat ik mijn dood deze keer niet verknoei. Ik voel me al zo ver weg dat ik niet eens meer weet of ik nog van je houd. Vergeef me dat ik het je zo moeilijk heb gemaakt maar ik had echt geen talent voor geluk. En ook nergens anders voor. Denk af en toe met liefde aan me. Het was de beste oplossing voor mij, dat weet ik zeker. En misschien voor jou. Wees gelukkig, jij die talentvol bent. Yang.

Ik nam niet eens de moeite de envelop weer dicht te plakken. Ik voelde me opeens heel oud, en doodgaan aan de liefde leek me idioot. Yang ging trouwens niet dood aan de liefde maar aan een ongelukkig leven. Bij haar was altijd alles misgegaan, haar geboorte, haar huwelijk, het kind dat ze zo graag wilde, haar werk waaraan ze een hekel had. Maar al onze vrienden zouden liever geloven dat Yves de ware oorzaak was. Haar eerste zelfmoord was ook misgegaan. Op haar vijfentwintigste had ze moeten sterven, toen ze mooi was. Op je veertigste zou je moeten weten dat de mensen zeggen: 'Ach...? Die arme vrouw! Wat vreselijk...' en dan doorgaan met het kauwen van het lekkere vlees dat zo goed voor hen is. Yang, die heel eenzaam had geleefd, stierf omringd door vele mensen. De kleine halfbloed voor wie niemand meer veel belangstelling had gehad tijdens haar leven, werd toen ze dood was weer exotisch. Mensen voelen zich plotseling schuldig als een van hen er op zo'n afschuwelijke manier tussenuit stapt. 'Had ze me maar opgebeld...' zei bij de begrafenis steeds weer iedereen die nooit enige moeite had gedaan. Een eenzame melancholieke vrouw is in Parijs niet lang aangenaam gezelschap, men troost liever vrolijke vrouwen. En men vergeet dat mensen die na een zelfmoordpoging op aarde terugkeren, nu eenmaal eerder geneigd zijn te sterven dan anderen.

Yves had niet kunnen terugkomen voor de begrafenis; aan één kant was dat maar beter. Maar ik wachtte angstig op zijn terugkeer. Ik had de brief bijna verbrand. Onder de dekmantel van eerlijkheid kreeg een laaghartig gevoel de overhand: de wens dat hij zich ook tegenover haar schuldig zou voelen. Maar toen hij thuiskwam en ik zag hoe overstuur hij was, raakte ik zelf alleen nog maar meer van streek. Gerechtigheid, zelfs immanente, is geen oplossing in de liefde. Neerslachtig ontdekte Yves dat hij iemand ongelukkig kon maken en hoe ondraaglijk zwaar de verantwoordelijkheid was die hij altijd had geweigerd op zich te nemen. Voor de zoveelste keer had hij gezondigd uit optimisme, door in de euforie van de eerste ontmoetingen met

Yang te vergeten dat gewenning bij gevoelens net zozeer optreedt als bij drugs, en dat hij onvermijdelijk gedwongen zou worden de dosis te verhogen. Want ze behoorde tot dat vreselijke gilde dat heeft geleerd dat de liefde van een vrouw alleen een volledige overgave kan zijn... Maar een volledige overgave die zes van de zeven avonden alleen doorbrengt, die eenzaam wakker wordt en die geaccepteerd wordt wanneer men tijd heeft, leidt op den duur tot moord. En dan was er ten slotte nog Comera: al die keukentjes voor jonge stellen, al die gezinskeukens die ze de godganse dag aanraadde aan vrouwen die een man of een gezin hadden, waren haar op den duur teveel geworden.

Ik nam me voor over dit alles ooit met Yves te praten, als ik de naam Yang weer zonder pijn zou kunnen uitspreken. Intussen durfde geen van ons het onderwerp aan te roeren. We hadden er altijd op schertsende toon over gepraat en omdat we niet meer konden schertsen... Yves had zelfs niet gezinspeeld op de laatste brief van Yang die ik geopend op zijn bureau had laten liggen. Eén keer slechts, op de avond dat we hoorden dat Julien en Eveline waren gescheiden, vroeg hij me:

'Waarom ben jij niet ook bij mij weggegaan? Waarom heb je me nooit verteld dat het zo erg was?'

Nou ja, daarom niet. Omdat ik het tegen niemand kon zeggen en ik niet wilde dat ze er met mij over spraken. Omdat het, wanneer je er *van tevoren* over denkt, eenvoudig en duidelijk is, en wanneer je het meemaakt aan alle kanten begint te wringen. Omdat je gekwetst bent en je de gevoelige plek niet durft aan te raken. Wat zou je goed weten wat je doen moest als je minder van de ander hield! En ten slotte om de trots. En verder om Kerviniec en onze boot. En ook vanwege de Eskimo's, dat is gek... Door Yves heb ik de Noordpool leren kennen en we hebben samen een grote liefde opgevat voor het Noorden, het hoge Noorden. Het is bij toeval ontstaan zoals veel grote liefdes: toen Yves nog heel jong was, had hij de kans gekregen op het laatste moment in te springen voor de fotograaf-filmer-kok van een poolexpeditie, en die winter in Groenland had een nieuwe roeping bij hem losgemaakt. Toen hij terug was, ging hij verder met zijn studie, specialiseerde zich in volkenkunde en ging bij het 'Musée de l'Homme' werken. In onze eerste vakantie samen brachten we de zomer in Groenland door en de poolcirkel, die op de kaart altijd wit wordt weergegeven, bleef voor ons zo vol namen en herinneringen dat die een band tussen ons vormde, zo'n beetje als wanneer je samen een kind op de wereld hebt gezet. Het verlangen om die wonderbaarlijke natuur weer te zien, waar alle wetten zijn gewijzigd, te beginnen met de afwisseling van dag en nacht, heeft voor ons vaak de plaats van het verlangen ingenomen en het gelukkige gevoel daar samen te leven, de plaats van het geluk. Want liefde bedrijf je niet alleen door de liefde te bedrijven. Je ontdekt in de loop der jaren dat je niet meer zozeer op zoek bent naar het bezitten van de ander, je weet dat dat onmogelijk of nutteloos is. Maar je verlangt ernaar samen met hem te bezitten wat hij bezit; je hebt minder zin in het lichaam van de ander dan dat je gelukkig met of door hem wilt zijn. Het hartstochtelijk pogen één te zijn, dat gruwelijke genot van de liefde, wordt langzamerhand minder heftig. Je legt je erbij neer twee te zijn, en in het beste geval kom je zover dat je daar blij mee bent.

Ik begon net aan het cijfer twee te wennen; drie, dat lukte me niet. Geestelijk was ik er niet voor toegerust. Toch probeerde ik het, ik ben van goede wil... maar ik stuitte steeds op hetzelfde obstakel. Een onverdraaglijke vraag brandde op mijn lippen en die moest ik ten slotte wel een keer, één keer maar, aan Yves stellen. Ik wachtte tot het een rustige, koude dag was, maar toch kwam het eruit met mijn falsetstem, de stem waar ik bang voor ben omdat die erop duidt dat de tranen nabij zijn:

'Er is één ding dat ik graag zou willen weten.... Hield je van Yang meer dan van mij?'

Yves keek me aan als een ter dood veroordeelde die al lange tijd uitstel van executie heeft en die plotseling ziet dat ze hem komen halen.

'Meer... dat weet ik niet. Dat soort dingen kun je niet meten. Ik denk dat ik van haar hield zoals ik van jou houd, maar om andere redenen.'

Die gelijkheid tussen Yang en mij had me juist genekt. Overwonnen worden, goed, dat is duidelijk. Ik had nog beter kunnen verdragen dat we uit elkaar waren gegaan, geloof ik.

'En... heeft Yang je gevraagd bij mij weg te gaan? Wilde je dat graag?'

'Wat doet het ertoe of ze me dat heeft gevraagd?' antwoordde hij, trouw aan zijn wanhopig makende terughoudendheid, 'waar het om gaat is dat ik het niet heb gedaan, nietwaar?'

'Nee. Waar het om gaat, is dat je het niet graag wilde.'

En ik vroeg nogmaals, want ik voelde me toch al als een vis op het droge, in een element waarin je slecht kunt ademen: 'Wilde je het graag?'

'Met jou ben ik getrouwd,' zei Yves met toonloze stem, 'en met jou heb ik altijd willen leven. Je weet best dat ik anders wel was opgestapt.'

'Dus zou je omdat je evenveel van ons hield, als je met haar was getrouwd niet bij haar zijn weggegaan?'

'Ach, ik weet er niets van, hoe kan ik nou praten over wat niet is gebeurd?' riep Yves, die al niet in staat is te praten over wat wel is gebeurd.

En vrijen, wie deed dat beter? En wist hij dat ik Yang een paar maanden voor haar dood had geschreven om haar uit te schelden? En vond hij dat ik ongelijk had gehad? En wat zou er zijn gebeurd als Yang niet dood was? En zou hij met

Yang zijn getrouwd als ik was verdwenen? (Ze hadden maar op een ongeluk hoeven rekenen!) Ik dacht dat ik tot op de bodem van de waarheid afdaalde, die uiteindelijk niet dieper was dan de oppervlakte, en ik modderde maar wat aan met zinloze vragen en antwoorden die me wel moesten kwetsen, maar ik werd bevangen door een idiote duizeling en het bloed gonsde in mijn oren, het zweet gutste langs mijn lichaam in plaats van tranen die er niet waren, en te midden van dat alles deed dat hart, dat belachelijke hart, alsof het stil ging staan voor een al met al triviale kwestie waarbij het niet eens aan de orde was geweest dat we uit elkaar zouden gaan.

Die avond nam ik me heilig voor Yves nooit meer vragen van levensbelang te stellen. Zo'n lichamelijke ontreddering wilde ik nooit meer doormaken. Maar we konden niet tegenover elkaar blijven zitten en over iets anders praten. Yang was nog een gevoelig, soms gevaarlijk onderwerp voor ons, en de rol van overlevende is niet altijd een gemakkelijke rol. Het was het beste een tijdje uit elkaar te gaan. Dus stemde Yves erin toe dat jaar de korte poolzomer in Groenland door te brengen. Het zou waarschijnlijk zijn laatste reis zijn, want er zou daar algauw niets meer te bestuderen of te filmen zijn, als de laatste zeehondenjager met de laatste zeehond zou zijn gestorven en zijn kleinzonen in spijkerbroek in de drugstores van de poolcirkel souvenirs zouden verkopen aan toeristen. Hij zou voor de zoveelste keer van beroep veranderen: aan roepingen had hij geen gebrek. Op geen enkel gebied.

Het was de eerste keer dat ik het waardeerde alleen te zijn. Je kunt jezelf, ook al doe je het met liefde, niet jarenlang dwingen te verdragen wat je niet kunt verdragen, zonder er een terugslag van te ondervinden. Het was alsof ik te voorschijn kwam uit een tunnel waarin ik al te lang op de tast rondliep zonder ook maar het geringste schijnsel te zien. Eindelijk had ik het daglicht weer terug, en mijn vrienden, een zorgeloos leventje en zin om te vrijen, zomaar, het deed er niet toe met wie. Nu ik minder exclusief van iemand hield, ontdekte ik met vreugde dat ik minder ongelukkig was, en vreemd genoeg begon ik meer vertrouwen in de liefde van Yves te krijgen precies op het moment dat hij me er minder van liet blijken.

Aangezien ik me niet, om de zinnen te verzetten, op een reisje naar Groenland kon trakteren, kreeg ik zin eens een minnaar te nemen, waarbij ik me er ten volle van bewust was hoe vulgair deze remedie was. Het werd trouwens hoog tijd ons gedrag enigszins op elkaar af te stemmen en ook aan mijn toekomst te denken, want dit soort herinneringen geeft de oude dag fleur, ook al kan de affaire op het moment zelf een mislukking of een vergissing hebben geleken.

Er komt een leeftijd waarop je geneigd bent tot handelen over te gaan met oude vrienden die je al lang iets te dicht bij je lippen hebben gezoend. Je hoeft je hoofd dan alleen maar een beetje te draaien... Die vriend was Jacques, misschien omdat hij de enige was die alles van onze affaire af wist. Het was niet eens echt een minnaar: we stonden al zo lang op het punt, dat de grens tussen liefde en vriendschap was vervaagd. We hoefden niets te zeggen, het was voldoende dat ik mijn hand wat langer dan gewoonlijk op de zijne legde.

We aten 's avonds in een Chinees restaurant en brachten daarna de nacht door in een hotel in een straat die genoemd was naar de favoriete dichter van Yves. Het was prettig, dat vreemde lichaam, en we voelden ons onbezwaard: dit avontuur had niets te maken met Patricia of Yves, maar alleen met twee studenten die zij nooit hadden gekend en die probeerden hun jeugd in te halen. Jacques stelde me voor elkaar iedere donderdag te zien; het was een man van vaste gewoontes en hij reserveerde steeds dezelfde kamer in de straat van de dichter van Yves. We troffen elkaar dus op

donderdag, net als vroeger, toen we samen naar de Tuile-
rieën gingen om op de hobbelpaardjes te rijden. Ik zag hem
weer voor me met zijn matrozenpakje en zijn witte knie-
kousen, driftig naar voren en achteren manoeuvrerend om
een tweede gratis ronde te verdienen...

'Het is alsof ik jouw hobbelpaardje ben,' kon ik de vijfde
of zesde donderdag niet nalaten te zeggen... 'Daar wilde je
ook nooit afstijgen, weet je nog?'

Maar dat alles had weinig om het lijf. We zorgden ervoor
elkaar niet te aardig te gaan vinden, iets diepzinnigs werd er
nooit gezegd, we waren nog steeds vol bewondering en genegenheid voor elkaar, maar dat was niet echt voldoende
om een kamer te reserveren! Toen de altijd grappige onbe-
tamelijkheden van het begin voorbij waren, voegde die we-
kelijkse poespas tussen gehuurde lakens niets aan onze
vriendschap toe en had het niet genoeg weg van liefde. Ook
toen hadden we geen woorden nodig om er verder van af te
zien. Deze hele affaire had zich afgespeeld in een stilzwijgende verstandhouding: we hadden eigenlijk de liefde bedreven uit vriendschap en geen van ons wist ooit precies
wat de ander er van had gevonden. Jacques ging trouwhar-
tig door met me vlak bij mijn lippen te zoenen en samen
hadden we dit geheim. Het was een heel bijzonder gevoel,
verwarrend kon je het nauwelijks noemen, een prettige,
warme herinnering in het leven. Ik dacht bij mezelf dat ik
misschien beschaafd begon te worden!

Door die veranderde omstandigheden had ik weer zin gekregen om te reizen. Ik verlangde naar een beetje van die
romantiek die ik bij Jacques niet had gevonden. Hoe lang
had ik al niet meer langs de oevers van de Seine gewandeld?
Toen ik dat naging, schrok ik. Die doodgewone dingen die je
verloren laat gaan... Een hand vasthouden in de bioscoop...
je ogen niet kunnen afhouden van een mond die tegen je
praat... Hoe lang keek ik al niet meer naar de mond van

Yves? Het ergste bij ouder wordende liefde is dat je je niet eens meer kunt herinneren hoe die liefde was. Die enigszins magische aantrekkingskracht van een mond waarvan de woorden ternauwernood tot je doordringen, omdat je helemaal opgaat in het verlangen er jouw mond op te drukken, die andere taal te spreken, hoe was die ook al weer? Die begeerte moest ik nog even, één keer, ervaren, alleen om te kunnen denken: Ach ja! Zo was het dus!

Maar natuurlijk kwam tegen die tijd Yves terug, omdat zijn cameraman een ongeluk had gehad. Hij heeft altijd een fijne neus gehad. Ik had me op vier maanden ingesteld en zijn terugkomst overviel me. Maar ik vertelde hem niets en stelde hem niet de gebruikelijke vragen: bepaalde dingen vraag je niet meer, veronderstel ik, als je een bepaalde leeftijd bent gepasseerd. De antwoorden doen niet meer genoeg pijn, ze zijn alleen nog maar vervelend om te horen. Had Yves de liefde bedreven in Ammassalik of Notiluk? Ik merkte enigszins weemoedig dat het me voor de eerste keer koud liet. Dat was de keerzijde van de beschaving.

En die tolerantie waarnaar we toen Yang nog leefde zo hadden verlangd, wat had het voor zin daarover te praten? Yves zou er nu niet in hebben geloofd. Hij had zojuist een te hoge prijs betaald voor de ontdekking dat ik jaloers was, om zo kort daarna toe te geven dat zijn informatie achterhaald was. Zo kun je je leven lang achter jezelf aan hollen.

7
PIRAEUS – ADEN:
2044 MIJL

'O nee,' riep Marion. 'Getverdemme! Yves... zag je dat? Het begint weer.'

Marion had net haar wekker in haar gezicht gekregen.

'Wat dan?' vroeg Yves.

'O, vind jij dat normaal? Nou, ik begin terug te verlangen naar de metro bij Saint-Lazare in het spitsuur. Als het zo vier maanden doorgaat!'

'Je kunt terug naar Saint-Lazare, hoor, ga maar terug met Patricia als je nu al de moed verloren hebt.'

'Maar die zee maakt dat je de moed verliest: zodra je van wal steekt, barst ze los.'

'Ik dacht dat je van varen hield, weer een mening die ik zal moeten herzien,' zei Yves op die bescheiden martelaarstoon die hij sinds de Affaire soms aansloeg.

'Noem je dat dan varen?' zei Marion, die terugverlangde naar de opwindende, rampzalige tochtjes die ze samen iedere zomer voor de kust van Bretagne of Engeland maakten. Ze hadden brand gehad in de Golf van Morbihan met de *Potemkine*; hun kabels gebroken in de haven van Groix, waarmee ze het gezegde 'Wie Croix ziet wordt vrolijk' geen eer aandeden; ze waren met de *Tam Coat* bij eb vastgelopen bij Trescoe op de Scilly-eilanden; in een pikdonkere nacht met de sneb geramd bij Chaudey... kortom, ze hadden zich aardig vermaakt met de zee en de zee met hen. Hier kon zoiets niet gebeuren. Een vijfentwintigkoppige bemanning zorgde ervoor dat de fortuinen der zee teniet werden gedaan, die de charme maar ook de schrik van de pleziervaart uitmaken.

'Met die stevig gesloten patrijspoorten,' ging Marion verder, 'weet je niet eens of het regent of dat de zon schijnt. Ik voel me net een arme makreel van kapitein Cook in zijn blikje.'

'Een gecapitonneerd conservenblik, met kok en kamermeisje dan toch...'

'Precies: gecapitonneerd! Je wordt er gek van. Het is afschuwelijk, ik heb zelfs geen zin meer om te lezen. Probeer maar eens een zin van Proust bij windkracht zeven of acht.'

'Probeer het dan niet... ga slapen.... laat je dobberen... die ene keer dat jij eens niets te doen hebt!'

Slapen, dat moest je maar kunnen! Het slechte weer kwam voor de zoveelste keer opzetten op dezelfde schijnheilige manier als barensweeën: drie grote golfbewegingen gevolgd door een horizontale stilte. Nee, ik heb me vergist... Maar dan kwamen er plotseling weer drie. Kijk, kijk... Stilte. Dan weer drie, dichter achter elkaar, en nog eens drie, steeds sterker. Geen twijfel meer mogelijk: dat waren de weeën. Daarna werden de reeksen tot één geheel en weer was het alleen nog maar een onafgebroken gewiegel.

'Waren we maar vast in het Suezkanaal,' zei Marion.

'Weet je dat er na Korinthe en Suez geen kanaal meer komt voor Panama? En we moeten nog zesduizend mijl dwars over de Stille Oceaan waar geen enkel stukje land is dat de oceaan in bedwang houdt. Je kunt zeggen dat een golf die van de kust van Chili komt, bij Tahiti arriveert zonder een obstakel tegen te komen. Kun je nagaan!'

'Ik ben werkelijk bang dat ik erachter kom dat ik niet voor de grote vaart in de wieg ben gelegd, arme schat. Het woord vond ik zo aantrekkelijk... en dan de gedachte dat ik mijn leven zou eindigen op een boot met jou, op een kits met de naam *De Twee Oudjes*. Een reis om de wereld op je tachtigste...! "Twee oude waaghalzen komen om op zee" zou er in *Le Figaro* hebben gestaan. Dat klinkt toch beter dan "thuis in de Heer ontslapen"?'

'Ik heb weinig hoop,' zei Yves.

'Het spijt me echt maar het is net als met thee: ik zou zo graag thee lusten, ik benijd je elke keer als je het drinkt. Maar nee hoor: zodra ik er een slokje van neem, staat het me tegen.'

'Terwijl je vroeger zo dol was op de achtbaan!'

'Maar bij de achtbaan kun je uitstappen.'

'Nou ja, dan worden we *De Twee Oudjes* op een bank, met pantoffels van dr. Gibaud en Thermolactyl ondergoed, en dan kweek jij bieslook in je tuintje.'

'Wat een ellende is het huwelijk toch!' zei Marion oprecht spijtig.

'Ik ga eens aan dek kijken,' zei Yves. 'Ga je mee?'

'Waarvoor?' antwoordde Marion chagrijnig. 'Je ziet alleen maar golven. Ik ga slapen tot we bij het kanaal zijn.'

Ze nam twee Avomines en draaide zich om naar de muur.

Tegen de avond werd plotseling alles in korte tijd rustig, net als een draaimolen die tot stilstand komt. Zelfs de motoren hielden op met draaien, en als een beloning daalden stilte en rust neer. Marion ging aan dek om Ferdinand de Lesseps te bedanken, wiens sokkel, zonder het standbeeld, dat de Egyptische overheid uit kinderachtige wraak had weggehaald, nog bij de ingang van het kanaal troonde. Twee loodsboten kwamen langszij de *Moana* en twee krachtige lampen, die bij het naar buiten varen in het water zouden worden gegooid, werden aan de voorsteven vastgemaakt, zodat ze vaag de lage, mysterieuze oevers verlichtten die in stilte lagen verzonken. Het eerste contact met Afrika. In de machinekamer bleven twee werktuigkundigen de hele nacht op krukjes zitten kijken hoe de zuigers op en neer gingen in een onberispelijke omgeving als van een ziekenhuis waar het naar stookolie rook in plaats van naar ether. Het kleinste ongelukje in die nauwe doorgang waar het drukker was dan op een autoweg, zou algauw op een ramp uitlopen.

Tegen de ochtend werd het prachtige landschap zichtbaar. Door dat kanaal dat er dwars doorheen was gegraven, was het alsof je het intieme karakter ervan blootlegde. In het oosten de roze woestijn. Geen bamboeriet of bosje gras te bekennen. Als het lemmet van een mes vormde het kanaal een scheiding tussen leven en dood. Op de rechteroever, in de richting van de Nijl, het leven: aardkleurige dorpjes, veelkleurige kinderen, mannen in jurken in de kleur van hun dorp, grijze schapen, kamelen die je altijd en profil ziet, en verder palmentuinen en 'akkers' die niet meer dan piepkleine, zeer zorgvuldig bebouwde tuintjes waren. Vlakbij, boven het kanaal uitstekend, roze met paarse bergen, de kleuren van Egypte. Het gras, het groen, de schaarse bomen die nauwelijks een onderbreking vormden in dat onmetelijke roze landschap, waren slechts iets incidenteels, een wonder, een minuscuul groen vlekje dat met veel moeite bevochten was op het almachtige zand dat de ware substantie is van dit land.

Iris, die allang behept was met het gevoel dat de wereld eentonig was, lag in haar hut te slapen. Ze had Egypte trouwens al gezien. De anderen stonden over de reling geleund

te kijken hoe die twee tegengestelde landschappen in langzaam tempo aan hen voorbijtrokken, terwijl ze luisterden
naar Alex die door elkaar Maspero, Champollion en Hero-
dotus citeerde, die overal vóór iedereen is geweest en zich
verbazend weinig heeft vergist, en ze lieten zich overweldi-
gen door het vreemde landschap, het eerste van deze reis.
Vanhieruit gezien, met een kopje Chinese thee in je hand,
leek de armoede niet ondraaglijk: ze hoefden het volkomen
kale interieur van de aarden hutjes niet te zien; ze zagen de
pus niet die aan de ogen kleefde van de heel jonge kinderen,
die op de rug werden gedragen van hun in lompen geklede
zussen met broodmagere beentjes, die zelf nauwelijks groter waren dan hun vracht. Ze zagen niet dat de oude boeren
met hun blote handen de talloze kanalen schoonmaakten
die hun tuintjes levenskracht gaven. Wat overbleef was alleen de harmonie van het landschap, het wonder van die
strook leven tussen twee woestijnen en de waardigheid van
de gedaanten in lange jurken en van de vrouwen in het
zwart die hun kruiken op hun hoofd droegen, waardoor de
Europeanen plotseling pennelikkers in te krappe, preten-
tieuze kleren leken.

Egypte is een levende les in natuurlijke historie. Daar
werd op een van eenvoud ontroerende manier aangetoond
dat 'zonder de vruchtbare leem van de Nijl het land niet
meer dan een woestijn zou zijn', zoals Gallouédec en Mau-
rette doceerden in het oranje aardrijkskundeboek van een
hele generatie. De almachtige leem zag je hier aan het werk,
zoals die in één streek vlekkeloos zijn domein in het zand
aftekende en de mens precies binnen zijn grenzen hield.
Het echte werk zou pas in Bombay beginnen, maar Tiberius
filmde al voor zijn plezier de beide oevers die gewillig in een
travelling shot voor zijn lens langsgingen.

Ze naderden de Rode Zee en de lucht raakte langzaam
maar zeker bezwangerd met geuren waar je loom van

werd; de avonden werden zacht en mild, en ontroerd zagen de passagiers hoe de vertrouwde ster van Europa, de harde flonkerende poolster, de gids van de serieuze zeevaarders, tot aan de horizon daalde, terwijl het zuiderkruis, het sterrenbeeld van de avonturiers, steeg aan een hemel die je plotseling graag firmament wilde noemen. 's Nachts tokkelde Ivan op zijn gitaar enerverende wijsjes waar nooit een eind aan kwam, streelde Tiberius de blote schouders van Betty en probeerde Yves naar de wereld te luisteren op zijn Zénith met een golfbereik van tien. Patricia droeg een nieuwe jurk die ze in het diepste geheim voor zichzelf had laten maken bij een heel oude thuisnaaister die eerste naaister was geweest bij Madeleine Vionnet. Maar die voile garneersels, die naar haar idee uitstekend geschikt waren voor een sensuele cruise over de Rode Zee, leken eerder uit de koffer met accessoires van Isadora Duncan afkomstig; ze had waarschijnlijk op de stof beknibbeld, en de grote banen synthetische organza weigerden vleugels voor te stellen die trilden in de zachte wind. En de margrietenblaadjes die de rok vormden, hingen erbij als vodden waar zielig twee magere benen onder uitstaken, die eindigden in witte Minnieschoenen. Omdat ze geheel te goeder trouw hardnekkig bleef vasthouden aan de rol van dolgelukkige moeder en stralende echtgenote die ze nooit een moment in twijfel had willen trekken, was zij de enige die niet voelde hoe melancholiek de nachten waren. Door de aanblik van de oneindige ruimten kreeg ze zin er nog een kind bij te hebben, de enige manier die ze kende om met de wereld te communiceren. De nachtlucht was verrukkelijk, ondanks de dubbele portie lavendel die Patricia tussen haar bloemblaadjes verstoof, en Jacques ademde die in. Of liever gezegd: hij ademde, dat was heerlijk, en daarbij streelde hij werktuiglijk de ribben van zijn vrouw, terwijl hij er wel voor oppaste niet de borsten aan te raken waarvan de al te vloeibare substantie hem tegenstond. Het liep tussen je vingers door als kwikzilver. Vrouwen hebben maar pech, dacht Jacques, dat ze van die bollen zonder botten erin hebben, die zo snel lelijk worden... Pech dat het opzwelt, dat eraan gezogen en getrokken wordt, dat alles ertoe bijdraagt ze te beschadigen. Bovendien had Matricia die van haar omgeven met ijzerdraad, om ze net als anjers te ondersteunen. Hij had behoefte aan andere borsten, dat was alles. Hij dacht aan die van Georgette, zijn assistente, wie hij had gevraagd geen beha te dragen opdat hij ze af en toe in zijn handen kon nemen, tussen twee patiënten door. Een volmaakte borst is fris en vergankelijk als een zachtgekookt ei. Hij stelde zich voor hoe die van de Tahitiaanse vrouwen zouden zijn... overal van die zachtgekookte eieren... en hij drukte zijn vrouw die hem haar lippen toestak wat steviger tegen zich aan. Hij maakte het kort. Ze weigerde iedere vorm van anticonceptie, zowel vanuit een mystieke overgave aan de natuur als op grond van haar katholicisme, en alleen al de gedachte dat hij weer een nieuwe bloedzuiger op de wereld zou zetten terwijl hij aan al zijn krachten nog niet genoeg had voor zichzelf, deed het bloed in zijn aderen stollen. Daar kon ze naar fluiten. Jacques was er in gemoede van overtuigd dat het leven hem een ander welkomstgeschenk hoorde te geven dan dat lichaam dat hij net zo goed kende als het traject dat hij al twintig jaar aflegde om naar zijn praktijk te gaan. Zijn ogen schitterden al van opwinding, het heden bestond niet langer voor hem, en Matricia was nog slechts de moeder van zijn kinderen.

Marion keek weemoedig toe hoe Jacques het zo aanlegde dat zijn vrouw niet meer van hem zou houden. Wat hadden de romantische luchten van de Rode Zee voor zin, de boot was niet romantisch, zij waren het niet meer. Diezelfde reis tien jaar eerder... *Vroeger!* Waren ze dan tenminste nog maar op hun Bretonse boot, in de kajuit die stijf stond van de geuren en waar je het 's avonds lekker warm had, met je ellebogen tussen de kruimels, de afwas die er nog stond, en zonder kelner achter je... En dat onregelmatige geluid van de golfjes tegen de romp! Hier hoorde je de golven nooit, alleen het lawaai van de motoren en van het water dat met te veel geweld werd opengescheurd. Het was misdadig niets te doen met deze nachten. Al met al was Jacques mooi... Alex aantrekkelijk... zelfs Tiberius, 'een prachtig lijf' zoals Iris zei, die over mannen praatte als over renpaarden, het soort man aan wie zij in de regel een hekel had... maar waarom niet? Was het hier de regel? En ook de bemanning, ze vergat de bemanning... Kortom iedereen, dacht Marion moedeloos, iedereen zou leuker zijn dan Yves, voor de eerste keer althans. En misschien dacht iedereen aan boord wel hetzelfde. Maar hoe begin je zoiets? Daar heb je het nou. Het is altijd hetzelfde: hoe begin je? Er zijn zoveel dingen die je nooit zult doen om die simpele reden! Bovendien beweerde Yves niet het minst geïnteresseerd te zijn in die methode. Maar er zijn zoveel dingen waarin je niet geïnteresseerd bent *met* je vrouw... Je zou juist een avond als deze moeten hebben, buiten je gewone omgeving, zonder voorbedachte rade, in volle zee... kortom nergens!

Veel meer dan alcohol hadden treinen en lange reizen bij Marion altijd alle schaamte uit de weg geruimd. 's Nachts in een trein of in een onbekend land was er geen enkel complex of verbod meer dat haar ervan weerhield een of ander verlangen dat bij haar opkwam te vervullen. Deugdzaamheid is iets toevalligs. Net als bij carnaval raakte ze op reis haar identiteit kwijt en zag ze met opgetogen verwondering hoe ze een ander werd. Een ander die niet per se echter was – daar moest je niet intrappen – maar die af en toe behoefte had zich te uiten. Ze had nooit aan iemand verteld dat ze twee keer in haar leven juist in de trein... De eerste keer in een van die eindeloos lange spoortreinen tijdens de bezet-

ting, waar men door elkaar in de gangpaden lag te slapen;
het was een soldaat in ruw kaki, en elke keer als ze de vers-
regel van Aragon hoorde: 'Het ruikt naar tabak, naar wol
en naar zweet,' dacht ze terug aan die heel jonge soldaat
wiens gezicht ze alleen bij het blauwe schijnsel van de
nachtlampjes had gezien. Hij was in Annemasse uitgestapt.
Het onverwachte van haar gedrag had haar zo verrast dat ze
's ochtends geen enkele schaamte had gevoeld, maar dan
ook geen enkele. Niet de Marion van alledag had zo gehandeld, maar een onbekende die in haar verborgen zat en toch
haar zus was... een gekkinnetje van wie ze niet veel last had
en die misschien – wie weet – een tegenwicht vormde voor
haar gebruikelijke verstandige gedrag. Net als Vishnoe had
ze verschillende incarnaties. De andere man was een jonge
ambtenaar bij het ministerie, met lange tanden en slanke
handen, gedistingeerd en onbehouwen zoals ze in die kringen vaak zijn. Ze was heel bang geweest hem later bij een
diner weer tegen te komen.

Het vervelende bij dat plan voor een commune waren de
vrouwen. Marion had altijd, met name ten opzichte van de
vrouwen voor wie Yves belangstelling kon hebben, tegelijkertijd enige weerzin maar ook een hevige nieuwsgierigheid gevoeld. Ze had zich altijd afgevraagd wat voor verschil
de binnenkant van een vrouw voor een man kan maken.
Bestonden er verrukkelijk bochtige gangen? Min of meer
fluweelzachte wanden? Had Yang het befaamde Chinese
tourniquet? Wat was lekker? Yves antwoordde dan lachend: 'Beroepsgeheim!' en weigerde haar ook maar de geringste bijzonderheid te geven. Ze zou doodgaan zonder het
te weten. Per slot van rekening, om op de *Moana* terug te
komen, zou het ideaal een standaardruil zijn, op z'n Ameri-
kaans. Zover was het nog lang niet. Op haar twintigste be-
dreef ze staand de liefde met Olivier in het fietsenhok, waarbij ze met een hand de deur tegenhield opdat de conciërge

niet zou binnenkomen. Op haar vijfenveertigste gleed onder haar voeten de Rode Zee door, boven haar hoofd gleden
sterren met namen als uit een droom en zij zat daar maar
zonder te huiveren, terwijl Yves beneden in de salon aan
het bridgen was en misschien dacht aan Yang daarboven.
Onder zo'n hemel denk je graag aan jonggestorven mensen. Natuurlijk zou het mogelijk zijn die avond met Yves te
vrijen, op het tijdstip van de echtparen, voor het slapen
gaan. Mogelijk. Prettig zelfs. Maar hoe kon je met droge
ogen verdragen dat je er niet vreselijk veel zin in had, niet
meer vreselijk veel, en zo voort? Met Yves had ze trouwens
nooit iets in een fietsenhok gedaan. Hij had een hekel aan
staand vrijen, en aan ongemak, en aan slecht gesloten deuren. Misschien hield hij van fietsen met anderen? Yang had
hem vast wel eens gedwongen in het hooi te slapen of in
haar 4 cv. Bijzonder komisch om te denken aan Yves die
het in een lucifersdoosje deed! Intussen moest je de
werkelijkheid onder ogen zien: na twintig jaar huwelijk
konden alle parfums van Arabië je nog niet dat waanzinige
verlangen teruggeven om steeds maar de huid van de ander
aan te raken. Een bedroevende constatering die Yves ook
wel door het hoofd zou spelen, terwijl hij deed alsof hij zeer
geboeid was door zijn partijtje bridge. Maar vertel je dat
soort dingen ooit? Niets is soms raadselachtiger voor je dan
de man met wie je leeft.

Om al die redenen begin je, als je wat ouder wordt, de
voorkeur te geven aan de beloftes van de ochtend boven de
betoveringen van de nacht. Als de avond viel, werd Marion
altijd treurig. Alleen al dat werkwoord 'vallen'! De avond
was voor haar als een dag die oud was geworden, zoals zijzelf, die algauw zou hebben afgedaan, en ze onderging het
verdwijnen van het daglicht als het verdwijnen van haar
jeugd. Maar elke morgen stond ze weer geheel vernieuwd
op, en vergat ze de melancholieke gedachten van de vorige

dag. Ze verbaasde zich erover dat het leven gewoon zo'n kracht had.

De dageraad van 17 december was subliem boven de zeestraat van Bab el-Mandeb. De vulkanische archipel van de Hanish stapelde zijn slakken tot een hoogte van duizend meter de hemel in, die zo blauw was als op een slechte ansichtkaart. Geen grassprietje, zelfs geen korstmos was erin geslaagd wortel te schieten in die grond die volkomen zwart was en uitsluitend leek te bestaan uit afval van een verwarmingsketel. Maar het was, ondanks die steenkoolachtige stranden, toch een kust, en het had de wonderbaarlijke kracht die altijd van een onbewoond eiland uitgaat. Uit de roeiboot stappen, voet aan wal zetten op dat onbekende land dat zo weinig werd betreden, bracht bij iedereen de kinderlijke opwinding teweeg die tot archaïsche diepten van de ziel terugvoert.

'Het mooiste van varen is het aan land gaan, vind je niet?' zei Marion tegen Yves die precies het tegenovergestelde dacht.

Het strand was over de gehele lengte bedekt met een tapijt van gedroogd zeewier dat een grijsachtige korst vormde. Alex zette het eerst voet aan wal en stak zijn hand uit naar Iris, die plotseling geschokt bleef stilstaan: met een geluid als van aluminiumfolie dat met kracht wordt verfrommeld, was de hele korst omhoog gekomen en in een seconde was er een gekrioel ontstaan op het strand, dat bestond uit duizenden krabben die zich met een afschuwelijk gekraak oprichtten op hun dunne hoge poten en hun uitgedroogde scharen naar de vijand uitstaken voordat ze opnieuw doodstil bleven liggen in zo'n dreigende houding als versteende soldaten in gevechtsstelling. Van de een naar de ander werd er alarm geslagen, en langs de hele kust verbreidde zich het gekrioel van de monsters, de enige levende wezens op het zwarte eiland, een volk van pantsers waar zo weinig vlees aan zat dat het wel leek alsof het ook van vulkanische oorsprong was.

Het gezelschap keerde deze wereld als uit een nachtmerrie de rug toe, stapte weer in de bootjes en gleed het water in dat warmer en doorzichtiger was dan de lucht, om zodra men door het vensterglas van het oppervlak heen keek, allerlei fascinerende vormen en kleuren te ontdekken. In niet meer dan één of twee meter water, te midden van bewegende koralen die bedekt waren met planten die op dieren leken en dieren in de vorm van planten, dartelden in schijnbaar volkomen gelukzaligheid wezens met korsten, schubben, schelpen, met gevlekte, getijgerde, gevlamde of lichtgevende huid. Aangenaam verrast nieuwe gedaantes te zien, kwamen de pyjamavissen, de doktersvissen, de blauwgestippelde roggen, al die vriendelijke diersoorten met hun uitbundige vormen aangezwommen, om op hun beurt naar die rozeachtige lichamen met vier gekke langwerpige vinnen te kijken. Geen enkel aan land lopend mens kan zo'n indruk van paradijselijk welbevinden geven als een vis in het water. En dat zoogdieren met bronchiën dank zij een simpele buis de mogelijkheid hebben in de vloeibare wereld rond te zwerven, terwijl dieren met kieuwen nooit de droge wereld zullen leren kennen, moet eigenlijk als een buitensporig voorrecht worden beschouwd.

Maar de zoogdieren met bronchiën profiteerden daarvan door deze niets vermoedende populatie angst aan te jagen, want ze grepen die mooie dieren vast, braken ze open, harpoeneerden ze en doorboorden ze. En degenen die om gezondheidsredenen niet naar beneden konden, gebruikten daarboven haken, drietanden en harpoenwerpende kanonnen, en trokken uit het water kreeften, horsmakrelen, tandbaarzen, reuzenmodderkruipers en zachte slijkvissen, een haai die niets gedaan had, een manta die onder haar sluiers danste als Loïe Fuller, en een zeeschildpad die wild was van verbijstering en er heel lang over deed om dood te gaan in de zon op het dek van de *Moana*. De hamer kwam, als op een rugbybal, op haar kop neer, telkens als ze die uitstak om te kijken. Ze lieten de kok boven komen met zijn grote mes: hij kwam met moeite door de olifantshuid heen, en het zaagmes bleef vastzitten in de plooien van haar oudevrouwennek. Toch bleef de schildpad steeds maar haar kop met de gebroken ogen uitsteken, in een poging om het te begrijpen. Een matroos slaagde er eindelijk in zijn dolk in de zachte delen van haar buik onder het schild te laten doordringen. Dik rood bloed zoals het onze begon eruit te stromen en haar blik werd heel langzaam dof.

Bij het avondeten werd de onderkant van de poten van de schildpad geserveerd, het lekkerste, in een ouderwetse ragoût. Het vlees leek op taai kalfsvlees. Iris die al te lang de blik van het dier had opgevangen, weigerde ervan te eten. Het kostbare hoornen schild, dat een maximale doorsnede van een meter had en dat niemand kon prepareren, bleef in een hoek in de zon liggen. Het vormde een enorm wijwatervat waarin allerlei rommel bleef liggen en waarmee niemand bij terugkeer iets wist te beginnen.

Terwijl Iris haar ogen zat te betten, sprak bij Alex en Jacques uit hun hele wezen de tevredenheid dat ze hun plicht hadden vervuld: ze hadden zojuist een voorvaderlijke activiteit weer opgevat, de mannelijke activiteit bij uitstek, en ondanks het nutteloze van hun daad, want de koelruimten van de boot lagen stampvol ingevroren gevogelte en vlees van tamme dieren, ondanks het ongelijke van de strijd die geleverd werd met behulp van materiaal dat wetenschappelijk was berekend om te doden, ondervonden ze daarvan, veel meer nog dan een sportief genoegen, een innerlijke trots. Maar Yves kon er niet meer tegen te doden sinds hij in Groenland persoonlijk zeehonden had gekend. Op de Hanish had hij als toerist rondgewandeld, alleen gewapend met zijn onderwatercamera. Iris, die zich sterk voelde door deze onverwachte hulp van de kant van een man, viel Alex aan alsof ze persoonlijk iets met hem had af te rekenen, waarbij het feit dat vrouwen niet van jagen houden haar een nieuw bewijs leek van hun morele superioriteit. Hoewel Patricia hetzelfde gevoel van onbehagen had gehad bij de slachtpartij van die dag, zei ze niets omdat ze er zo vast van overtuigd was dat de man bestemd was om te doden en de vrouw om er kleine stukjes vlees van te maken, dat het haar onnodig leek strijd te voeren tegen een feitelijke situatie. Bovendien schoot Jacques heel goed en, naar het voorbeeld van de enorme kudde vrouwen die alleen geleefd worden, ging ze persoonlijk prat op de kracht en behendigheid van haar man. Iris dronk die avond veel champagne en huilde in één moeite door om gedode dieren en onbegrepen vrouwen.

De volgende dag zouden er voor haar evenmin redenen tot vrolijkheid zijn; na vierentwintig uur varen onder een verstikkende hemel kwam Aden in zicht in een landschap dat onvergetelijk afschuwelijk was. Een gele woestijnachtige kuststrook strekte zich uit aan de voet van een muur van vierkante bergen, hoge bergtoppen dwars door elkaar, en onregelmatige bergkammen, een vulkanisch landschap dat plotseling in groteske houdingen leek te zijn gestold. Net als op de Hanish was alles zwart en naargeestig.

'Wat een sinistere reis!' merkte Iris op, die tot dan toe van de wereld alleen een reeks lieflijke eilanden en Hiltons, omringd door parken, had gezien.

Maar ze moesten stilhouden om vóór de Indische Oceaan een volle tank stookolie in te slaan op die rots waar niets op enige vorm van leven duidde. Een perverse god had deerniswekkende wezens aan deze hel willen kluisteren door er een van de petroleumreservoirs van het Midden-Oosten van te maken. Marion had Afrika nooit gezien, noch van dichtbij armoede bekeken. De eenvoud waarin de Eskimo's leven, geeft niet die indruk van ellende; ze zijn er allemaal van overtuigd dat ze schatten bezitten: hun honden, hun huiden, hun rendieren, en – het summum van rijkdom – die vindingrijkheid, vrolijkheid en levenskracht die vreemdelingen zo frapperen. Hier zag je gelatenheid, starheid, geestelijke en lichamelijke onverschilligheid.

Gehurkt op de grond zaten te midden van het vuil, tussen hun humeurige kamelen en hun schonkige geiten die al lang geleden alle plantengroei in de omgeving hadden vernietigd, bedoeïenenfamilies, die daar door een vage hoop naar toe waren gelokt en die doodgingen zonder ooit een weiland te hebben gezien, uit te drogen in barakken, onder zinken daken die door de verzengende zon zo heet werden als braadpannen. In de straatjes, die stoffig en vettig tegelijk waren, verkochten Arabieren zonder overtuiging opengesneden watermeloenen die zwart zagen van de vliegen, of verpieterde pinda's. Honderden kinderen met rond hun ogen vliegen, die ze niet eens meer wegjoegen, kropen over de grond, uitgeput door de zon en de rachitis. Rond de ogen van de zuigelingen die in stoffige doeken waren gewikkeld, dromden nog meer vliegen samen, gonzend als vrouwen om een put, en alle vliegen die geen plaats hadden kunnen vinden op de vochtige ogen van de kinderen, die toch in groten getale aanwezig en weinig strijdbaar waren, namen hun toevlucht tot het dode vlees uit de openluchtetalages dat volledig schuilging onder zoemende lagen. Je herkende slagerijen alleen aan een sterkere geur.

Nomaden, even arrogant en afstandelijk als hun kamelen, die schijnbaar nergens heengingen, trokken door de buitenwijken in het hortende ritme van hun beesten, de somberste dieren van de schepping, en iemand wees erop dat de mannen er heel waardig uitzagen en hun tulband buitengewoon sierlijk wisten te draperen. Dat wordt meestal gezegd van nomaden.

Buiten de armoedige stad, op enige afstand van de paar moderne, maar al bouwvallige flatgebouwen, verschenen plotseling hier en daar in de woestijn afgeperkte stukjes Engeland, die beveiligd werden door omheiningen van prikkeldraad, en ieder stukje leek zo uit een doosje te zijn gekomen met alle toebehoren: een blond gezin, honden, erkers, dikke kindertjes met roze wangen, 'cosy' gordijnen en een goed verzorgd tuintje. Alleen het gras had niet willen groeien rondom die geconcentreerde stukjes Engeland die wanhopig hun best deden op het 'sweet home' te lijken.

'Als je hier van boord wilt, kan dat,' zei Alex, die het heerlijk vond om goedkope grappen te maken ten koste van zijn stiefzoon die hem voor lastige problemen stelde. 'Je ziet, het schijnt dat je hier kunt leven zonder te werken. Nou ja... leven... bij wijze van spreken dan!'

'Er zijn mensen die onder alle omstandigheden leven, altijd dezelfden,' zei Ivan, terwijl hij met zijn kin de enorme aluminium bassins aanduidde die de stad omringden en er bijna vrolijk uitzagen in die kleurloze wereld.

'Natuurlijk altijd dezelfden: degenen die graag vechten. Wat denk je dat hier was vóór de petroleum? Niets. Arabieren die omkwamen van de honger, net als nu.'

Alex en Ivan zaten aan de haven onder een drukkende hemel te wachten tot de vrouwen, die geen enkele hitte klein krijgt, die armzalige kuilen hadden bezichtigd die ten onrechte de naam Putten van Cleopatra dragen, ter herinnering aan een bron die al sinds de Romeinen is opgedroogd. Zelfs de boten die vastgeplakt lagen in water dat leek op vette bouillon, schenen verpletterd te worden door de hitte. Midden op de dag sliep alles en op de kaden, in ieder hoekje schaduw, lagen Arabieren in elkaar gedoken onder hun boernoes, met hun voeten onder de vliegen, te wachten op de avond.

'Die lange menslievende tirades van jou, daar houden ze

zich alleen mee bezig in de kantoren van de Unesco,' zei
Ivan. 'Ter plaatse gaan dezelfde smeerlappen door zich te
verrijken over de ruggen van dezelfde lui die ze laten ver-
rekken.'

'Nou, ga jij dan van boord, beste jongen. Doe iets beters
dan ik, dan de bazen van grote ondernemingen. Je bent rijk
en je beweert dat het je koud laat... sticht dan bij voorbeeld
scholen in Aden, bouw een fabriek, een vakschool, geef die
Arabieren middelen van bestaan! Anders ben je niets meer
waard dan die praatjesmakers van de Unesco.'

'Kortom, jij bent nog in het stadium van de goede
werken! Zo'n consultatiebureau van dames, dat ervoor
zorgt dat de bazen een goed geweten hebben...'

'Precies, maar met dit verschil dat de Unesco de liefdadig-
heidsbijeenkomst op internationaal niveau is. Dat is belangrijk. En ik garandeer je dat we de mensen meer brood in
hun mond hebben gestopt en meer goede daden – goede
daden in hun hoofd, dan al jullie opruiende theorieën in de
kroegen van Saint-Germain-des-Prés.'

'Nou, ga dan maar door met blikken melk uitdelen en onderontwikkelde mensen leren lezen zonder iets aan de
maatschappij te veranderen. Op die manier bereik je dat je,
in plaats van dat ze heel jong creperen zonder te weten
waarom, een miljard kerels volwassen laat worden die allemaal hun deel van de buit willen. Ze zullen jullie allemaal
vermorzelen en jullie zullen als een stelletje zakken roepen
dat ze zo ondankbaar zijn.'

'De pest en de cholera hadden dus eigenlijk hun goede
kanten?'

'In ieder geval laat je die niet zo maar verdwijnen. Jullie
zijn al net als die snertregering die je op commando kinderen laat krijgen, je premies toestopt als ze geboren worden
en samen met jou wacht tot ze naar school moeten om dan
tot de ontdekking te komen dat er geen plaats voor ze is!'

'Oké ouwe jongen, laten we een nieuwe maatschappij stichten, ik ben het helemaal met je eens,' zei Alex op joviale toon, omdat hij voelde dat hij op veiliger gebied terechtkwam. 'En laat ik dat nou al tien jaar proberen in mijn bescheiden kringetje. Ik leer onderontwikkelde mensen lezen. Dat is een begin, nietwaar? En jij? Wat ben jij van plan te doen om hun toestand te veranderen? Politiek, of...'

'Politiek? Laat me niet lachen. Dat is dè manier om tot niets te komen.'

'O jawel hoor: tot fascisme. Door zulke dingen te zeggen, koers je er regelrecht op aan. Die klootzakken die wij zijn, hebben jullie dat tot nu toe toch maar bespaard. Goed, maar wat dan? Genetica? Landbouw? Die mensen moeten toch wat eten... Je zult wel zeggen dat je gestudeerd moet hebben om een miljard uitgehongerde mensen zeewier of petroleum te laten eten. Dat is moeilijk. Of anders zelf gaan ploegen: dat valt niet mee. Maar wat dan? Wat ben jij van plan te doen voor de wereld?'

'Eerst zou je een flink aantal dingen niet moeten doen,' zei Ivan.

'Dat is het leuke deel van het programma. Zelfs al kun je niets, dan ben je nog in staat dingen niet te doen. Maar daarna? Ik luister naar je...'

'Als het uitdraait op een persoonlijke afrekening, beste vader, dan ben ik zo vrij je aan je goede geweten over te laten.'

'Als burger,' zei Alex. 'Je vergeet iets: een goed geweten als burger. En dat jij ook een burger bent. Dat is niet mijn schuld, let wel. Ik had graag genoeg gewild dat je als proletariër in Saint-Denis was geboren... of in Taganrog. Maar je kunt niet alles hebben: of je bent arbeider en je droomt ervan rijk te worden... of je bent rijk zoals jij en...'

'Die simplistische redeneringen van jou, daar baal ik van,' zei Ivan. 'En dat ik maak dat ik wegkom, is om die te vergeten, om zelfs niet meer in de verleiding te komen met jou te discussiëren,' zei Ivan, terwijl hij aan boord van de sloep stapte die op hen wachtte om hen weer aan boord te brengen. 'Dat is altijd het eerste deel van het programma, ervandoor gaan!' riep Alex tegen hem, in de mening dat hij als volwassene en vader verplicht was het laatste woord te hebben, terwijl hij van die discussies, die hij alleen als gehoonde opvoeder wist te voeren, slechts een bittere smaak overhield en het gevoel dat hij faalde. Diep in Alex' hart zat een student verborgen die zich nauw verwant voelde aan Ivan. Die heel dicht bij de communards stond, bij Saint-Just, over wie hij vroeger zijn proefschrift had geschreven, bij de saint-simonisten, de eerste bolsjewieken, al die mensen die in hun dromen de werkelijkheid hadden overtroffen en ideale en radicale oplossingen hadden gekozen. Hij had een hekel aan zichzelf in de rol van ronselaar van het gezag, van verstandige burger, kortom van vader. Maar door de teleurstellingen van na de oorlog, de terugslag van het enthousiasme tijdens het verzet en de ongemakken die voor een arme jongeman de verplichting om de kost te verdienen met zich meebracht, was hij de ambtenaar geworden die zich een beetje schaamde voor zijn machteloosheid en daarna, bij toeval, de echtgenoot van een rijke vrouw. Ten slotte had hij zich net als iedereen maar neergelegd bij die maatschappij, omdat je ouder wordt, je je op een dag toch bij de sociale voorzieningen moet opgeven, en je behoefte hebt aan centrale verwarming wanneer je bloed minder warm wordt.

Op een of andere duistere manier nam hij het Ivan kwalijk dat hij nog op de leeftijd was waarop je in opstand komt, waarop je alles tegelijk afwijst, en dat hij noch oorlog noch armoede had gekend. Ivan, die was volgestopt met gemakkelijk verteerbare cultuur die door het Dutilleul-college tot tabletvorm was samengeperst, die wat de hygiëne betreft onder ideale omstandigheden tot de leeftijd van een man was opgegroeid met behulp van kindertehuizen in Zwitserland, julimaanden in Normandië, weekends in Montfortl'Amaury, fosfor, calcium en extract uit de levers van duizenden pasgeboren kalveren, wiens tanden gecorrigeerd waren door de beste vakman van Parijs, wiens neustussenschot was rechtgezet, wiens borstkas was ontwikkeld door het beoefenen van passende sporten, kon nu op zijn opvoeders spuwen zonder zijn longen op te hoesten, verdovende middelen gebruiken bij een zenuwstelsel dat twintig jaar lang gevrijwaard was tegen iedere vorm van agressie, cellen uithongeren die vol eerste kwaliteit reservestoffen zaten, zonder al te veel risico's een gezondheid in gevaar brengen die hij geërfd had van goed gevoede voorouders, en ten slotte een cultuur met voeten treden waaraan hij alles had te danken, met inbegrip van het recht om in opstand te komen. Alex, die zich herinnerde hoe zijn jeugd en die van zovele anderen was geweest, had het gevoel dat dit een ontoelaatbare onrechtvaardigheid was, een rommelzootje waarop vol trots zijn stiefzoon troonde, met die kop als van een Christus, bestrijder van onrecht. Door die gedachte werd zíjn vocabulaire beperkt en de toon waarop hij sprak bits.

Voordat ze weer aan boord zouden gaan om te genieten van de vol-au-vent met schaal- en schelpdieren, van het gebraad van Charolais-rundvlees – alleen het woord Charolais leek hier al een uitdaging – en de mandarijnensorbet die hun voor het diner stonden te wachten, ging Alex met Iris mee die haar kerstcadeaus wilde kopen in deze vrijhaven die door de douanedienst, net als door de natuur, was vergeten.

's Avonds baadde men in airconditioned badkamers, en dronk men whisky om de bacteriën te doden. En er werd oprecht gesproken. Oprecht en ijdel. IJdel maar oprecht. Om twaalf uur 's nachts kwam de kapitein om de horloges aan boord voor de vijfde keer een uur voor te laten zetten. Doordat de reis van het westen naar het oosten verliep, zou hun zo vierentwintig uur worden afgetroggeld. Aan het eind van hun leven zouden ze dus een dag en een nacht tekort komen, vierentwintig niet beleefde uren!

'Vierentwintig uur die de Parijzenaars in die tijd wel zullen hebben beleefd,' zei Marion.

'In welke tijd?' zei Tiberius.

'Hoe kan iemand op dezelfde planeet een dag beleven die een ander niet beleeft?'

'Er is dus een dag waarop je niet naar je dochter in Parijs kunt bellen, omdat je die dag niet beleeft?' hield Marion vol.

'Die dag wordt je uur voor uur afgenomen,' zei Yves.

'Dat komt op hetzelfde neer,' zei Iris. 'De uren die je op de klokken wint, heb je nooit beleefd. Je komt terug in Frankrijk zonder die uren! Dus in Parijs hebben ze in die tijd langzamer geleefd.'

'In welke tijd?' zei Tiberius.

De blikken werden vager en keerden zich naar binnen. Men was geheel verdiept in de bodemloze put van de relativiteit van tijd en ruimte en, meer nog dan het mysterie van het heelal, deed de intelligentie van Einstein het gezelschap van goede wil duizelen, zoals het daar zat te keuvelen onder het hemelgewelf, onbeduidende insektjes die traag heen en weer gewiegd werden door de Indische Oceaan.

8

ADEN – BOMBAY:
1678 MIJL

'Lees me eens voor wat je dochters te vertellen hebben,' zei
Yves tegen Marion, die bezig was de stapel post te sorteren
die ze poste restante in Aden hadden ontvangen. 'Ik heb de
moed niet om een brief vast te houden!'

Er hing op de *Moana* een compacte hitte, waardoor de horizon vervaagde, de hemel niet meer van het water kon
worden onderscheiden, geluiden werden gedempt, en bewegingen en gedachten werden vertraagd. Alleen het ge-
tinkel van de ijsblokjes in het glas van Yves gaf nog een idee
van koelte.

'Pauline wil nu schrijfster *zijn*,' zei Marion, die de brief
van haar dochter al een eerste keer vluchtig had doorgele-
zen.

'Ik vind dat ze prachtige uitdrukkingen gebruikt. Eerst
wilde ze toneelspeelster *zijn*! Heb je dat gemerkt? Ze zegt
nooit *worden*, dat zou een leerproces impliceren. Ze gaat zo
maar van het niet-zijn over op het zijn...'

'Luister eens, ze heeft werk gevonden: hostess op de Verpakkingsbeurs. De tentoonstelling duurt een week.'

'O juist,' zei Yves, 'ik was al bang.'

'Poes Schoum heeft drie jongen gekregen, Eddie heeft de bevalling gefilmd. En wat de telefoonrekening betreft, je weet wel, die bewuste, die we niet wilden betalen voor we weggingen, daarover schrijft ze: *"De* PTT *is ten slotte gekomen. Een tamelijk mooie jongen. Ik deed alsof ik een aantrekkelijke halvegare was in een poging hem ervan te overtuigen dat er een storing was in de gesprekkenteller... maar ik kreeg geen korting voor elkaar, ook al bood ik mezelf aan. Stuur dus met spoed een cheque."* '

'Ik wist zeker dat er geen storing was,' zei Yves. 'Eddie zal wel naar San Francisco hebben gebeld, dat is de enige verklaring voor zo'n buitensporig bedrag.'

'Maar dan zouden we dat op de strookjes hebben gezien.'

'Dan is het Peking... of twee uur Saint-Tropez. Avantgarde cineasten hoeven nooit naar Corrèze te bellen.'

'Als je wilt, betalen we niet. Als de telefoon wordt afgesloten, maakt het ons toch eigenlijk niks uit...'

'Jawel, omdat ze na een paar maanden de aansluiting opheffen.'

'Goed, dan zitten we voor het blok, zoals gewoonlijk: stuur een cheque.'

'Het is ook een oplossing om hem eruit te gooien.'

'Dat neemt niet weg dat je de cheque moet sturen. En voel jij je soms in staat de gebelgde vader te spelen? Jij zorgt in ieder geval voor de brief, ik ben te laf. Ik zou graag willen dat het gedaan wordt, maar ik wil het niet doen.'

'Als je eenmaal een tolerante houding hebt aangenomen,' zei Yves plechtstatig, 'ben je verloren. Voor een telefoonrekening kun je niet op je achterste poten gaan staan. We zullen een cheque sturen, zoals gewoonlijk. En wat is er nog meer voor goed nieuws?'

' "*Eddie gaat morgen met een producer praten die erg geïnteresseerd is in zijn film en die...*" '

'Waarom altijd morgen? Toen we weggingen, zou hij net de volgende dag iemand ontmoeten die bereid was een paar miljoen in zijn zaak te steken. Hij vertelt nooit wat er de vorige dag is gebeurd! Wat heeft hij trouwens tot nu toe gedaan?'

'Een korte film toch.'

'Al die jongens hebben *een* korte film gemaakt. Daar teert hij al vijf jaar op!'

'Het knaagt aan me dat ik Pauline thuis heb moeten achterlaten met die idioot van een Eddie,' zei Marion. 'Als ik eraan denk...'

'Ze is volwassen,' zei Yves. 'En die idioot ook. Maak je om hen maar geen zorgen, je zult zien dat ze het bij ons goed voor elkaar hebben als we hen over zes maanden weerzien.'

'Weet ik niet. Ze zal niet eeuwig verliefd blijven...'

'Jawel hoor... in ieder geval zo lang als ze comfortabel in ons huis zitten! Hoe zou ze moeten merken dat hij niet in staat is om de huur te betalen? Hij kan oreren over beschikbaarheid, een noodzakelijke voorwaarde voor zijn kunst, omdat wij zo slap zijn hem van burgerlijke flauwe kul te voorzien, een gemeubileerd huis, telefoon, elektriciteit...'

Bij het sombere beeld van die idioot van een Eddie op haar kussen, met zijn borst vol zwarte haren, rokend in haar bed, en overal as rondstrooiend op het hemelsblauwe tapijt, in een slaapkamer waarvan hij de luiken nooit opendeed, waar lege yoghurtbekertjes, sinaasappelschillen, de fles whisky en al zijn smerige filmkrantjes rondslingerden, voelde ze een opwelling van woede. Zo'n imbeciel die zich Eddie liet noemen terwijl zijn arme moeder hem schreef onder de naam Robert!

'Je vraagt je af hoe mensen verliefd op elkaar kunnen zijn,' zei ze. 'Deze is de ergste die ze heeft gehad! Hij ziet

kans nog zwarter te zijn dan al die andere donkere kerels. Hij maakt de badkuip nog smeriger... zijn baard groeit nog sneller... zijn sigaretten verspreiden meer as... Hij stinkt zelfs door de telefoon naar knoflook!'
'Ik begrijp nog steeds niet hoe jij kon toelaten dat hij in ons huis ging zitten,' merkte Yves op.
'Nou daarom. Omdat ik nog liever weet dat Pauline bij ons thuis is dan bij hem.'
'Waar bij hem, als ik vragen mag?'
'O, ze zouden wel een kamer hebben gevonden, die hij de eerste maand zou hebben betaald. Daarna zou Pauline ongedekte cheques hebben uitgeschreven, net als jouw nicht. Dat is ons tot nu toe bespaard gebleven. Of ze waren op kosten van vrienden gaan leven. Dat zou ik heel vervelend vinden, als Pauline bij mensen zou wonen als de concubine van Eddie.'
'En als zij het nou niet vervelend vindt?'
'Maar ik wel. Ik heb me nog niet gedistantieerd van wat ze doet. Bovendien heb ik het idee dat, zolang ze thuis is te midden van de meubels uit haar kindertijd, tegenover mijn portret, wij nog steeds een beetje invloed op haar hebben en het ergste kunnen voorkomen.'
'Het oog zat in het graf...'
'Precies. Ik weet zeker dat ze dat oog van mij ziet. Bovendien is ze in haar eigen huis: als ze op zekere dag genoeg heeft van Eddie, hoeft ze hem maar de deur te wijzen en dan zal hij wel moeten vertrekken met zijn platenspeler, zijn manuscript dat nooit af is en zijn drie onderbroeken.'
'Intussen lijkt het alsof wij die situatie goedkeuren,' wierp Yves tegen.
'Helemaal niet. Ze weet best wat wij allebei van Eddie denken en dat heeft haar er al van weerhouden met hem te trouwen.'
'Schatje, daarover wil ik met jou niet discussiëren. Hoe

dan ook, ik weet dat je precies doet waar je zin in hebt met Pauline. En daarbij weet ik niet zeker genoeg of ik wel gelijk heb.'

'Ik ook niet maar... laten we zeggen dat ik me zo geruster voel.'

Toch waren ze er met die truc om hen naar huis te halen in geslaagd er een paar weg te werken: de Peruaanse gitarist... en die oude man van zesenveertig, vader van drie 'meisjes' van wie de oudste bijna net zo oud was als Pauline, maar die dat helemaal niet doorhad want leeftijd is een variabel begrip al naar gelang je huisvader of consument bent. En verder de autocoureur voor wie Pauline zo'n hartstochtelijke liefde had opgevat dat ze zich voor een jaar had geabonneerd op *L'Equipe*, waarbij ze vergat dat die termijn de gemiddelde levensduur van haar gevoelens verre overtrof. Ze hadden de krant zes maanden lang iedere ochtend moeten weggooien!

Maar Yves had nooit rechtstreeks kritiek op Pauline. Op niemand. Hij probeerde liever iedereen te ontzien... en ook zijn eigen populariteit. Zoveel begrip voor anderen hebben, staat gelijk aan het met hen eens zijn, zei Marion altijd. Dan antwoordde hij dat begrijpen betekent dat je geen oordeel geeft. Waarop zij dan weer antwoordde dat geen oordeel geven betekent dat je ervan afziet je mening te uiten en daarmee ervan afziet mensen te helpen. Hij beweerde dat je hoe dan ook niemand ooit helpt. Trouw aan deze doctrine vermeed hij het ook om tegen de zoon van Iris in te gaan, zodat hij doorging voor de enige fatsoenlijke volwassene aan boord, de enige tegen wie Ivan zich verwaardigde het woord te richten. Maar dat resultaat bereikte hij alleen ten koste van wat Marion als kleine staaltjes van verraad beschouwde, want ze kon zich niet voorstellen hoezeer Yves de volwassen man verafschuwde die hij wel moest worden. Als hij niet gebonden was geweest door gevoelens, die he-

laas oprecht en helaas intens waren, zou hij ook ver wegge-
vlucht zijn van mensen als Yang die zelfmoord plegen, en
van mensen als Marion die voor niets wegkwijnen, van kinderen die je als piranha's tot op het bot opknabbelen waarbij
ze het beste van je meenemen, en van een beroep waarvan
je alleen kunt blijven houden als je iedere dag de vrijheid
hebt om ervoor te kiezen. Een luxe die hij zich zelden kon
permitteren. Ze zag hem niet graag in zijn nummertje van
jongeman die bij zijn familie wegloopt; en trouwens ook
niet in zijn nummertje voor jonge meisjes; en niet in dat van
oud Academielid, barman of avant-garde schrijver. Hij kon
niet overal oprecht zijn! Ze zei altijd 'nummertje' om hem
zwart te maken, omdat ze niet kon nalaten zijn probleemloze omgang met iedereen te interpreteren als een minder
probleemloze omgang met haar, vanwege die kortzichtig-
heid die hartstocht kenmerkt en die geneigd is het voorwerp van liefde met handen en voeten te binden. *Het voorwerp van liefde...* wat een vreselijke woorden! Dan wist je
meteen hoe de vork in de steel zat.

Neem nou Eddie... Marion had niet geaarzeld zichzelf bij
hem impopulair te maken door hem alleen gedag te zeggen
en hem nooit te vragen hoe het met zijn 'werk' ging. Ze
deed geen pogingen hem op zijn gemak te stellen, want ze
wilde juist dat hij ophoepelde. Yves kon wel met hem overweg: hij hield lange gesprekken met hem over de nieuwe
stromingen in de filmkunst, zei: 'Nog een whisky, Eddie?
On the rocks?' Ik zal je van de rocks afdonderen, dacht Marion stiekem, want ze vond het heerlijk om er in het geheim
bekrompen ideeën op na te houden, juist omdat ze zich gedroeg als de tolerante moeder bij uitstek, als iemand die zich
niet meer als moeder gedroeg, zeiden sommigen van haar
vriendinnen. Hij geniet van mijn whisky, van mijn ijsblokjes, van mijn dochter... en dan moet ik nog op de koop toe
nemen dat hij me als een vreselijk mens beschouwt. 'Je va-

der is echt een fantastische kerel,' zei Eddie vaak tegen Pauline, die het weer aan Yves vertelde op zo'n vriendelijke toon die kenmerkend is voor stiefdochters voor wie een vader altijd een beetje een man blijft.

Ivan kwam dus vaak naar Yves toe voor wat begrip. Jammer genoeg liet Alex hem niet meer los, want hij kon maar niet accepteren dat zijn zoon het gezin voorgoed zou verlaten. Omdat hij zelf geen kinderen had, had hij zijn verantwoordelijkheden als stiefvader heel serieus genomen en het speet hem zeer dat hij gefaald had. Yves hield er niet van iedereen tegelijk om zich heen te hebben, want hij kon niet Ivan te verstaan geven dat hij aan zijn kant stond en Alex dat de situatie als ouder onhoudbaar was. In dat opzicht vormden de maaltijden een dagelijkse beproeving waaraan Ivan doorgaans snel een eind maakte door van tafel op te staan.

'Je bent gewoon een revolutionair in zebi-huid[1],' concludeerde Alex aan het einde van weer een discussie waardoor zijn nederlaag alleen nog schrijnender werd.

'Beter dan een revolutionair in koeiehuid[2],'merkte Tiberius verzoenend op.

'Een zebi, wat is dat trouwens precies? Een echt dier?' vroeg Iris, die hoopte het gesprek een andere wending te geven.

'Helemaal niet. Zebi betekent ''helemaal niets'' in het Arabisch,' verduidelijkte Alex. 'Je bent in de war met de zeboe, dat is een soort rund.'

'En met de zob[3], dat is ook een soort beest,' zei Tiberius. 'Maar we hebben ook de zebi van Iris: dat is een exemplaar met twee tamelijk lange poten, een gitaar en een zwarte vacht, en die is heel moeilijk te temmen.'

1 peau de zébi: geen zier, niets
2 peau de vache: schoft, gemene kerel
3 zob: mannelijk lid

'Het lijkt wel de naam van een exotische vogel,' zei Iris. 'De zebivaniris leeft in het riet en stoot keelklanken uit...' ' "Nadat hij de zeelt had versmaad, vond hij grondeling",' zei Alex. 'Het is in ieder geval een vogel met vleugels,' zei Ivan terwijl hij van tafel opstond, 'en hij gebruikt ze ook.'

Iris keek hem na met zo'n berustende blik van een moeder die bezig is de nederlaag te ontdekken die in iedere moederliefde ligt besloten.

'Luister eens,' zei ze tegen Alex toen haar zoon stilletjes op zijn blote voeten was verdwenen, 'wat heeft het voor zin om met hem te discussiëren? Je zet hem alleen nog maar meer tegen ons op.'

'Ik kan er niet tegen dat iemand geen andere oplossing weet dan hem te smeren om aan zijn geld te ontsnappen,' zei Alex. 'Dat is een belediging voor mensen die geen geld hebben. En wat een gebrek aan fantasie! Dat is nog het treurigst. Hoe zal hij erbij lopen in Bombay met zijn verschoten spijkerbroek van Ted Lapidus en zijn vieze voeten? Hij beseft niet wat India is!'

Bij die discussies durfde Marion geen partij meer te kiezen. Door het bestaan van Dominique, en vooral van Pauline, en de bijna lichamelijke verplichting die ze had om van hen te houden en hen te aanvaarden, wat ze ook te verduren kreeg, had ze geleerd dat ideeën niet lang standhouden tegenover gevoelens. Sinds Yang haar leven was binnengebroken, wist ze hoe lastig het was niet meer te durven zeggen wat ze dacht, niet eens meer te weten wat ze dacht. Van nature zou ze de kant van Alex hebben gekozen. Maar heb je gelijk tegenover angstgevoelens? Tegenover het zoeken, ook al is het dwaas, naar iets, ook al is het iets onduidelijks? Je hebt natuurlijk ook geen ongelijk. Je hebt niets. Je hebt dat je niet jong meer bent, dat de jeugd een einde heeft dat altijd uitloopt op de dood van iemand, en dat ze agressief is omdat ze zich verzet tegen het beeld van haar oude dag dat wij haar voorhouden. Alles aan de zebi ergerde Marion, maar ze weigerde zo'n vrouw te zijn die zegt: 'Jongetje, het leven krijgt jou wel klein...' of: 'Wacht maar tot je zo oud bent als wij, dan zul je zien...' En of ze het zouden zien, en gauw genoeg ook.

Die zinnetjes deden haar al te zeer denken aan haar vader, Vuurkruis in '36, met zijn Franse baret diep over zijn ogen getrokken en zijn vastgeroeste ideeën eronder, oud-strijder uit de Eerste Wereldoorlog, de echte, aanhanger van Pétain in '40, gaullist in '50, met zijn bekrompen vaderlandsliefde – hij had het altijd over 'de moffen' – zijn angst voor doorbetaalde vakanties waardoor zijn stranden lelijk zouden worden en vol zouden komen te liggen met steken van krantenpapier, waarbij hij vergat dat zijn eigen generatie de hele Normandische kust had verpest met haar afzichtelijke villa's waar het goede geweten en de burgerlijke pretenties van afstraalden.

'Het is gek,' zei ze tegen Alex, 'ik voel me een boerenkinkel met mijn hinderlijke voorliefde voor werken en je best doen. Dat is tegenwoordig bijna een gebrek! Waarom raken wij daarentegen door de dwaasheid van de wereld onze levenslust niet kwijt? Want zij hebben gelijk: het *is* een dwaze wereld.'

'Beste vriendin,' zei Alex, 'de dwaasheid van de wereld is niet meer dan een alibi voor Ivan. Op zijn vijftiende gaf hij al blijk van het totale gebrek aan roeping dat een gesublimeerde vorm van luiheid is... en zelden samengaat met een superieur verstand, dat moet gezegd worden.'

'Nu overdrijf je,' zei Iris. 'Je kunt het leven beu zijn en toch heel intelligent. Zwaarmoedigheid is een neurose.'

'Die uitloopt op een psychose omdat wij die serieus nemen,' zei Alex.

'Moeten ze soms een flink pak slaag hebben? Bedoel je dat?' antwoordde Iris sarcastisch.

'Wat is precies het verschil tussen psychose en neurose?' vroeg Marion. 'Nou, een neuroticus weet dat twee plus twee vier is maar hij vindt het tragisch. Iemand met een psychose is ervan overtuigd dat twee plus twee vijf is en hij vindt dat fantastisch. Zo ben ik een neurotische vader: ik zie Ivan zoals hij is en ik vind het tragisch. Hij en zijn vriendjes bouwen een toekomst van kneuzen voor zichzelf: ze doen alles verkeerd.'

'Misschien niet in de liefde,' zei Iris.

'Nou, dat wil ik dan nog wel eens zien,' zei Alex. 'Ik weet zeker dat ze zich allerlei problemen op de hals halen...'

Iris trok een pruilend mondje waarmee ze duidelijk te kennen gaf dat seksuele problemen in alle generaties voorkwamen. Het gesprek kwam op seksuele vrijheid en anticonceptie, onderwerpen waarmee de Fransen zich nu bezighielden in plaats van met God en de doelmatigheid van de wereld. Over God werd niet meer gepraat. Marion bedacht dat ze al jaren niet meer aan God had gedacht, zij die op haar zestiende had overwogen in het klooster te gaan!

Tijdens de vijf dagen en zes nachten die het oversteken van de Indische Oceaan duurde, waaide de moesson vanuit het noordoosten, matig tot krachtig, zodat iedereen gedwongen werd zich te concentreren op evenwichts- en voedingsproblemen die met meer of minder succes werden opgelost. De zesde dag ten slotte, de dag voor kerst, liep de *Moana* een baai met modderig water binnen, waar in alle richtingen de latijnse zeilen van ontelbare bruine scheepjes met verhoogde achterplecht voeren. Een enorme gele zon kwam op van achter de vierkante berg die boven Bombay uitsteekt, en hulde alles in een vreemd licht dat de passagiers exotisch leek omdat je thuis zelden de moeite neemt op te staan om naar de dageraad te kijken.

Zoals alle landen ter wereld trad India hun tegemoet in de

gedaante van een paar ambtenaren met leren aktentassen. Ze stapten op waardige wijze uit een heel kleine prauw die werd geroeid door twee haveloze jongetjes, en wijdden zich uiterst serieus aan die verrichtingen van douane, politie en geneeskundige dienst waarvan de ingewikkeldheid altijd omgekeerd evenredig lijkt te zijn aan de ontwikkelingsgraad van het land.

Op de kade van Bombay waar de reizigers zes uur later van boord gingen, werden ze opgewacht door een jongen die op de grond zat. De lompen waarin hij was gekleed, konden niet verhullen dat hij er van nature gedistingeerd uitzag, en ondanks het stof van de weg leken zijn aristocratische voeten niet vuil. Hij droeg een Hindoese jurk waaronder alleraardigste ribben waren te zien, en een heel dun gouden kettinkje om zijn engelennek. Met hem was de zebivaniris van plan door India te trekken. Ze zouden eerst naar de zoon van een maharadja gaan die Lesley in Oxford had leren kennen, en daarna te voet door het land trekken, waarbij ze zouden stoppen in Pondicherri in een ashram waar een neef van Alex, een arts uit Lyon en vader van vier kinderen, die daar met een groep yoga-aanhangers veertien dagen op bezoek was gekomen, vijf jaar later nog in gebed was verzonken.

Lesley leek op Leslie Howard. Hij kwam lopend vanuit Europa door Turkije, Iran en Afghanistan. Maar hij viel in de smaak bij Iris die, zoals veel moeders, originaliteit beter kon verdragen bij de kinderen van anderen. Voordat ze gingen lunchen bij de Taj Mahal, waar Ivan afscheid zou nemen van zijn familie, stelde Lesley voor dat hij de acht passagiers van de *Moana* de weg zou wijzen in het echte Bombay.

Zonder enig wantrouwen, want ze meenden dat ze zich dank zij de films, de verhalen van hun vrienden en de uitstekende boeken die ze pas hadden gelezen een aardig beeld konden vormen van een Indiase stad, staken ze de Oostelijke Poort door die over de haven voerde en opeens gingen ze onder in een compacte, duizelingwekkende materie die voelbaar geconcentreerd was: de Indiase mensenmassa. Ze begrepen meteen dat niets, *niets*, hen op deze schok had kunnen voorbereiden. Een menigte in Parijs, Londen of Tokio bestaat uit losse mensjes die allemaal op weg zijn naar hun eigen doel. Hier gaat de menigte nergens heen, maar stroomt langzaam alle kanten uit, altijd maar door, blank en bruin, en vult de hele ruimte die nog is overgebleven tussen de laatste kapotte huurrijtuigen, de wagens met kleine gebochelde ossen, de rode dubbeldekkers, de paar Amerikaanse auto's, de schurftige honden die hier de paria's onder de dieren zijn, en de koeien natuurlijk, die witachtig zijn en even uitgemergeld als de mensen en die, zonder agressiviteit maar ook zonder enige vriendelijkheid, het door God gegeven recht hebben om de trottoirs en de rijweg bezet te houden. En die miljoenen bruine ogen kijken je strak aan met die onvergetelijke blik van India, een unieke blik, de blik van de te serieuze zuigelingen langs wier oogleden een zwarte potloodstreep is aangebracht, de blik van de oude mensen die vel over been zijn, van de kleine meisjes die een hele dag met uitgestoken hand achter je aan lopen, en ook van de koeien, overal dezelfde passieve, zachtaardige blik. Hier krijg je de mensheid per kubieke meter opgedist, in de winkels waar hele families op elkaar gepakt zitten, in elkaar gedoken op de schappen met hun koopwaar, of in de hoge Victoriaanse huizen die veranderd zijn in konijnehokken waar je achter het traliewerk bij iedere opening verscheidene lagen op elkaar gestapelde lichamen ziet krioelen.

Alex keek of hij emotie op het gezicht van zijn zebi zag.

'Dat noem jij waarschijnlijk "terugkeren naar je bronnen"?' kon hij niet nalaten te vragen aan zijn zoon, die zijn schouders ophaalde.

In het grote airconditioned restaurant waar ze hun laatste gezamenlijke maaltijd gebruikten, werd noch bier noch wijn geschonken. Whisky evenmin ondanks de 'certificaten voor verslaafde buitenlanders' die Yves bij de medische dienst in de haven had gekregen. Het uur der scheiding naderde, wat bij Alex een toenemende woede opwekte ten aanzien van wat hij het ongeoorloofd verlaten van je post noemde, een uitdrukking die hij van zijn vader had en waar Ivan spottend om moest lachen.

'Ik keek vanochtend naar al die jonge Indiërs,' zei Alex op flemende toon, terwijl hij zonder vreugde zijn grapefruitsap opdronk. 'Ik vind dat je van je verblijf hier gebruik zou moeten maken om een uitwisselingsbureau voor jonge mensen op te zetten. Ik weet zeker dat veel jonge Indiërs dolgraag een jaar in Frankrijk zouden willen doorbrengen, bij jouw moeder bij voorbeeld, en jouw kleren dragen, met name je schoenen, en jouw platenspeler gebruiken, je auto en je vriendinnetjes...'

'Ik vraag me wel af wat jullie hun zouden kunnen leren,' zei de zebi, die had besloten zich niet op te winden.

'Dat moeten zij maar beoordelen, ouwe jongen, als je het goed vindt. Jij laat precies datgene achter waar zij naar streven: de vrijheid die geld je schenkt, alle dagen eten en je eigen leven kiezen. Ik weet niet of je wel beseft hoe absurd jouw positie is!'

Ivan vond het afschuwelijk 'ouwe jongen' genoemd te worden. Hij vond zijn vaders stem afschuwelijk. Hij vond het verdriet dat in de ogen van zijn moeder stond te lezen afschuwelijk. Hij vond die treurige maaltijd bij het vertrek van de verloren zoon afschuwelijk. En ook vond hij het afschuwelijk aan Lesley te laten zien dat hij voor zijn ouders nog steeds een kind was.

'Trouwens als jij Indiër was,' ging Alex verder, 'zou je normaal gesproken algauw dood zijn. De levensverwachting is hier vijfentwintig jaar!'

'Alex,' onderbrak Iris, 'besef je dat je onuitstaanbaar bent? Dat kind is toch geen misdadiger...'

'Luister eens, mama,' zei Ivan, 'waarom moet die ceremonie nog langer duren? De zebivaniris is een trekvogel, hij vliegt weg, dat is alles; nadat hij bij wijze van afscheid een paar keelklanken heeft uitgestoten,' voegde hij eraan toe terwijl hij zich tot het gezelschap wendde. 'Goede reis, allemaal. Loop je nog even met me mee, mama, ik ga mijn tas halen bij de garderobe.'

Tactvol zou Lesley voor het hotel op hen wachten. 'Ik heb geld voor je overgemaakt in Calcutta en New Delhi,' fluisterde ze haar zoon in zijn oor. 'Voor als je iets zou overkomen. Je hoeft het maar op te vragen bij de Barclays Bank... De consul weet er ook van.'

'Mama!' zei Ivan op verwijtende toon. Dit type moeder moest je echt eens doodmaken, met een snijbrander wegsnijden, uit je losrukken en de wond uitbranden opdat die sneller genas. Ze legde haar bruine hoofd tegen zijn schouder en hij voelde druppels op zijn blote arm. Ze tilde haar hoofd op om haar zoon met een intens smartelijke blik aan te kijken.

'Waarom doe je me dit aan?' zei ze. 'Moest dat nu echt?' En ze barstte in snikken uit. Hij hield haar nog steeds tegen zich aangedrukt terwijl ze als een klein meisje schokte van de tranen en voor de eerste keer voelde hij zich een man. Voor de eerste keer waren de rollen omgedraaid en hield hij haar in zijn armen. Omdat hij groter was dan zij, zag hij dat haar haarwortels grijs waren... hij had nooit gedacht dat zijn moeder zulke grijze haren onder haar wapenrusting kon hebben. Dus ook zij was een mens en zou een oude vrouw worden? Hij voelde even iets van wroeging; voor het eerst.

'Maak je geen zorgen, mama, ik kom weer terug,' zei hij, terwijl hij haar haren streelde.

Hij hield haar met uitgestrekte armen vast en zei nog eens vrolijk:

'Maak je geen zorgen. Ik zal je schrijven, dat beloof ik.'

Hij slingerde zijn linnen tas over zijn schouder en liep achteruit weg terwijl hij naar haar zwaaide. Hij zag dat zijn moeder een heel klein vrouwtje was, daar had hij ook nooit over nagedacht. Hij zag haar eindelijk vanaf een grotere afstand dan zijn kinderjaren: heel tenger en donker, angstig en nooit echt gelukkig. Een egoïstisch klein meisje dat een echte liefde had: hij. En hij was niet op de wereld om haar gelukkig te maken.

'Kom op,' zei hij tegen Lesley.

De twee jongens liepen weg over de Victoria avenue, slank, met lichte tred, en ze voerden de jeugd van de wereld met zich mee.

'Wat doen we morgen met de kerst?' vroeg Alex 's avonds omdat iemand er wel iets over moest zeggen.

'Niets,' zei Iris. 'Ik heb geen zin om de geboorte van een kind te vieren.'

Trouwens in India, te midden van al die pasgeboren baby's die iedere dag doodgingen, leek Kerstmis bijna een heidens feest, uit een andere tijd of van een andere wereld. En van wat voor kerstfeest houd je nog als die uit je jeugd en die van je kinderen voorbij zijn? Je wilt er per se iets van verwachten wat je nooit zult kunnen terugvinden. Het is geen feest voor grote mensen en er waren alleen nog maar grote mensen aan boord.

Het was de tweede Kerstmis die Marion zonder kinderen zou doorbrengen, met een vriendelijke, afstandelijke Yves, in wiens nabijheid ze er niet in slaagde het ritme van een cruise te pakken te krijgen. Het vorige jaar was het nog erger. Omdat ze na de Affaire niet met z'n tweeën wilden blijven, hadden ze zich laten uitnodigen voor een kerstsouper bij een al te beroemde regisseur thuis: avondjurken, luxe cadeaus onder de servetten, kaviaar. De weinige mannen die met echtgenotes van hun leeftijd waren, zagen eruit alsof ze met hun moeder op stap waren. De anderen hingen de kwajongen uit met beeldschone vrouwtjes uit tijdschriften, met een frisse huid. Voor die mensen was het opnieuw kerst. Het jaar daarvoor hadden ze de kerst bij Yang doorgebracht. Vreselijk. Ze had de vorige dag haar voet verstuikt. Daarom natuurlijk. De twee meisjes waren op wintersport. Marion vond dat kinderen hun ouders in zulke omstandigheden niet alleen zouden moeten laten. Yves had voorgesteld het kerstmaal naar hun vriendin over te brengen en Marion had niet durven zeggen: daar kan ik niet tegen. Maar ze kon er wel tegen, zoals bleek. Je denkt altijd dat het je niet zal lukken en dan sta je versteld van wat je kunt slikken. Het was in die tijd dat ze dacht: als ik hem ervan weerhoud Yang te zien, wat moet ik daar dan tegenover stellen? En omdat ze niet zeker wist of ze wel iets voor hem had wat net zo goed was, hield ze hem nooit tegen. Misschien omdat haar moeder vroeger tegen haar had gezegd: 'Jij bent nooit in staat een man te houden: jij kunt niet toneelspelen.' Als ze beter toneel had gespeeld, was de kleine Yang, die geboren was in Hué, misschien niet in Boucicaut gestorven. 'Ze is dood, maar je moet niet denken dat je daarmee gewonnen hebt, meisje!' zou haar moeder hebben gezegd.

Iris was die avond vroeg naar bed gegaan, of liever gezegd, naar haar schuilplaats gegaan. Ze was zojuist haar zoon kwijtgeraakt; ze kreeg haar man niet meer terug en Kerstmis was ook haar vijftigste verjaardag. Een trieste tijd! De laatste tien jaren waren afschuwelijk geweest. Later blijft je niets anders over dan te wennen, maar tussen je veertigste en je vijftigste gebeurt er van alles met je: de eerste ouderdomsverschijnselen, de zekerheid dat je eens zult sterven, die tot dan toe nog geen uitgemaakte zaak was; het verdwijnen van je eigen ouders terwijl je net begon te begrijpen wie ze waren; de ontdekking dat de liefde iets betrekkelijks is; en ten slotte het definitieve uiteenvallen van het gezin, dat nu juist het wezenlijke van het leven leek, het meest eeuwigdurende dat je had geschapen, en waarvan de leden zich één voor één losmaakten en weggingen, onbewust verzadigd van jou, om ergens anders hun wortels te planten. Marion begreep nu de melancholieke stemming van de diners bij haar moeder als die één keer per maand 'de kinderen ontving'. Dan werd voor een paar uur rond haar en de vader, met dat enigszins geforceerde enthousiasme dat de afstand verhult, gereconstrueerd wat het beste deel van haar leven was geweest. En dan keken om twaalf uur de Heren Schoonzoons op hun horloge en namen hun drie echtgenotes mee met de woorden: 'Tot gauw, moeder' – gauw was op die leeftijd zo ver weg! – en dan zat ze, als een oude assepoester op sloffen, weer in het te grote huis waar de stilte van oude mensen terugkeerde.

Als je dochters hebt gekregen, is het maar al te vaak alsof je niets hebt gekregen behalve vage echtgenotes voor onvoorspelbare gebruikers die hen naar hun smaak zullen modelleren en je met onherkenbare wijfjes opschepen en afstammelingen die niet eens jouw naam dragen. Pauline en Dominique waren absoluut niet wat Marion had gedroomd. Ze waren eigenlijk helemaal niets vanwege die verrekte liefde die voor meisjes de plaats inneemt van heden, toekomst, beroep en hoogste doel, kortom van godsdienstige roeping.

Pauline keek naar de hemel terwijl ze wachtte op een teken van de Heer.

Dominique was, als een vrouw uit Nieuw-Guinea, naar een vreemde stam afgevoerd. Toch had ze hun hoop gegeven door met glans aan haar studie geneeskunde te begin-

nen. Maar toen, bij de aanvang van haar derde jaar, had
niets haar zo belangrijk geleken als het huwelijk met een
jonge arts, die bovendien nog uit Toulouse kwam, liefheb-
ber was van rugby, cassoulet en een vrouw die thuis zat, een
onafscheidelijke drieëenheid, en die zich net in het zuidwesten had gevestigd, dolblij dat hij zijn vrouw tegelijkertijd aan de Parijse sfeer en de invloed van haar familie had
kunnen onttrekken.

In Parijs leek de aanstaande schoonzoon normaal. Net als
die Tunesische of Marokkaanse studenten die in Frankrijk
zo onbekrompen lijken, zo modern, zo doordrenkt van onze cultuur dat je je dochter zo aan hen zou toevertrouwen,
en die, zodra ze weer thuis in Rabat of in Sfax zijn, niet kunnen nalaten hun echtgenotes een leven voor te schrijven
zoals hun moeders en zussen hebben geleid. Een vrouw is
in de eerste plaats een vrouw, nietwaar? Nou dan, Mek-
toub!

Dominique was wel van plan door te gaan met haar studie. De aanstaande had gezegd: 'Waarom niet?' De schoonzoon zei: 'Waarom eigenlijk?' Zij was verliefd en mee-
gaand. Misschien kreeg ze vanuit de diepten van een primi-
tief onderbewustzijn een gelukkig gevoel dat iemand de
zorg voor haar op zich nam, dat ze *haar* man hoorde zeggen:
'Ik wil niet dat jij moet werken, ik zorg voor alles.' Ze zorgde
dus niet langer voor zichzelf. Hij had zich trouwens in december in Toulouse gevestigd, te laat voor haar om zich nog
te kunnen laten inschrijven. De beslissing werd tot het volgende jaar uitgesteld. Marion zag haar dochter alleen nog
tijdens haar ontvanguurtjes, in haar uniform van overge-
lukkige echtgenote. Tussen haar schoonzoon en haar was
een stille — en vooralsnog stilzwijgende — strijd ontstaan
waarvan de persoonlijkheid, zo niet de persoon van Dominique de inzet was. Een strijd die, in tegenstelling tot andere, begon met een wapenstilstand, waarvan Marion gezwo-

ren had die niet als eerste te zullen verbreken. Maar dat was intussen wel moeilijk. Net zo moeilijk en onbegrijpelijk als wanneer je een dochter in het karmelietessenklooster hebt, terwijl je niet gelooft. Pauline was niets... ze was althans niet iemand anders. Nog niet. Ouders zijn wel de grootste schlemielen van de moderne maatschappij. Er is geen lol aan. Allemaal teleurgesteld en vernederd; op z'n minst verdrietig. Vooral de moeders. Ze ontdekken dan opnieuw hun vrienden die ze jarenlang een beetje hebben verwaarloosd. De tweede periode van de vriendschap ligt dus aan het begin van de rijpere jaren, wanneer bepaalde illusies zijn vergaan en de onbeperkte liefde is bekoeld voor die kleine vreemden die je beter hebt behandeld dan jezelf, die vroeger met zoveel eisen en zo'n onverzadigbare behoefte aan jou in je armen zijn gevallen, om er twintig jaar later zo vanzelfsprekend weer uit te vallen, waarmee ze je alleen achterlaten op een leeftijd waarop je het met z'n tweeën niet altijd meer redt.

Patricia was nog niet toe aan die tijd van de waarheid. Ze maakte zich klaar om naar Frankrijk terug te keren, omdat ze, een week eerder dan verwacht, door een telegram werd teruggeroepen. Haar oudste zoon had zojuist op de eerste dag van zijn wintersportvakantie zijn meniscus gescheurd en was naar het ziekenhuis in Gap gebracht waar men sprak van opereren. Oma, die op de andere vier kinderen paste, kon niet naar hem toe gaan. Dus moest mama naar huis komen, die daar alles welbeschouwd op haar plaats was, meer dan in de tempel van Shiva. Kinderen hebben er een neus voor je op je plaats te zetten! Patricia kon trouwens slecht tegen het klimaat en het eten. De eerste curry had haar maag zo van streek gebracht dat ze niet met haar man het eiland Elephanta en de fabriek waar sari's werden gemaakt had kunnen bezichtigen. Jacques had gedaan alsof hij aarzelde aan het voeteneinde van het ziekbed, terwijl hij zich in stilte afvroeg of het wel zin had het bezoek aan de tempels op te geven om zijn vrouw naar het toilet te zien rennen; maar hij kende haar goed genoeg om in alle rust te doen alsof hij gewetensbezwaren had, want Patricia had nog nooit kuren gehad en dacht altijd in de eerste plaats aan het geluk van haar man. 'Ga maar, schat, wat heeft het voor zin om bij mij te blijven?' zei ze binnen de verwachte tijd, want ze kon zich evenmin voorstellen dat Jacques haar het plezier kon doen zo maar bij haar te blijven. 'Ik zal er trouwens wel niet erg aanlokkelijk uitzien,' voegde ze er als excuus voor hem aan toe.

Jacques zei maar wat, in de trant van 'zorg vooral goed voor jezelf' en ging er haastig vandoor, tien jaar jonger geworden. Zijn haar was in de zon veel blonder geworden. Patricia vond hem heel mooi. Hij droeg een overhemd met korte mouwen met een krokodil op de plaats van zijn hart, zoals toen ze hem, als jongeman, had leren kennen bij het tennissen in de rue Eblé. Ze voelde even iets van pijn: hij was minder veranderd dan zij.

Jacques, die zich vaag schuldig voelde dat hij de vrijheid waarvan hij vijf maanden zou genieten nog een paar uur eerder liet beginnen, kocht een sari voor zijn vrouw, waarbij hij vergat dat ze die nooit zou durven dragen. En om zijn geweten definitief te sussen, verstuurde hij er ook een naar zijn assistente; maar, gehoorzamend aan duistere scrupules, koos hij er een die minder duur was.

Wanneer de situatie er rijp voor is, kun je soms in een paar dagen ophouden te houden van degene van wie je lange tijd hebt gemeend te houden. Van buitenaf lijken de dingen normaal, alles blijft uit gewoonte in stand, maar er is maar een klein duwtje voor nodig of jaren van samenleven verdwijnen in het niets, zoals sommige wormstekige meubels plotseling tot stof uiteenvallen. Jacques zei nog steeds werktuiglijk 'schat', 'mijn vrouw' of 'als ik terugkom', maar daaronder ging geen greintje werkelijk gevoel meer schuil en zonder het te weten had Patricia met haar rustige huisvrouwentred geen grond meer onder haar voeten. Ze was van plan van de afwezigheid van Jacques te profiteren om alles in het huis in Saint-Cloud te repareren, zijzelf inbegrepen: ze zou zich laten opereren om haar bekkenbodem te laten restaureren die beschadigd was door de vijf bezoekers die daar na elkaar hadden verbleven.

'Het is niet alleen voor mij, maar het zal beter zijn voor Jacques,' zei ze tegen Marion en Iris die haar op de dag van haar vertrek in haar hut waren komen opzoeken, waarbij ze zonder het geringste spoortje stilzwijgende erotiek sprak over haar man als over een zesde kind dat rechten op haar kon doen gelden en dat je niet met goed fatsoen een ruimte in slechte staat kon aanbieden omdat het in het begin had getekend voor een nieuwe woning. De aanwezigheid van Jacques weerhield Patricia er geenszins van te bespreken hoe dit onderhoudswerk zou worden uitgevoerd, eraan te herinneren dat ze was ingescheurd bij 'de eerste', dat de tweede een stuitligging was, dat ze een tangverlossing had gehad bij de derde en dat de vijfde er vanzelf uitgevallen was... absoluut... waarmee ze haar man in de positie bracht van een meneer die in een bouwval woont waar de wind dwars doorheen blaast. Hoe was ze *vroeger*? vroeg Jacques zich voortdurend af. Was ze zo veranderd of was hij allergisch geworden voor alles wat ze zei? Het is een grote verrassing als blijkt dat je zeventien jaar getrouwd bent met een vrouw met wie je het nog geen vijf minuten zou uithouden! Een verrassing die langzamerhand overging in afschuw, zoals mayonaise die gaat ontbinden zonder dat je ook maar een ingrediënt hebt toegevoegd.

Morgen zou hij haar naar het vliegveld brengen. Ze zou haar grijze mantelpakje 'voor alle gelegenheden' dragen, een hoofddoek om haar schuimige kapsel te beschermen, 'goede schoenen voor op reis' en ze zou een boek over India in haar tas hebben, die er nog steeds te nieuw uitzag. Ze zou hem op het laatste ogenblik haar lippen toesteken, dat kon niet missen, en ze zou met dappere pasjes weglopen waarbij ze zich vaak zou omdraaien. Hoe vaak zou hij voor de laatste keer naar haar moeten glimlachen en zwaaien? En daarna zou de loopbrug worden weggehaald, zou de deur achter haar worden verzegeld en dat zou de tenhemelopneming van de heilige vrouw betekenen, meegevoerd als ze werd in den hogen, verdwenen en dood.

Haar lavendelwater, dat ze bij hem zou hebben achtergelaten opdat hij aan haar dacht, zou hij die avond nog door de patrijspoort gooien. Arme onschuldige huismoeder die ze was, met listen als van een nonnetje, had ze zogenaamd een beha vergeten. Zogenaamd, dat wist hij zeker. Ze had waarschijnlijk ooit eens huiverend gelezen dat sommige mannen weleens een slipje stelen dat ze zorgvuldig bewaren. Maar een slipje had haar waarschijnlijk te gewaagd geleken ondanks zoveel jaren huwelijk.

En Alex verheugde zich erop een Jacques aan te treffen die zijn echtelijk kleed had afgelegd. Het vertrek van een partner is vaak voldoende om de ander het gezicht uit zijn jeugd terug te geven. Voor mannen is de mooiste periode voor een vriendschap ook niet de huwelijksperiode. Die vindt eerder of... later plaats. Met zijn goudblonde haar en zijn blauwe ogen leek Jacques trouwens steeds meer op een Noorman en wreed genoeg dachten ze allemaal terwijl ze Patricia naar het vliegveld brachten, dat alles eindelijk op zijn pootjes terechtkwam en dat sommige levens alleen maar een grote vergissing zijn geweest.

Om naar de *Moana* terug te keren, namen ze een taxi met klapstoeltjes waarvan de Indiase chauffeur, net als alle chauffeurs die ze later nog zouden meemaken, er een eer in stelde de rem niet te gebruiken. Al claxonnerend en zonder ooit vaart te minderen baande hij zich een weg door de mensenbrij, waarbij de jurken van de voetgangers aan de krukken van zijn portieren bleven haken, hij rakelings langs blote lichamen scheerde en tussen kinderen door zigzagde die op de rijweg gehurkt zaten en onbeweeglijk de dood zagen naderen.

Toen ze door Bombay reden, werd het al donker na de korte schemering van de tropen. Twee miljoen mensen maakten zich, zoals iedere avond, klaar om buiten te gaan slapen: in de goten, langs de trottoirs, op de stalletjes voor de winkels, op de rotondes die een onderbreking vormden in de statige avenues die de Engelsen hadden aangelegd. Alleen beschermd door hun dunne sluiers die, als ze roerloos zaten, algauw op doodskleden leken, krioelden twee miljoen mannen, vrouwen en kinderen op het asfalt, etend, snurkend, zogend, babbelend of barend alsof ze thuis waren. Lag Ivan daar ergens tussen, vroeg Iris zich met ontzetting af. Ook de dokken zagen wit van de mensen. Op de spoorbaan die langs de haven liep, lagen tussen de rails, als broodjes naast elkaar, honderden onbeweeglijke lichamen op een rij, met een slip van hun kleding over hun gezicht geslagen, en het leek wel alsof ze dood waren, als er niet hier en daar krampachtig werd bewogen onder de doodskleden.

'Wat doen ze toch?' vroeg Marion.

'Ze trekken zich af, kijk nou eens,' zei Iris, gefascineerd door het schouwspel. 'Ze moeten ook wat verstrooiing hebben.'

'Dat is een heel gewone bezigheid in India,' zei Alex, 'is dat jullie niet opgevallen? Ik zag hoe de kappers in de open lucht vanmiddag aan de rand van de trottoirs hun klanten schoren en op het laatst even aftrokken, zomaar, waar iedereen bij was. Dat is bij de prijs inbegrepen.'

'En daardoor komen er miljoenen Indiase kindertjes minder,' zei Yves.

Ze lieten zich niet ver van de haven afzetten om een luchtje te scheppen. Een skelet in de gedaante van een klein meisje stond op tussen de doden en kwam aanrennen om het portier voor hen open te maken. Ze liep tot aan de boot achter hen aan met beentjes die niet dikker waren dan armen, terwijl ze steeds maar herhaalde: 'Mani... Mani... Mani!' want ze dacht dat ze Engelsen waren. Maar je leert heel snel *nee* te zeggen tegen de skeletten in India. De Indiase gids had hen meteen bij aankomst gewaarschuwd:

'Als u eenmaal begint een snoepje of zelfs een stuiver te geven, bent u verloren. Er zijn hier vijfhonderdduizend bedelaars: ze zouden u in stukken scheuren.'

Maar omdat het donker was en ze geen andere kinderen in de omgeving zagen, stopte Alex het meisje vijf roepia toe, waarvan ze zich als een ekster meester maakte, en die ze onder haar kleren liet verdwijnen waarna ze op de grond ging zitten kijken hoe ze de loopplank opgingen. De *Moana* schitterde vanuit al zijn verlichte patrijspoorten, een bijna ontoelaatbaar toonbeeld van luxe. Daar deelde het Westen zijn banale weldaden uit, aan de andere kant van die loopplank die twee werelden scheidde: veertig bij twaalf meter luxe, met een airconditioned salon, een ober die wachtte met nog een laatste lichte maaltijd, en een zacht bed dat voor ieder lichaam klaarstond. Alcoholische drankjes boden hun wat afleiding; pillen zorgden voor een goede nachtrust. De aanblik van de armoede had hen gevloerd.

Yves, Tiberius en Betty vertrokken drie dagen later naar Benares waar ze een crematie wilden filmen. Ze zouden zo'n veertien dagen later weer aan boord gaan in Ceylon.

De *Moana* zou uit Bombay vertrekken zodra de kapitein in het bezit was van de nodige vergunningen. De havenarts had laten weten dat hij erop stond de pols te voelen van ieder lid van de bemanning voordat hij een gunstig advies zou geven. Hij zou om vijf uur in de middag komen. Hij kwam twee dagen later om twaalf uur 's middags zonder zich ook maar te kunnen voorstellen dat men daar verbaasd over was. Met zo'n glimlach zonder vrolijkheid die schijnt te horen bij het uniform van de Indiase ambtenaren, legde hij zijn stopwatch op een tafel en begon met een zorgelijk gezicht zijn bespottelijke onderzoek te verrichten, terwijl intussen een stuk of twintig patiënten met een voortschrijdende vorm van lepra en chronische hongerlijders, die op slechts een paar meter afstand op de kade gehurkt zaten, het schouwspel aandachtig gadesloegen zonder van andere gevoelens dan van een vage nieuwsgierigheid blijk te geven. Hoe dan ook, geneeskunde en dokters, dat was hun zaak niet. Net zo min als de aperitiefjes die zojuist aan dek waren geserveerd, vergezeld van de verplichte hapjes: zwarte en groene olijven, sandwiches van wit brood met een dikke laag boter, zoute amandelen, ansjovis, worst en chips. Genoeg calorieën om al die mensen op de kade een week in leven te houden. Maar ze keken rustig naar dit festijn met hun Hindoeblik waarin geen enkele begerigheid was te lezen, omdat er geen enkele overeenkomst bestond tussen de handvol rijst die een voorbijganger voor hen op de grond gooide, of de smerige bal die ze bij de rondtrekkende kooplui kochten, en deze ontelbare, verrukkelijke lekkernijtjes die voor hun ogen waren uitgestald. Een bedelares in lompen op het trottoir in Londen kan dromen van een oude overjas, maar niet van de hermelijnen mantel van de Engelse koningin. Ze bleven gehurkt zitten, met hun puntige knieën in een scherpe hoek omhoog, en ze konden hun ogen niet van de passagiers afhouden.

'Ik kan hier niet blijven,' zei Marion, 'neem me niet kwalijk maar ik ga beneden in de salon eten.'

'Ah, het slechte geweten van de linkse intellectueel!' zei Tiberius lachend. 'Wat stel je voor? Dat we net als in de dierentuin sandwiches naar hen toe gooien op de kade?'

'Dan zou je ze moeten zien vechten,' zei Jacques. 'Gisteren gaf ik per ongeluk kinderen wat koekjes... er ontstond een bloedige vechtpartij en niemand kreeg een hap.'
'Er is maar één houding mogelijk en die is vreselijk,' zei Yves. 'Niets doen. Als je soms denkt dat onze Indiase dokter geen gebakjes eet omdat er hongerige mensen naar hem kijken...'
'Het zal wel lafheid zijn,' zei Marion, 'maar ik ga weg.'
'Ik zie dat je je bord meeneemt,' zei Tiberius. 'Het beneemt je toch niet je eetlust!'
'Ik schaam me,' zei Marion, 'maar wat moet ik doen? Die dokter en die Indiase ambtenaren moeten maar in opstand komen, de maharadja's en hun kolossale vrouwen. Alle rijken zijn hier dik, het is afschuwelijk.'
De diverse formaliteiten duurden verscheidene uren. Er moest worden gecontroleerd of de *Moana* net zoveel flessen wijn en sterke drank op de terugweg meenam als op de heenweg, minus de leeggedronken flessen. De ambtenaren maakten zorgvuldige schattingen en inspecteerden de kelders en de kasten. Toen ze vertrokken, zaten de leprozen nog steeds te kijken. Ze hadden immers geen andere woonplaats dan de kade.

Tegen de avond bleek de boot klaar te zijn voor vertrek, en Yves, Tiberius en Betty gingen van boord, beladen met materieel. Marion dacht aan het Engelse liedje *Ten little Niggers*. Eerst was Ivan van boord gegaan... *and then they were eight*. Daarna was Patricia naar Frankrijk teruggekeerd, *and then they were seven*. Nu gingen er weer drie weg en waren ze nog maar *four*. Zij vond het niet fijn bij Yves weg te gaan, terwijl hij er altijd een pervers en kinderlijk genoegen in had geschept afscheid te nemen. Hij stond te kijken hoe de zware massa van de *Moana* wegvoer: de vrouw van zijn leven stond op het achterdek te zwaaien, de vrouw van de dood van die ander. Wat zijn trouwe harten toch vreselijk!

Wat zijn vrouwen die van je houden toch verschrikkelijk! Als ze doodgaan en als ze blijven leven. Sinds Yang had gekozen voor de dood, boezemde ze hem een soort afschuw in. Afschuw jegens de liefde als die tot zoiets moet leiden. Deze sinistere afloop tastte alle gevoelens aan die hij voor haar had gehad en die hij voor anderen zou kunnen hebben. Hij was zijn onschuld kwijtgeraakt.

Yves wachtte tot de *Moana* verdween in de richting van een bewolkte horizon waar het gele water van de baai en de kleurloze hemel zich met elkaar vermengden in de weeïge, zoete geur van India. Hij voelde geen enkele voldoening: van vertrekken was ook de aardigheid af. Oud worden betekent je vermogen om egoïstisch te zijn kwijtraken en dat is heel jammer, dacht hij.

Tijdens de dertig uur die de trein erover deed om de twaalfhonderd kilometer van Bombay naar Benares af te leggen, dacht Yves veel aan zijn vrouw. Hij dacht pas echt aan haar als hij ver van haar vandaan was. In het ruime slaaprijtuig, een vervallen aandenken aan de Britse luxe, was er niets meer wat functioneerde, noch de douches, noch de airconditioning, noch het water in de toiletten waar bovendien geen zeep, papier of handdoek was. Het enige portier van de wagon was vergrendeld en werd door een beambte bewaakt, en alleen door de ramen van de coupés kon je op de stations borden rijst met saus, lappen stof of geborduurde kleden kopen. Twee ijzeren deuren aan beide uiteinden van de luxewagon maakten alle communicatie onmogelijk met de rest van de trein, die was overgeleverd aan de Indiërs en de dieren. In de General Compartments de Indiase mannen; in de Ladies Compartments de vrouwen en dieren. De stations leken wel dorpen: hele families kampeerden er in afwachting van het moment waarop ze in een trein konden stappen, met hun geiten, hun kale honden die altijd op een afstand bleven zodat ze niet geslagen konden worden, hun pakjes en hun ontelbare kinderen, en intussen wasten ze zich bij een fonteintje, aten ze van de grond, gaven ze hun pasgeboren baby's de borst en keken ze hoe andere treinen passeerden die stampvol zaten met andere opeengepakte families, die uit de ramen puilden of in trossen aan de portieren hingen.

Op het grijze vlakke land in het noorden waar niets groeit, leek het alsof de hele bevolking zat: op de drempel van de aarden krotten, op de akkers, langs de wegen waar soms een paar wegwerkers in een mand drie of vier stenen vervoerden, en in de kleine, door ijzerdraad omgeven scholen in de open lucht die je hier en daar zag. Het was mooi weer en koud: de Indiërs zaten te bibberen onder hun vodden. Vlak bij ieder dorp zat onbeweeglijk, onder in de bomen die wel dood leken, de onvermijdelijke troep gieren, onheilspellende kaalgeplukte gedaantes met een valse blik, een kromme snavel, een kale nek en vuile veren, zo afzichtelijk dat je je niet kon voorstellen hoe ze een nest konden bouwen, elkaar met hun snavel liefkozen en het leven schenken aan kleine donzen bolletjes die ze met liefde zouden verzorgen. Een eigenaardige vloek rust er op de dieren die kadavers eten: hyena's, jakhalzen en gieren! Het wordt een leeuw minder kwalijk genomen dat hij een antilope verslindt die nog beweegt.

Yang leek niet op een antilope hoewel ze wel dezelfde nervositeit en angstige reflexen had en van nature de neiging om te vluchten als er gevaar dreigde. Ze leek op een kolibrie: donkere, heel glanzende ogen die je moeilijk kon doorgronden, levendige, onverwachte gebaren, plotselinge vrolijkheid en het mysterieuze van een vogel. Maar wat had het voor zin aan Yang te denken? Hij wilde met Marion leven, een Marion van wie hij nu wist dat je niet altijd moest geloven wat ze zei, ook al geloofde ze het zelf. Een Marion die eigenlijk medeverantwoordelijk was geweest in de Af-

faire. Heel in het begin, toen hij in Val-d'Isère na de kerst-
vakantie tegen haar had gezegd: 'Lieverd, ik zou graag nog
vijf of zes dagen met Yang hier willen blijven... Maar daarmee verandert er natuurlijk niets tussen ons tweeën', had
ze geantwoord: 'Ik vertrouw je.' En Yang had later gezegd:
'Dat verbaast me niet van Marion, het is een bijzondere
vrouw.' Dus hadden ze er niet meer over gepraat en de situatie was twee jaar lang schijnbaar bevredigend geweest
dank zij een grote mate van discretie aan weerskanten en
dank zij de cynische humor waar ze allebei heel goed in waren en die als toevlucht en steun fungeerde. Marion was iemand die geen zin had om te zeggen: Ik heb verdriet. Yves
was haar daar dankbaar voor, hij hield niet van mensen die
hun binnenste aan de buitenwereld tonen en de buitenkant
verbergen.

Waarom had hij Marion nooit meer herinnerd aan wat er
gezegd was tijdens dat gesprek in Val-d'Isère, dat zijn onschuld enigszins zou hebben aangetoond? In feite wist hij
wel waarom: hij wilde graag vasthouden aan de onduidelijke zekerheid dat hij zijn vrouw ronduit de waarheid had
verteld. Hij had geen zin na te gaan wat hij in werkelijkheid
had gezegd: 'Lieverd, ik heb zin om nog een paar dagen in
Val-d'Isère te blijven want ik heb geen werk voor de tiende.
Ik geloof trouwens dat Yang ook blijft...' Toch wist hij dat
Marion nooit aan een half woord genoeg had. Als je haar
een uitweg bood, rende ze eropaf, wat dat aangaat was ze
idioot. Hij had op een weerzinwekkende manier tegen haar
moeten praten: 'Ik ben van plan vanavond nog met onze
vriendin naar bed te gaan, dat vind je toch niet al te erg?'
Dan nog zou ze in lachen zijn uitgebarsten om het maar niet
te hoeven geloven. Hij had dat mes niet recht in haar gezicht
willen steken, want uiteindelijk zou ze er toch mee door zijn
blijven lopen. En daar had hij niet tegen gekund. Dus toen
ze had geantwoord: 'Schat, ik vertrouw je', had hij haar

haastig dicht tegen zich aangedrukt en haar woorden geïnterpreteerd als: 'Je mag doen wat je wilt want je zegt immers dat daarmee tussen ons niets verandert.' Dat strookte precies met wat hij voelde; dus met de waarheid. Al met al had ieder die dag alleen maar gehoord wat hij wilde horen. Toch was Marion in zijn armen gaan huilen, het bewijs dat ze het eigenlijk wel had begrepen. Het was natuurlijk geen goed nieuws voor haar, maar hij had zich die avond voorgenomen dat hij haar nooit 's avonds alleen zou laten en dat ze er nauwelijks iets van zou merken. Een grote golf van tederheid had hem overspoeld nu alle problemen uit de weg waren geruimd: hij had daar, te midden van de koffers, met haar de liefde bedreven, vlak voor de trein kwam, zo gelukkig was hij dat hij straks meteen al van Yang kon houden, zonder haar, zijn vrouw, daarmee te bedriegen of kwijt te raken.

Maar Marion had anders geredeneerd, dat had hij later begrepen. Ze had bij zichzelf gedacht dat je niet met je vrouw naar bed gaat wanneer je van plan bent diezelfde avond een minnares te nemen. Terwijl juist... maar er waren weinig vrouwen die zoiets begrepen. In de twintig jaar dat ze samen waren, was hij er niet in geslaagd haar ervan te overtuigen dat twee liefdes gelijktijdig kunnen bestaan zonder elkaar te schaden.

'Het kan niet anders of je neemt van de een wat je geeft aan de ander,' hield ze koppig vol. 'Dan blijft er nog wel wat over, oké, maar dat zijn nu juist *restanten*.'

Altijd die kruideniersmentaliteit.

Met Yang waren er geen kruideniersproblemen geweest, tot die brief van Marion die ze hem niet had willen laten zien, zo schaamde ze zich.

'Waarom heb je me niet de waarheid verteld wat je vrouw betreft?' vroeg ze hem steeds, want ze weigerde te aanvaarden dat hij in zekere mate, en volgens hem in hoge mate, te goeder trouw was geweest.

'Goede trouw is niet hetzelfde als openhartigheid,' zei Yang op die harde toon waarop ze de laatste tijd sprak. Marion zou hem wel geloofd hebben en daarom zou het hem vergeven worden. Degenen die geloven, hebben uiteindelijk gelijk.

Maar waarom zou hij dat allemaal aan Marion uitleggen? Wat had het voor zin? Je kunt een ander nooit iets duidelijk maken. Voor hem was de liefde niet de obsessie van het vlees, hartstocht, zin in de een en niet in de ander, maar dat fabelachtige behaaglijke gevoel met iemand in harmonie te leven. Met twee als het er toevallig twee zijn. Hij had ze graag samen, dan voelde hij zich het gelukkigst. Marion was gechoqueerd toen hij het haar had bekend. Maar waarom zou je het dan ook bekennen? Dat is een aanvechting die je moet kunnen weerstaan. In feite blijft gedeeld genot voor ieder onaangetast, Yves vond dat het zelfs verdubbeld werd. Hij herinnerde zich een bepaalde reis naar Italië met z'n drieën... die was volmaakt geweest. Maar hij paste er wel voor op dat tegen Marion te zeggen. Hij had haar ook niet verteld dat hij vroeger tweemaal heel kort verliefd was geweest op Yang. Misschien had hij op zijn hoede moeten zijn? Dan ging hij nog liever dood. Na twee of drie akelige nachten had hij die betreurenswaardige impulsen kunnen onderdrukken. Hij wilde het zichzelf niet te moeilijk maken en tot zijn veertigste was hij nog nooit ten prooi gevallen aan een oncontroleerbaar gevoel. Dus onderdrukte hij die aandriften, zonder zich er rekenschap van te geven dat ze ergens diep in hem werden opgeslagen en wachtten tot hun tijd gekomen was. Bovendien hield hij niet van de gedachte dat Marion de rol zou vervullen van de vrouw die vol droefenis accepteert. Gelukkig had ze blijk gegeven van een heel draaglijk soort verdriet. Of eigenlijk hoorde hij te zeggen: ze had haar verdriet op een voor hem heel draaglijke manier

laten blijken. Omdat hij zich vrij voelde, hij had immers de
goedkeuring van zijn vrouw gekregen, had hij zich onbezorgd aan die andere liefde overgegeven. Niet gestraft worden geeft zelfvertrouwen, en van zelfvertrouwen naar onschuld is maar één stap.

Marion zou ongetwijfeld langzaam maar zeker genezen,
want dat vreemde lichaam dat haar verdriet veroorzaakte,
was er niet meer. Bovendien hadden de gebeurtenissen
haar in dit geval in het gelijk gesteld... nou ja, de uitkomst
van de gebeurtenissen dan. Dat helpt bij dit soort mensen.
Ze had geen enkele chantage op hem uitgeoefend, behalve
door zichzelf te zijn, tegen wie ze trouwens zoveel had ge-
streden. De ergste vorm van chantage omdat die onopzette-
lijk is.

Yves vroeg nog maar om één ding: onverschilligheid. Hij
had behoefte aan kameraden die geen vrienden waren, aan
landen die niet zijn land waren, aan oude dames die niet
zijn moeder waren, aan dorpen die niet op Kerviniec leken,
aan problemen die niet op hem betrekking hadden. Hij
voelde zich niet in staat tot wat voor gevoel dan ook en de
gedachte aan de liefde vond hij nog afschrikwekkender dan
cholera.

Bombay had hem behoorlijk van zijn stuk gebracht. Benares, die opperste uiting van het hindoeïsme, zou hem op-
slokken. Hij voelde zich onbestendig en bereid op te gaan in
iedere filosofie die hem wilde opnemen.

De taxi zette het filmmateriaal en de bagage bij het Clark's
Hotel af en bracht zoals gewoonlijk de reizigers rechtstreeks
naar de Ghats. Er waren in dit seizoen weinig toeristen. Alleen twee of drie Amerikaanse stellen zaten als voyeurs op
stoelen die in rijen op een schuit stonden opgesteld, met op
hun buik hun fototoestel dat gericht was op de fraaie linker-
oever van de rivier waar het spektakel zich zou afspelen.

Yves ging bij hen zitten. India had tot dusver een zittend land geleken. In Benares lagen de mensen. De mensen: de zieken, de bedelaars en de lijken, dat wil zeggen het grootste deel van de bevolking. Benares was Lourdes in een land waar het geloof absoluut is, de armoede onmetelijk, de kwalen ontelbaar en de bevolking overstelpend.

De cameraman, de ontdekkingsreiziger en het meisje Betty gingen in hun mooie linnen kostuums op hun stoelen zitten, met hun mooie camera's, hun mooie westerse ideeën over hulp aan onderontwikkelde landen, en hun zeer westerse geest op hun lippen, en de schuit begon de enorme rivierbocht af te zakken langs de stenen treden die zich kilometers lang uitstrekken en waar de hele stad komt communiceren met de Ganges, te midden van de ingestorte paleizen, die net zo krachteloos en verminkt zijn als de mensen en zelf ook langzaam maar zeker in het heilige water zakken. Langs de vervallen tempels waarvan de pilaren in de modder van de oever wegzinken, op de treden van de enorme trap die de stad bij hoogwater beschermt, stort Benares zich de ganse dag uit in die rivier waar de levenden en de doden met dezelfde devotie worden ondergedompeld.

Niemand repareert iets, niemand peinst erover de ene steen op de andere terug te leggen, dat wegzakkende dak tegen te houden dat, net als de bewoners, wordt aangetrokken en teruggewonnen door de Ganges; alles stort in, de luiken hangen aan hun hengsels, de muren verzakken in de algehele onverschilligheid, zo is het nu eenmaal en zo liggen ze ook te sterven op de treden, met hun voeten of hun hoofd in het water, zonder dat iemand zich eraan stoort of zich er druk over maakt, want daarvoor zijn ze op aarde en op sterven liggen is ook nog leven – of sterven, dat is hetzelfde.

Zodra de eerste ontsteltenis voorbij is, en die gaat snel voorbij in die wereld die noch binnen hun bereik noch naar hun maatstaven is, volstaan de toeristen ermee hun voeten op te tillen om niet op de stervende te trappen die daar op de weg ligt te sputteren, kijken ze geïnteresseerd naar de jonge lepralijdster die met haar misvormde handen een baby in een grauwe luier vastklemt die aan haar borst de lepra drinkt, of werpen ze een nauwelijks verbaasde blik op het bedelende kleine meisje, wier handen en voeten keurig zijn afgehakt door ouders met een vooruitziende blik, opdat dit overtollige kind tenminste helpt de andere kinderen te voeden, van wie er al te veel zijn. De tolken leggen zonder verontwaardiging uit dat dit noodzakelijk is en de toeristen geven inderdaad een geldstuk meer aan dat kind, als premie voor haar gruwelijkheid.

Midden op het plein waar de passagiers uit de bussen stapten, lag een oude vrouw dood te gaan, met haar gezicht naar de hemel gekeerd, languit, met open ogen op de rijweg, zodat de schaarse auto's wel gedwongen waren om haar heen te rijden, om haar rustig te laten sterven. Ze had echt het hoofd van een grootmoeder met mooi grijs haar, alleen haar gezicht was wat bruiner dan dat van onze grootmoeders. Naast haar lag een berg, een soort oude sprei waaruit aan één stuk door een eentonig gezang klonk: een welluidende vrouwenstem hield een eindeloos betoog, van tijd tot tijd onderbroken door gelach en gevloek.

'Is dat nou een grammofoon?' zei Tiberius. 'Je wilt me toch niet vertellen dat er een mens onder die lap ligt?'

'Het is een dwerg of iemand zonder benen, of allebei tegelijk,' zei Betty. 'Iedereen hier heeft wel een paar misvormingen.'

De brandstapels van de Ghat van de crematies waren bijna geruststellend voor hen. Bij de Manikarnika Ghat werden alleen dode doden verbrand, die niet meer het woord tot je richtten. Vastgebonden op een brancard voor hun laatste bad, gewikkeld in een mousselinen doek die als hij nat was hun lichaamsvormen akelig nauw omsloot, wachtten ze zij aan zij op hun beurt, met hun voeten in de rivier, terwijl de vorige brandstapels bijna uitgebrand waren. 'Dat moet je tijdens een epidemie eens zien,' zei de gids. 'In de zomer.'

De familieleden zaten eromheen te babbelen of schonken een beetje heilig water, dat ze met beide handen hadden geschept, in de wijd openstaande mond van de doden die door een onaanraakbare uit de doeken werden bevrijd. Het grijze water stroomde over de rand van de afschuwelijke opening heen, de kin stak belachelijk ver vooruit; een gele hond snuffelde aan een stuk voet dat niet goed verbrand was en schudde zijn kop omdat hij zich had gebrand. Op een van de brandstapels kwam een gedaante die begon te branden plotseling onder invloed van de vlammen overeind, als een man die rechtop in bed gaat zitten; hij werd met een stok neergeslagen. Terwijl ze rustig op hun stoelen voorbijtrokken, kwam er een man aan die op de treden neerhurkte en een pakje openmaakte dat hij bij zich had. Hij haalde er een kind uit dat één jaar oud leek; maar in India moest je de criteria herzien die golden voor landen waar gegeten wordt: je ziet kinderen rechtop staan die je nog geen zes maanden zou geven en bij moeders op de arm zie je pratende foetussen. De borstkas van het dode kind leek op het karkas van een afgekloven kip, maar het had een enorme buik. De man, naar wie niemand keek, maakte een steen aan de nek van zijn zoon vast en bond het pakje toen weer dicht, stapte in een bootje en ging het lichaampje midden in de rivier gooien, waar tussen bloemkransen en dode takken ondefinieerbare kadavers statig langsdreven. Lijkjes van nog geen twee jaar hebben niet het recht om verbrand te worden.

En de eerste avond viel over deze angstaanjagende stad die toch verrassend mooi was, over de Hindoes die doorgingen met hun bezigheden op de grens van leven en dood, te midden van de paleizen die half in het ondoorzichtige, groenige water van de Ganges stonden, onder het licht dat als goud glansde door de woestijn op de andere oever, en langzaam maar zeker versmolten ze in de duisternis met hun rivier die zo met heiligheid beladen was dat zelfs de vreemdelingen zich gegrepen voelden door een religieuze eerbied.

Meteen de volgende dag ging Yves op zoek naar een dode. Dat vond hij al heel gewoon. Hij had er een nodig van wie de familie het goedvond dat hij op zijn brandstapel werd gefilmd. De tolk beweerde dat het mogelijk was. Na wat onderhandelingen werd hij inderdaad geïntroduceerd bij ouders die niet genoeg geld hadden om hout voor de brandstapel van hun zoon te kopen.

'Het gaat vijfduizend frank kosten,' zei de tolk. 'De prijs van het hout.'

Ze werden het eens. De dankbare vader drukte hem langdurig de hand.

'Wilt u hem zien?' zei de moeder, die zwanger was en een pasgeboren baby op de arm had.

Yves dacht dat hij moeilijk kon weigeren. Ze lieten hem een heel klein schuurtje zonder ramen binnengaan waar op een strozak een jongeman lag die met enorme ogen in een geel uitgemergeld gezicht naar hem opkeek.

'Wanneer wilt u hem hebben?' vroeg de tolk.

'Ik ben van plan vanaf morgen te gaan filmen,' zei Yves.

'Maar waar is de dode?'

'Dat is hij,' zei de tolk. 'Hoe het ook zij, voor deze jongeman is het een kwestie van dagen. Dus zegt u maar wanneer u hem wilt hebben.'

De jongeman staarde hem aan met de blik van India. Hij had het lichaam van India, mager en smal, en door de koorts plakten zijn blauwachtige gladde haren aan zijn slapen vast.

De vader scheen ongerust te zijn over dat geaarzel, hij ondervroeg de tolk in een hoek van het vertrek.

'De vader is bang,' zei de tolk, 'dat zijn zoon niet is wat u zoekt... Begrijpt u, als u het lichaam niet koopt, hebben zij geen geld om het te verbranden. En dan loopt hun zoon het gevaar een slechte reïncarnatie te ondergaan.'

Yves kon zijn blik niet afwenden van de angstige ogen van de jongeman, die niet begreep waarom die vreemdeling aan zijn ziekbed stond. Nogmaals, wat had logica hier voor zin? En zelfs medeleven?

'Hoe het ook zij, hij heeft tuberculose,' voegde de tolk eraan toe om hem tot een besluit te brengen.

'Zegt u dat ze vooral niets moeten doen. Ik... ik kom later terug, ik moet eerst nog andere opnames maken,' stamelde Yves, die zich niet in staat voelde in koelen bloede te onderhandelen over deze transactie waarvan evenwel de gemoedsrust van een familie en wie weet het geluk van de stervende afhing. De tolk keek afkeurend en excuseerde zich tegenover de vader. Yves groette de jongeman die hij zojuist had gekocht en maakte dat hij wegkwam.

Benares *by night* was bijna net zo druk als overdag. Dezelfde mensen wachtten al babbelend op een gelukkig einde. De oude vrouw had haar ogen niet gesloten; de sprei lag nog steeds te krijsen. Iemand had er wat eten in een stuk krant naast gezet. Achter op het plein stonden mensen in de rij voor een van de talloze bioscopen, terwijl er nog een paar brandstapels lagen te roken op de Ghat van de crematies. Onder parasols of armzalige kraampjes waar 's nachts de droge, koude nachtwind en 's zomers de moesson doorheen waaide, zaten sadhoes gehurkt, al tien of twintig jaar, in dezelfde houding waarin Yves hen 's ochtends had gezien, bedekt met as, met gesloten ogen. Soms werden ze aan één kant verwarmd door een heel klein vuurpotje dat door een of andere gelovige brandend werd gehouden. Voorbijgangers legden geschenken aan hun grijze voeten, een beetje voedsel, om hun brein te voeden of anders hun lichaam dat al niets meer verlangde.

Het meisje met de arm- en beenstompjes wachtte samen met de andere haveloze types op de laatste bus van American Express, en met haar gladde bruine pols duwde ze tegen een balletje, lachend en schreeuwend met de anderen, terwijl ze intussen met een haviksblik uitkeek naar de volgende lading toeristen. Zodra de bus het plein opreed, kreeg ze een andere uitdrukking op haar gezicht en kwam ze snel op haar knieën aangelopen om weer in de houding te gaan zitten, met haar verminkingen duidelijk zichtbaar.

Als de ellende zich op al te grote schaal voordoet, krijgt deze algauw iets abstracts en word je er niet meer door geraakt. Yves en Betty durfden niet meer te praten, zoals je wel eens hebt als je een theater uitkomt waar je net een aangrijpende tekst hebt gehoord. Er kon geen sprake zijn van opstandigheid of verontwaardiging of tegenwerpingen; India viel buiten alle maatstaven en alles werd op losse schroeven gezet.

In een paar dagen een paar beelden van die stad filmen leek belachelijk, en zelfs heiligschennend.

In het Clark's Hotel, dat door enorme weelderige tuinen vol vogels was afgescheiden van de stank van de stad, legden kelners met roze tulband en witte linnen handschoenen met gaatjes, onder de naam van kip met kerriesaus een beetje modder uit de Ganges op hun bord, waarin stukjes vezelig vlees dreven die op kinderdijtjes leken.

'Indiërsaus à la Nantua,' verkondigde Tiberius.

In de glazen was het Indiase bier troebel en had de kleur van de Ganges, en de rijst op de borden, die kleverig en grijsachtig was, deed Yves denken aan de cholera in die vreselijke roman van Giono, met al die doden onderweg, die zwartachtig waren en een soort rijst in hun mond hadden. Hij had wekenlang geen rijst kunnen eten!

Toch moesten ze, voordat ze zouden terugkeren naar de enorme slaapkamers van dat vroegere paleis, een plan voor het draaiboek maken. Ze werkten alle drie lang door. In het halfduister van de bar naast hen lagen de kelners met hun roze tulband op de grond te slapen, aangekleed en wel op het tapijt uitgestrekt. Om zich beter op hun gemak te voelen hadden ze hun communiehandschoenen uitgetrokken.

Hoog in de baniaanbomen van het park zaten apen of papegaaien, of misschien wel monsters, die schelle, angstwekkende kreten slaakten die Yves onder zijn muskietennet lange tijd uit zijn slaap hielden.

In de kamer waar Tiberius haar was komen opzoeken had Betty geen zin om te vrijen.

'Neem me niet kwalijk. Door dat alles heb ik geen trek meer,' zei ze.

'Je hebt ongelijk,' zei Tiberius. 'Je moet je vastklampen aan zekerheden.'

'Jij houdt niet van mij, ik houd niet van jou, dat is toch ook zeker?'

'Goed dan, zoals je wilt,' zei Tiberius toegeeflijk. 'Maar intussen is het een goede oefening...'

'Ik houd wel van sport, maar niet van gymnastiek,' zei Betty.

'India maakt je venijnig, liefje. Ik noemde dat kunst, zie je. Maar als het voor jou van je ene-twee, ene-twee is, zou ik het mezelf kwalijk nemen als ik nog aandrong.'

En Tiberius boog zich voorover om haar hand te kussen. Ze hield hem bij zijn nek vast.

'Blijf toch maar bij me slapen, goed? Deze dag heeft me helemaal gevloerd. Bovendien ben ik doodop.'

Tiberius ging naast haar liggen en schikte zorgvuldig de banen van het muskietennet.

'Ik ga morgen gewoon naar de kapper,' zei hij gelaten.

Betty barstte in lachen uit en ging dicht tegen de jongen aan liggen, met haar rug naar hem toe. 'Leg je benen maar tegen de mijne aan,' zei ze. 'Doe je arm over me heen. Zo. Ik denk dat ik zo wel zal kunnen slapen.'

'Nu we toch bezig zijn, doe ik je been om mijn nek, jij steekt bevallig een hand in de lucht, je legt de andere op een zekere plaats en dan stellen we een zeer hindoeïstische godsdienstige figuur voor!'

'Ik voel me vanavond juist zo atheïstisch! Maar jou mag ik wel,' mompelde Betty, terwijl ze zich tegen hem aandrukte. Zo zou je met je vrienden moeten kunnen slapen, uit genegenheid. Dat is lekker.

Veilig tegen Tiberius aan sloot ze haar ogen en slaagde ze erin Benares te vergeten.

Door de bemiddeling van een brahmaan die wel geïnteresseerd was in whisky, kregen Yves en Tiberius het ten slotte voor elkaar een crematie te mogen filmen, verborgen in een dekschuit waarin een piepkleine opening was aangebracht. Daar brachten ze benauwde dagen door, terwijl ze urenlang, gehurkt in een minuscule ruimte en bang om ontdekt te worden, zaten te wachten tot er een dode binnen hun gezichtsveld wilde verschijnen. Op lunchtijd stopte de brahmaan hun ondefinieerbare beignets toe. Ze konden niet nalaten even te kijken naar de brandstapels waar niet alles tot as was vergaan of naar die lepralijders aan wie altijd een stukje ontbrak... 's Nachts kwamen ze uit hun schuilplaats te voorschijn onder de hoede van de brahmaan die door overvloedig whiskygebruik van dag tot dag meer ontheiligd werd. Ze schaamden zich; maar voor een foto zou je een heilige nog verdoemen.

Ze dronken zelf ook te veel whisky want de alcohol, die altijd hetzelfde smaakte, vormde 's avonds hun houvast. De aangename zekerheden van hun Europa, die samen met de

geur van verbrande mensen die ze de hele dag hadden in-
geademd waren vervlogen, vonden ze alleen in de alcohol
terug. Daarna lieten ze zich in hun kamers door een Indiër
masseren en namen ze een bad in de oude Britse badkuipen
waarvan de leidingen al lang de geest hadden gegeven en
waaruit het vuile water rechtstreeks op de betegelde vloer
liep naar een afvoerrooster waaruit een rioolstank opsteeg.
Ten slotte vielen ze in een slaap die bevolkt werd door monsters, nadat ze het bed en het muskietennet hadden geïnspecteerd en vijf of zes van die afschuwelijke insekten hadden doodgeslagen die in geen enkel fatsoenlijk handboek
voorkomen en waarvan India het geheim schijnt te bezitten.

Het nieuwe jaar brak aan zonder dat dit iets veranderde
aan het leven en de dood in Benares. De oude vrouw lag nog
steeds te zieltogen, alleen was ze wat perkamentachtiger
geworden. De dwerg die onder de sprei woonde, was nog
volop aan het woord. De sadhoes onder hun kraampjes
werden elke dag bezadigder en ontdeden zich steeds meer
van hun stoffelijk omhulsel. De Indiërs poetsten hun tanden in de Ganges of spraken er, tot aan hun buik in het water staand, hun gebeden uit, of gingen er dood. Alleen een
paar groepen leeftijdloze en manloze Engelse dames stonden erop het Happy New Year in het Clark's te vieren, waarbij ze crackers uit Engeland lieten knallen, *Youpee* riepen,
God save the Queen zongen, de heilige pudding aten en klon-
ken op het geluk dat zij hadden gehad dat ze hun echtgenoten niet op de brandstapel achterna waren gegaan.

Yves en Betty werkten hard, aten weinig en hadden geen
enkel contact meer met hun beschaving, zodat ze zich, zonder dat ze het zelf goed doorhadden, lieten meesleuren in
een roes waarin het leven zo vanzelfsprekend met de dood
samensmolt dat hun dagelijkse bezigheden, hun zorgen
over de lengte van de film, het licht, de lenzen en het aantal

opnamen dat ze iedere dag moesten maken lachwekkend en onbelangrijk werden. 's Avonds tijdens het whisky drinken leverden ze commentaar op Shankara of de Upanishads, en probeerden ze Tiberius duidelijk te maken dat de wereld slechts zinsbedrog is en dat de kennis van het ware pas dan verschijnt als het individu weloverwogen wordt uitgeschakeld.

Met India en de flessen drank als achtergrond was Parijs in hun ogen piepklein, belachelijk en pretentieus; ze vroegen zich af hoe ze zoveel belang hadden kunnen hechten aan succes, voortdurend hadden kunnen rennen, ruzie maken, warm lopen voor literaire stromingen en politieke systemen, terwijl je het opperste geluk vanzelfsprekend in de rust van het ongedifferentieerde bereikt. Tiberius had geen last van dezelfde kwaal. Omdat hij als cameraman bij het journaal zo'n beetje overal was geweest, had hij net genoeg van de hele wereld gezien om er een definitieve, globale conclusie uit te trekken die voor hem als filosofie fungeerde.

'Oké, jongens, we zijn hier niet in het land van de Vache-qui-rit, maar je moet niet denken dat je zojuist *de* waarheid hebt ontdekt. Die is overal, de waarheid, dat kan ik je wel vertellen. Ik heb dezelfde wonderen, dezelfde bedevaarten, dezelfde tovenaars gefilmd, of ze nu heiligen of fakirs of goeroes heten, bij de boeddhisten, in de Afrikaanse rimboe, in Sevilla, Londen of Tibet. Dus je moet je niet laten oplichten. Shiva, Mohammed, Jezus, dat is dezelfde man! En uiteindelijk, op enkele details na, is het dezelfde filosofie. Maar zal ik jullie eens zeggen wat het verschil hier is? (Nee, Yves en Betty wilden vooral niet dat Tiberius met de grove bijl op hun fijngevoelige overpeinzingen inhakte; maar hij ging tot vervelens toe door, zoals een Fransman dat kan.) Afgezien van die kartuizermonniken onder hun paraplu, met hun lichaam bedekt met as – tussen twee haakjes, je ziet dat in de christelijke godsdienst de heremieten zich ook met as bedekten; en Aswoensdag, hè? Het is allemaal hetzelfde, dat zeg ik je! – afgezien van die kerels, zouden de Indiërs gewoon een tijdlang elke dag een biefstuk tartaar moeten hebben: dan zouden ze misschien zin krijgen om hun zogenaamde heilige koeien te doden in plaats van hun kinderen van honger te laten omkomen.'

Betty kreeg plotseling een hekel aan het gezonde verstand van Tiberius, aan zijn cynisme, zijn weigering zich te interesseren voor ideeën, maar Yves was hem er bijna dankbaar voor. Zonder de whisky en de simplistische visie van Tiberius zou hij misschien in Benares zijn gebleven of ergens anders in India, zoals de neef van Alex, om het land te leren kennen, te begrijpen. Een maand? Een jaar? Wie kon het zeggen? Hier had ook de tijd niet meer dezelfde betekenis. India was zijn bestaan binnengekomen in een periode waarin hij zich niet gebonden voelde, op een keerpunt. Maar natuurlijk was Marion er nog. Hij dacht aan haar als aan een vaderland dat wel wat ver weg was maar in hem leefde. Hij kon niet zeggen in hoeverre hij van haar hield. In ieder geval niet als een bezetene. Het was beter dan dat. Hij had er een hekel aan dingen als een bezetene te doen. Hij had in het begin een beetje te veel van Yang gehouden, dat had hem ongelukkig gemaakt. Van een vaderland moet je je niet afvragen of je ervan houdt, je weet gewoon dat het ergens op je wacht en dat je elders minder prettig leeft.

Toen Yves een week later uit Benares vertrok om per vliegtuig naar Colombo te reizen, had hij het gevoel dat hij aan drijfzand ontsnapte. Op weg naar het vliegveld, in de taxi die zich al claxonnerend een weg baande tussen driehonderd miljoen Indiërs door, was hij voor de eerste keer bang dat hij een ongeluk zou krijgen. Waren er eigenlijk wel dokters in die stad waar iedereen naar toe kwam om te sterven? Als hij nog even in Benares bleef, zou hij verzwolgen worden. Met een zekere voldoening stelde hij zich voor hoe hij zijn leven zou eindigen op een of ander trottoir, enigszins verminkt zoals iedereen, totaal vervreemd van zijn vroegere wereld, sterk vermagerd, zonder geldzorgen, verzonken in aangename bespiegelingen en voortdurend vluchtend op weg naar het Absolute.

Tiberius en Betty zaten naast hem vreselijke ruzie te maken. Om India. Om de erotische beeldhouwwerken in de tempels, die hij anders interpreteerde dan zij. Om Boeddha, Vishnoe, Kali, Jezus en consorten. Om hen wilde Betty met hem breken.

'Ik voel me niet in staat werkelijk te houden van iemand die niet dezelfde ideeën heeft als ik over essentiële problemen.'

'Houd jij dan van een man vanwege zijn politieke ideeën?' vroeg Tiberius op ironische toon.

'Waarom zou ik dan van hem moeten houden? Om zijn billen? Ik vind dat alles samenhangt: als je India niet op dezelfde manier bekijkt, zul je het ook niet eens zijn over vrijheid, over het leven, of over iets anders. Je bedrijft de liefde met ideeën, niet alleen met organen.'

Tiberius moest lachen. Het was zijn beroep niet om te denken. Liefde was ook niet denken. Het was weer op adem komen in een al te zwaar leven, het was de remedie tegen het absurde, een aanlegplaats, rust, schoonheid. Als je er een discussiegroep van moest maken... De ene vrouw of de andere, dat was voor hem misschien altijd dezelfde, dacht Betty, net als de ene god of de andere.

Door naar die typisch Franse discussies te luisteren, en naarmate de DC4, een produkt van de beschaving, hem verder van India wegvoerde, voelde Yves zich langzaam maar zeker herboren worden. Naarmate hij door de nauwe ruimte van de cabine verder werd teruggevoerd tot zichzelf en tot meer persoonlijke problemen, werd het onmetelijke, onoplosbare werelddeel onder hem steeds kleiner en vervaagde het algauw in een heilzame nevel.

9
BOMBAY – CAIRNS:
5650 MIJL

De *Moana* voer langs het eindeloze India naar het zuiden over een gele modderige oceaan waaruit weeë geuren opstegen. Er had zich een soort apathie meester gemaakt van diegenen van de groep die nog over waren. Ook zij bleven, als Hindoes, urenlang in de schaduw van het zonnedek zitten soezen terwijl ze vaag naar de eentonige horizon keken.

's Avonds kon Iris niet nalaten over Ivan te praten, waarbij ze probeerde begrip te tonen, omdat ze zich verbeeldde dat, als ze ontdekte wat *de* oorzaak was, *de* fout die er ergens in zijn opvoeding was gemaakt, ze zijn afwezigheid beter zou kunnen verdragen.

'In mijn tijd,' zei Jacques, 'vertrokken de asocialen, de stijfkoppen naar de koloniën, dat was makkelijk en dat gaf hun een geduchte les!'

Zo gebruikte hij een heleboel lachwekkende uitdrukkingen waardoor zijn conversatie iets ouderwets kreeg.

'Maar dat was een straf,' zei Iris. 'Hun ouders joegen hen

weg en wilden niet meer voor hen zorgen... Wij hebben Ivan nooit ergens toe gedwongen. Met als resultaat? Dat hij toch weggaat.'

'De vrijheid van jongeren respecteren is flauwe kul,' zei Jacques. 'Onze generatie heeft zich mooi te pakken laten nemen: vrijheid is al nauwelijks draaglijk voor volwassenen...'

Jacques liet zich erop voorstaan dat hij links georiënteerd was zonder te beseffen dat al zijn instinctieve reacties, met inbegrip van zijn gedrag ten opzichte van vrouwen en de liefde, absoluut rechts waren. Sinds Patricia was vertrokken, kwam er een zekere agressiviteit ten opzichte van het leven met zijn instellingen bij hem boven, die van tevoren een rechtvaardiging vormde voor wat hij op het punt stond te gaan doen, hij wist nog niet wat, maar hij zou het doen, en het zou fijn zijn.

'Ik begin te geloven dat psychiaters schadelijke wezens zijn,' hernam Iris. 'Als ze ons geen complexen hadden bezorgd, die we onze kinderen met alle geweld wilden besparen, waren we rustig doorgegaan ze een pak slaag te geven, ze te dresseren, te weigeren ze te begrijpen. Dat is toch opvoeden? Hoe kun je iemand goed opvoeden als je nooit zeker weet dat je gelijk hebt? Met als resultaat dat mijn zoon een mislukkeling is.'

'Welnee, het is geen mislukkeling,' zei Alex, die zich veel toegeeflijker voelde sinds hij niet meer dagelijks door de lichamelijke aanwezigheid van zijn stiefzoon werd geïrriteerd. 'Je moet maar denken dat jij een studie in India voor hem betaalt zoals anderen hun zoon naar Oxford sturen!'

'Dit is misschien niet slechter,' zei Jacques. 'In het onderwijs van tegenwoordig wordt hun niet meer geleerd om te denken en wordt vergeten hun te leren leven.'

'De school is er niet om iemand te leren leven maar om iemand te leren leren,' zei Alex. 'Dat is heel wat anders. Zij willen kant en klare recepten, het leven in gedroogde vorm... je hoeft dan alleen nog maar water toe te voegen! Ivan stelt zich voor dat Boeddha of Shankara hun hele leven hebben zitten dromen. Hij wil niet beseffen dat mediteren ook een vorm van werk is. Je gedachten helemaal uitbannen is het resultaat van een leven van geestelijk zoeken. Maar hij gaat in de lotushouding zitten, met de blik op oneindig en het verstand op nul, en dan denkt hij dat het voor elkaar is!'

'Hoe moet dat allemaal aflopen?' zei Iris. 'En ik die net vijftig ben geworden, wat blijft er voor mij nog over in het leven? De liefde? De filosofie van de Hindoes? Kun je je voorstellen hoe ik op mijn leeftijd op straat zou leven?'

Ze lachte spottend. Zoals elke keer als ze aan haar ouder dom dacht, begon ze agressief te worden. Alex had medelijden.

'Je verwijt Ivan dat hij leeg is, maar het lijkt wel alsof jij, liefje, buiten de liefde niets weet wat jou gelukkig kan maken!'

'Je ziet het, je zegt het zelf: ik sta nu buiten de liefde.'

'Daar sta je niet buiten of binnen,' ging Alex geduldig verder, 'dat draag je *met* je *mee*. Om dingen te doen. Andere dingen. De liefde op zich, elkaar diep in de ogen kijken, dat is goed voor jonge mensen of imbecielen.'

'Aangezien ik niet jong meer ben,' zei Iris, 'begrijp ik wat er voor mij overblijft.'

'Bijna alle vrouwen zijn imbeciel wat dat betreft,' zei Marion.

'Nou ja, liefje, je gaat toch niet de rest van je leven zitten snikken om je eerste liefde?'

' "De rest van mijn leven!" Die uitdrukkingen van jou,' zei Iris. 'Dan ga ik net zo lief meteen dood. En kom nou niet aan met die invalide uit *Reader's Digest* die volledig verlamd is maar altijd glimlacht.'

'Je bent helemaal niet verlamd, maar je glimlacht nooit meer, dat vind ik niet beter.'

'Jij boft maar,' zei Iris, en aan haar stem kon je horen dat ze rancuneus was, 'jij vindt alles leuk, vissen, jagen, oude geschiedenis, mensen, de boot, lelijk weer...'

'Dat is niet boffen, dat is een techniek om gelukkig te zijn. Maar jij weigert alles en blijft maar naar je rimpels staren, dat is akelig!'

'Nu zeg je het zelf,' constateerde Iris. 'Je bent waarachtig geestig vandaag.'

'Welnee, jij zegt het juist. Ik zou veel minder aan je leeftijd denken als jij er niet zo'n drama van maakte. Het kan mij niet schelen dat je geen twintig meer bent want dat ben ik ook niet meer. Maar het kan me wel schelen dat jij er niet tegen kunt.'

'Ik kan er niet tegen omdat jij niet meer van me houdt zoals vroeger. En je houdt niet meer van me zoals vroeger omdat ik vijftig ben.'

Iris schepte er een triest soort voldoening in steeds maar haar leeftijd te vermelden tegenover al haar gesprekspartners en verheugde zich erover als ze zich gegeneerd voelden. Zij moesten ook maar boeten.

'Ik houd niet meer van je zoals vroeger omdat ik niet meer neuk zoals vroeger. Dat is het! Je hebt het er ook naar gemaakt dat ik dit zeg. Ben je nou tevreden? Ik houd van je zoals nu, zoals ik ben en zoals jij bent. Ik heb verdomme grijze haren!'

Voor de zoveelste keer was het weer zover. Jacques was geheel verdiept in het schillen van een peer. Marion wist niet wat ze moest zeggen. Hoe kon je een oude vrouw verzoenen met het oud zijn, behalve door middel van leugens? Iris zelf voelde zich beter, zoals elke keer als ze erin slaagde Alex te treffen, hem te laten bekennen dat hij ook aftakelde. Dat was bijna de enige intimiteit die ze nog met hem had. De enige macht in ieder geval.

'Het is afschuwelijk om oud te worden, Marion, dat zul je zien,' zei ze als om zich te verontschuldigen. 'Het is alsof je in je rug wordt geduwd. En de mannen blijven op een afstand staan kijken hoe je naar beneden tuimelt. En wanneer je in de kuil zit, kijken ze nooit meer naar je, maar zeggen ze steeds maar weer dat het helemaal niet zo vreselijk is. Natuurlijk, van grijze slapen hebben zij nooit last gehad. Kom, Jacques, wees nou eens eerlijk: zou jij graag kennis willen maken met een vrouw "met grijze slapen"?'

Jacques lurkte aan zijn pijp, gewend aan de crises van Iris, meer dan ooit ontoegankelijk voor neerslachtige buien van vrouwen. Dat had allemaal te maken met organen. Zij hadden niet dezelfde als wij. Trouwens, het woord hysterie komt van uterus. Zijn eigen organen stemden hem tot volle tevredenheid. Hij had Bombay prachtig gevonden. De hongersnood in India? Tja... Een omvangrijk probleem. Dat onze competentie te boven ging. Hij haalde eens behaaglijk diep adem en schikte het kussen achter zijn hoofd. Iris stond op om haar ogen opnieuw te gaan opmaken.

In haar kamer trok ze het gordijn dicht, deed de deur op slot en ging op haar canapé liggen. Jacques was ook een rotzak, een aardige rotzak die klaarblijkelijk zijn vrouw in haar eentje oud zou laten worden. Dat stond op zijn voorhoofd geschreven, in zijn vrolijke ogen, in de manier waarop hij naar meisjes keek maar nooit luisterde naar wat ze zeiden. Van huilen werd ze altijd lusteloos, ze hield er een gevoel van leegte aan over. Er zou niemand komen om haar in zijn armen te nemen, haar vandaag een beetje te strelen; ze was helemaal alleen midden in de Golf van Oman. Hé... Wat toevallig! Alex? Daarover zou ze met hem nooit durven praten. Hoelang hadden ze al niet meer... Trouwens, hij had haar nooit gevraagd wat ze lekker vond. In het begin vind je alles heerlijk. En daarna is het te laat, dan heb je bepaalde gewoontes aangenomen, dan durf je niet meer.

In dat soort gevallen ging ze niet op haar bed liggen. Geheel gekleed op een divan kon ze haar fantasiebeelden beter construeren, het decor dat ze nodig had. Ze kon zich beter voorstellen hoe ze onverwachts door een onbekende genomen zou worden of vastgebonden, met haar benen aan de stijlen van het bed, zoals in *Histoire d'O*, en dat er brute kerels bij haar zouden komen wie ze soms een bekend gezicht toedichtte. Alex had nooit *Histoire d'O* willen lezen. Hij hield niet van die grappen. Ze koos die dag het gezicht van haar gynaecoloog, die haar vaak van dienst was. Zijn onderzoektafel deed haar denken aan het bed van de heerlijke marteling. Hij was sanguinisch en behaard, hij deed alles snel en slecht, dat was zeker, gehaast door de tijd en de volgende patiënte die, ten overstaan van een stuk of tien gladiolen, in de wachtkamer *La vie catholique illustrée* zat door te bladeren. In haar verbeelding moesten ze ruw en snel zijn, dat compenseerde het deprimerende effect van de zelfbediening. Ze riep het gezicht op van de arts die over haar heen stond gebogen, met blote, iets te gespierde onderarmen waarvan de haartjes je dijen in het voorbijgaan heel even aanraakten, want hij droeg tijdens zijn spreekuur een jas met korte mouwen. Zijn uitdrukkingsloze beroepsblik, zijn ruwe, te vaak gewassen hand die hij op je zachte buik legde...

'Maar dokter, wat doet u nu?'

Ze stelde zich voor hoe hij smerige, gemene woorden tegen haar zou zeggen: 'Allemaal sletten, hè? Moet je zo nodig?' Hij minachtte haar. Ze was verachtelijk. Alex minachtte haar ook, maar in geestelijk opzicht; dat was niet van belang.

'U laat me toch niet zo liggen, dokter... alstublieft...'

Alex zou die behoefte aan vernedering van haar nooit hebben begrepen. Noch dat ze liever had dat de man aangekleed bleef. Alex trok zijn kleren altijd eerst uit en hing ze zorgvuldig gevouwen over een stoel, nooit gehaast. Opdat vooral zijn geld niet uit zijn zak viel, dat maakte hem razend. En dan kwam hij vervolgens in passend tenue aanzetten. Om *het* te doen. *Het* werd net zoiets als je tanden poetsen. Ondanks al haar intriges lukte het haar niet het genot erg lang te laten duren. Zelfs met de meest schofterige kerels haalde ze zelden meer dan tien minuten. Bespottelijk. En ja hoor, het was al afgelopen, en geen schouder te bekennen waartegen ze haar hoofd kon laten rusten; en altijd dat onvoldane gevoel. Wat moest je de hele dag doen wanneer de liefde maar tien minuten duurde? Doen veel vrouwen dat, vroeg Iris zich telkens weer af. Je moest toch wel zelf doen wat anderen niet meer willen doen? Vanavond zou ze Alex tenminste niet lastig vallen met misplaatste liefkozingen. Ze zou mat, kalm en grijs zijn; ze zou keurig vijftig zijn. Ze zou het boek van Victor Ségalen lezen, ja, ja, over de Polynesische beschaving, dat Alex haar zo graag wilde laten lezen. *Les Immémoriaux* heette het. Om je te bescheuren.

Neerslachtig trok ze haar lange broek weer omhoog en merkte dat de huid van haar dijen op zijdepapier begon te lijken: zodra je erop drukte, ontstonden er heel kleine kreukeltjes rondom het drukpunt. Ze duwde met haar duim zo'n beetje links en rechts, om te kijken: het was overal hetzelfde. Kortom, echt om je gelukkig bij te voelen. Terwijl ze haar lange broek dichtdeed, kwam de huid van haar buik tussen de ritssluiting, nog iets wat vroeger niet had kunnen gebeuren, in de tijd dat ze die fantastische buik had waarvan ze zo weinig profiteerde. Nu was het alleen nog maar een weke buidel die een beetje naar voren hing als ze zich bukte, hol aan de zijkanten, peervormig, een armzalige zak die door het gebruik was vervormd. Je huid wordt op precies dezelfde manier oud als espadrilles, dacht ze, het weefsel rekt ten slotte altijd uit en dan wordt het te wijd. Ze had nog niet de moed gehad geen tweedelige badpakken meer te dragen, want ze dacht iedere keer: volgend jaar. Maar ze lette voortdurend op haar houding: nooit op handen en voeten, niets van de grond oprapen of anders met een zijwaartse beweging, heel snel gaan zitten en haar benen strekken, zo vaak mogelijk haar armen omhoogsteken... Had een man enig idee van de voortdurende verplichtingen die een vrouw die nog bemind wil worden zich oplegt, opdat hij het onheil dat over haar komt niet opmerkt? Die vernederende inspanningen die je je tijd, levenslust en zelfrespect kosten.

Ze had twee jaar daarvoor een face-lift gehad, een volledige behandeling: kraaiepootjes, lijnen om haar mond, onderkin. Een zeer geslaagde operatie. Ze was er tien jaar jonger op geworden, dat zei iedereen. Maar Alex had zich niet enthousiaster betoond. Het is nog nooit gebeurd dat een man opnieuw verliefd wordt op zijn vrouw, ook al wordt ze precies zoals hij van haar hield. Hetgeen bewijst dat de liefde geen enkele zin heeft; dat het de meest jammerlijke flauwe kul is.

Iris leunde met haar ellebogen op de vensterbank. De Golf van Oman strekte zich eindeloos ver naar het westen uit, van een eeuwige simpelheid. Naar het oosten was Ivan ergens in het stof van dat onmetelijke land bezig cholera op te lopen of smerige troep te roken om nog verder van haar en zichzelf weg te raken. En Alex, ondanks zijn oude geslachtsdeel dat alleen nog maar op gang kwam als het aangezwengeld werd en niet bij iedere weersoort, Alex was zo gelukkig als wat! Tenminste, dat zei hij. Maar de voorkeur geven aan boeken, bridgen of reizen, niemand maakte Iris wijs dat dat een weloverwogen keuze was. De liefde, dat was alles wat je in staat stelde te blijven leven in deze dwaze, wrede wereld. Ze dacht weer aan Jean-Claude, een vriend van Ivan van wie ze een paar maanden had gehouden, haar eerste 'jonkie', de enige trouwens. Die herinnering gaf haar een hol gevoel in haar maag dat zich in concentrische golven uitbreidde om vervolgens een pijnlijke zuiging diep in haar binnenste te worden. Een vrouw is hopeloos hol. Het is een holte met vlees eromheen. Maar toch moest ze leven met dat gemis gebeiteld in haar vlees.

In Colombo keek Alex voor het eerst naar Betty. In de eufo- rie die was weergekeerd, bij het drinken van pouilly-fuissé in de Mount Lavinia om de terugkeer van de filmmakers te vieren, bij het eten van oesters en gevulde krabben die niet naar het water van de Ganges smaakten, aan de rand van een strand dat nu eindelijk eens gelijkenis vertoonde met hun dromen over zuidelijke zeeën, merkte hij plotseling op dat Betty echt de ogen van een jong meisje had, tenminste zoals hij zich die voorstelde, heel lichte ogen zoals op die oude daguerreotypen waarop beige vrouwen er altijd ver- rukkelijk lieflijk uitzien; en verder een puntige kin maar heel ronde wangen en een teint die niet bruiner werd dan een abrikoos. Hij hield niet van al die donkere vrouwen aan de Côte d'Azur en hun verbeten wedloop om bruin te wor- den. Iris werd purper. Hij zag aan het strand liever een blan- ke huid, een echte, die niet op schoenleer leek. Maar Iris bleef volhouden haar bikini op te rollen en de beha die haar zware borsten ondersteunde naar beneden te schuiven tot aan haar tepels, die bij haar ook donker en heel korrelig wa- ren. Eigenlijk had hij altijd alleen maar gehouden van vrou- wen met kastanjebruin haar en roze borsten. De borsten van Nausicaä. Hij was met Iris getrouwd vanwege een voor- oordeel, omdat hij domweg net als iedereen steeds maar zei dat de Slavische charme onweerstaanbaar was. Arme aca- demicus die hij was, was hij het slachtoffer geworden van de macht van het woord en was hij als een vlieg gevallen voor die vrouw wier accent in hem heimwee naar een nu

Benoîte Groult

teloorgegaan Rusland wekte. Met haar had hij in één keer
De kersentuin, de steppe, de orthodoxe overdadigheid, de
sparrehouten hutjes, de belletjes van de sleden in de
sneeuw en ook Tolstoj gehuwd; kortom, de Russische ziel.
Dat alles had hem al heel snel bang gemaakt. In de praktijk was hij niet geschikt voor grote ruimtes, noch voor die
vrouwen die een tragedie voor zichzelf zijn en daar voldoening in vinden. Maar hij was haar tot nu toe trouw gebleven
uit genegenheid, en ook uit zwakte en omdat het zijn aard
was het niet ergens anders te zoeken.
Betty sprak met hartstocht over India. Al lange tijd had hij
niet meer het verlangen gevoeld een mond te kussen; niet
te kussen trouwens, maar zachtjes aan te raken, met zijn
vingers over het ronde, puntige gezicht te strijken, over die
heel slanke hals waarin kleine beige haartjes krulden, heel
simpel en niet erg overvloedig, als de haartjes van heel jonge kinderen. Die meisjes met een heel lange hals zijn aandoenlijk...! Waar deed het hem aan denken? O ja: aan de
koloniale tentoonstelling... die heel mooie negerinnen met
die op elkaar gestapelde halsringen waardoor hun hoofd
abnormaal hoog kwam te staan en ze heel klein leken. Pot-
verdikkie! Betty was misschien nog niet eens geboren toen
hij de koloniale tentoonstelling had gezien! Hij was zelf nog
een jonge man, maar toch...
'Hoe oud ben je precies, Betty?' vroeg hij.
'Zesentwintig,' zei Betty. 'Ik ben geboren in '33.'
'Je bent geboren in het jaar van mijn eerste huwelijk,' zei
Iris alsof ze de gedachten van haar man had geraden.
Iris wekte medelijden bij hem op. Hij was een echtgenoot
van niks voor haar geworden. Hij legde liefdevol zijn arm
om de schouder van zijn vrouw. De pouilly-fuissé bracht
hem op onvoorziene paden.
Ceylon kwam hun allen voor als een paradijs. De kokos-
palmen, adellijke neven van de palmbomen, de vochtige

tuinen vol orchideeën in de vorm van vogels, de degelijk
gebouwde bungalows, de mollige billetjes van de kinderen
– ze waren vergeten hoe rond een kinderbilletje is – alles
leek gelukkig en gemakkelijk en verzoende hen met de gedachte aan geluk. De aanwezigheid van de Engelsen schitterde hier in de vorm van miljoenen, miljarden 'nice cup
o'tea's' die rijpten op alle heuvels van het eiland, die prachtig bebouwd werden en uitsluitend gewijd waren aan deze
heilige taak: de Engelse theepotten vullen. En de Indiase.
De lelijkheid had hier, samen met de rijkdom, haar intrede gedaan. De vrouwen verborgen hun magerte niet meer
onder prachtige katoenen of zijden handgeweven sari's;
hier waren ze dik en goedlachs, met zware achterwerken
die bij een groot gezin horen, verpakt in meters afzichtelijk
roze nylon, dat volop werd geleverd door de sovjetindustrie
en waardoor ze erbij liepen als Hindoewaarzegsters voor
een bazaar op de place Pigalle. Het opzichtige plastic, goed-
koop en niet kapot te krijgen, was overal doorgedrongen en
het leek alsof Ceylon overspoeld was met Bonux-ca-
deautjes, tot aan de tempels van Boeddha toe, die werden
verlicht door koperen lampen met kapjes van waaierplissé,
of TL-buizen die juist dodelijk waren voor het mysterie. Alleen de saffraangele soutanes van de priesters waren nog
van katoen, en hun intelligente gezichten onder hun kale
schedel maakten dat je zin kreeg om boeddhist te worden.
   De *Moana* bleef maar kort in de haven van Ceylon: het
schip begon nu aan de langste etappe van de reis over een
van de meest drukkend hete zeeën van de wereldbol. Maar
alles was aan boord zo zorgvuldig gepland om de passagiers
de afstanden en de wisselvalligheden van het varen te doen
vergeten, dat ze oceanen overstaken zonder het te merken,
terwijl ze in die lichte verveling verkeerden die luxecruises
omgeeft, en iedere ochtend hun tandenborstel weer in hetzelfde glas zagen staan, hun correspondentie afhandelden

aan dezelfde tafel, en, of het nu mooi of lelijk weer was, hetzelfde uit Europa afkomstige diepvriesvoedsel aten in dezelfde eetzaal waar dezelfde kunstmatige temperatuur
heerste, zodat het ten slotte was alsof zij op hun plaats bleven en de werelddelen naar hen toe kwamen, ruziënd om
de eer voor hun ligstoelen te mogen defileren op het trage
ritme dat zeereizen kenmerkt. Wanneer een stad hun beviel, pakten ze die in het voorbijgaan en hielden die vast met
hun anker, om even van boord te kunnen gaan. Daarna lieten ze de stad weer gaan en die verwijderde zich dan langzaam om plaats te maken voor een andere. Zo was Azië na
Afrika gekomen, zonder dat er iets veranderde aan het dagelijks of persoonlijk leven op de *Moana*. Marion vond het
teleurstellend dat zo'n reis zo weinig sporen naliet. Dat was
een naïeve maar hardnekkige gedachte. Hoe kon het dat
een wereldreis maken, die geweldige droom waarvan zoveel harten zijn vervuld, niet meer was dan deze kleurrijke
tocht waardoor er niets fundamenteels veranderde bij haar
of de anderen? Ze klaagde er vaak over tegen Yves. Als ze
dysenterie hadden gekregen in Aden, hun grootzeil hadden
gescheurd midden op de Indische Oceaan, in de gevangenis
waren gegooid in Benares, als ze honger of kou hadden geleden of bang waren geweest, zouden ze deze reis tenminste
beleefd hebben in plaats van bekeken. Maar Yves voelde
zich niet aangesproken, deels omdat hij toch werkte, deels
omdat hij elke dag uren naast de kapitein op de brug doorbracht om zich vertrouwd te maken met het besturen van
die zware witte potvis die de *Moana* was, en ook omdat alleen al de aanwezigheid van de zee, in welke omgeving dan
ook, voldoende was om zijn bestaan te rechtvaardigen.

'Nou, je hebt niet meer te klagen,' zei hij op een dag tegen
Marion. 'De zee is hier altijd kalm, het is alle dagen mooi
weer.'

'Het is geen mooi weer als het alle dagen mooi weer is:

dan is het gewoon *weer*,' antwoordde Marion zoals gewoonlijk kwaadwillig.

In tegenstelling tot Yves kon ze er slecht tegen tegelijkertijd zo afgezonderd en zo weinig alleen te zijn. In hoge mate irriteerde de aanwezigheid van Iris haar, want zij zette eeuwig en altijd met al haar gesprekspartners dezelfde conversatie voort en er was niets wat erin slaagde haar te verlossen van zichzelf. Zelfs India was maar heel even doorgedrongen tot haar bewustzijn, het toneel waar zich onafgebroken een uniek drama afspeelde, haar eigen drama waarvan je, op haar uitnodiging, de machteloze toeschouwer mocht zijn. Gelukkig was de aanwezigheid van Jacques een heel aangenaam gevoel voor haar. Dat is het voorrecht van sommige oude vriendschappen, dat ze niet beïnvloed worden door meningen, kritiek en allerlei wederwaardigheden. Jacques kon afgrijselijke meningen verkondigen, zich slecht gedragen, juist met die ideeën aankomen die bij machte waren Marion op stang te jagen, dat maakte allemaal niets uit want hij was boven alle kritiek verheven. Wat ze bij een nieuweling nooit zou hebben toegestaan, daarnaar luisterde ze bij hem met geamuseerde welwillendheid en des te meer plezier omdat ze wist dat ze zich daarmee een zeldzame luxe veroorloofde: de luxe toegeeflijk te zijn. Het was ook prettig om te bedenken dat ze op welk moment dan ook haar hand maar even op die van Jacques hoefde te laten rusten of hij zou antwoorden: present!

Hij had in Colombo bericht uit Frankrijk gekregen. Patricia was geopereerd en alles was goed verlopen. Zijn oudste zoon had loopgips en ging weer naar het lyceum. Maar al dat nieuws leek hem niet echt te raken.

'Ik ben net een kind dat op vakantie is,' had hij tegen Marion gezegd. 'Ik wil zelfs niet denken aan het begin van het nieuwe schooljaar. Dan is het alsof ik weer naar mijn kostschool terug moet.'

'Maar wat ga je nu eigenlijk doen?' zei Marion.

'Ik zeg je dat ik er niet aan wil denken,' antwoordde Jacques. 'Ik voel me niet in staat een beslissing te nemen en aan de andere kant, als ik bedenk dat ik weer op dezelfde voet zal moeten doorgaan... dan jaag ik net zo lief een kogel door mijn kop. Dus ik weet het niet. We zullen wel zien als we met onze rug tegen de muur staan.'

'Maar Patricia dan?' drong Marion aan. 'Houd je nog van haar...? Of helemaal niet meer?'

'Van Patricia houden, wat betekent dat?'

Van Patricia houden betekende dood zijn. Vader zijn. Tandarts zijn. Verantwoordelijk zijn. Veel geld verdienen.

'Ik zou best met je willen vrijen,' zei Jacques, die moest huiveren bij al die herinneringen.

'Omdat je niemand anders hebt aan boord,' zei Marion. 'Wacht maar tot de eilanden van de Stille Oceaan, dan wil je helemaal niets meer met mij!'

'Weet je dat ik nog steeds van je houd?' zei Jacques.

'Ja hoor, dat weet ik. Een beetje.'

'Al zo lang een beetje, dat is bij elkaar een heleboel!'

'We vinden het leuk om dat af en toe tegen elkaar te zeggen,' antwoordde Marion, 'maar je weet best dat we nog geen week achtereen samen zouden kunnen leven, al was het de goede week... dat herinner je je toch wel...'

'Ik heb het niet over leven, ik heb het over houden van.'

'In dat geval houd ik ook van jou, jongeman.'

'Nou dan?' zei Jacques.

'Je bent een echte baby,' zei Marion, terwijl ze hem een kus op zijn goudblonde slaap gaf, 'tot alles bereid omdat hij niets te doen heeft. Wat wij samen hebben is heel wat anders dan liefde.'

Ze bleven schouder aan schouder over de achterreling gebogen staan terwijl ze naar het onstuimige kielzog van de boot keken. Ik zou nog liever daarin springen dan dat ik weer rustig terugkeer naar de rue du Mont-Valérien in Saint-Cloud, dacht Jacques, die niet het geringste verlangen had er een eind aan te maken. Intussen had hij overal zin in; in alle vrouwen op aarde behalve in de zijne – de wereld zit toch raar in elkaar – in vissen, jagen, reizen, in jong zijn vooral, ja, in jong zijn. En wat belette hem om twintig te zijn en alle vrouwen van de wereld te bezitten behalve Patricia?

Op de Arafura Zee werd de hitte algauw verstikkend. Op volkomen glad water dat glinsterde als kwikzilver bracht de *Moana* met veel moeite een beetje schuim teweeg dat lange tijd in het kielzog bleef drijven. Aan de horizon waren in een nevel van hitte vaag de Sunda-eilanden te zien die bedekt waren met dichte oerwouden en waarboven een gewelf van wolken hing in dezelfde vorm als de eilanden. Ten zuiden van Singapore kwamen ze op het zuidelijk halfrond en om aan te geven dat ze de evenaar passeerden, moesten ze meedoen aan die grappenmakerij die zeelui, die allemaal bijgelovig zijn, zo vreselijk belangrijk vinden. De machines werden stilgezet, er werd Bengaals vuur afgestoken en de bemanning, die zich afschuwelijk had uitgedost als 'Neptunus met zijn gevolg', dook brullend op uit de sloepen die in zee waren neergelaten, om de passagiers met ketchup in te smeren onder het uitspreken van de rituele formules die hoorden bij de liniedoop.

Die avond vond Alex voor de tweede keer dat Betty mooi was. Ze droeg voor de ceremonie een witte, met goud geborduurde sari die haar maagdelijke uiterlijk accentueerde. Haar schouderbladen staken een beetje door de zijde heen, wat Alex ontroerend vond. Ze had geen sieraden, wat hij mooi vond, en haar lichte ogen leken melancholiek, wat hem aanmoedigde met haar te gaan praten. Maar hij voelde zich oud en hij was van de oude stempel, dus stelde hij zich ermee tevreden haar te vertellen over Bali, waar ze niet konden aanleggen vanwege de politieke toestand, en zich te verschuilen achter Baudelaire, Loys Masson en Supervielle... Hij citeerde gedichten over de Trieste Tropen, hoewel hij een beetje bang was dat ze hem belachelijk zou vinden. Je kon moeilijk gedichten opzeggen voor een vrouw van over de dertig, dacht hij in zijn absolute gebrek aan psychologische kennis, en Betty was niet meer echt een meisje... Hij was bang om schools te lijken, maar eigenlijk was hij dol op zijn schooltijd en Betty bracht hem er dichter bij. Hij zei niets bijzonders tegen haar maar dacht een deel van de nacht aan haar als aan de dochter die hij had willen hebben. Dat maakte hij zichzelf tenminste wijs.

De eerste is geheel van zilver
En haar trillende naam is Pâline...

dacht hij steeds vertederd bij zichzelf, en daarbij kon hij niet nalaten de volgende versregels op Iris te laten slaan, met een werkelijk gemeend maar nutteloos gevoel van medelijden:

En de zevende put zich uit
Een vrouw, een dode roos...

Hij wist nog niet dat ook hij zojuist een grens was gepasseerd.

Die nacht kwamen er twee vliegende vissen binnen door het raam van zijn kamer en belandden zielig op het tapijt, grote sardines met de vleugels van een libel.

De temperatuur schommelde nog steeds tussen de dertig en veertig graden: de lucht bleef dreigend en grijs, de zee grijs en dreigend, de zon onzichtbaar maar drukkend, en de passagiers, die uitgeput waren van het nietsdoen, sleepten zich voort in een ondoorzichtige materie, iets tussen lucht en water in. Het was ook iets tussen vriendschap en irritatie in wat maakte dat ze chronisch slechtgehumeurd met elkaar omgingen, een toestand die echtparen goed kennen maar die minder gewoon is bij vrienden, die zelden gedwongen worden voortdurend in elkaars nabijheid te verkeren. Toch voeren ze duidelijk van de evenaar weg en de Arafura Zee vermengde zich langzaam maar zeker met de Koraalzee, die onstuimiger en blauwer was.

Nadat ze zestien dagen en zeventien nachten hadden gevaren over een zee die aan een woestijn deed denken, kregen ze toen ze eindelijk land zagen op wonderbaarlijke wijze weer de smaak te pakken. Het was een heel groen en fris eilandje, een voorpost van het enorme continent van het zuidelijk halfrond, en na al dat water zagen ze allemaal dankbaar dit stukje vaste grond naderen waarop ze eindelijk hun voeten zouden kunnen neerzetten zonder dat er een boot aan te pas kwam.

Een gemotoriseerde prauw was zojuist van Thursday Island vertrokken om hun een loods te brengen. Vanaf Port Said waren ze in havens altijd begeleid door loodsen met een min of meer olijfbruine huidkleur. Degenen die van bovenaf keken naar de inlander die nu de valreeptrap beklom, kregen een vuurrood hoofd te zien. Zo hadden ze helemaal naar het andere einde van de wereld moeten reizen om die vlammende kleur weer te zien, die van zo ver was gekomen, dat blanke bolwerk, en wat voor een blankheid, de meest fragiele, doorzichtige blankheid, die ongepast was op een halfrond dat normaliter was bestemd voor de kleuren geel, rood of zwart.

De kapitein kende dit deel van de wereld goed: nu, voorbij Kaap York, zou volgens hem het sublieme varen beginnen, in een van de minst bevaren en minst bevaarbare zones van de wereld, die echter zo mooi was dat je hart ervan ineenkromp omdat er niets was veranderd sinds de tijd van fabelachtige zeevaarders zoals Torrès, Entrecasteaux, Cook en Lapérouse, die juist daar in de buurt was opgegeten. De *Moana* zou naar het zuiden afzakken met aan de rechterkant de Australische kust die bergachtig en volkomen maagdelijk was, en aan de linkerkant het Groot Barrière Rif: drieduizend kilometer eilanden te kust en te keur, die stuk voor stuk een paradijs waren, bebost of kaal, met stranden of rotsen, hoekig en woest of lieflijk en gastvrij, laag of hoog, sommige schaars bewoond, en de gevaarlijke, eindeloze, nauwe doorgang afbakenend die de ontdekkingsreizigers uit de zeventiende eeuw hadden gevolgd op hun te logge, slecht bestuurbare schepen, met een bemanning die was gedecimeerd door de scheurbuik, omringd door gevaren waarvan de aanwezigheid van Kanaken met onbekende bedoelingen niet het minste was, tot ze eindelijk bij dat zeegat waren, die zeestraat die hen redde uit de paradijselijke hel en die ze soms hun naam konden geven in ruil voor hun ziel en zaligheid.

Ze hadden moeten aanleggen. Maar waarom liever op de ene plaats dan op de andere? Bovendien was Tahiti, waar Yves het belangrijkste deel van zijn film zou opnemen, nog ver weg. En de hitte van de Arafura Zee was voor Iris moeilijk te verdragen geweest. Ze wilde haar hut niet meer uitkomen ondanks het aandringen van Alex, waarbij ze tegen degenen die probeerden haar te overtuigen, verklaarde dat ze al heel wat van de wereld had gezien en dat al die eilanden hetzelfde waren.

'Ik ben het volkomen met je eens,' zei Tiberius. 'Het mooiste eiland van de wereld kan niet meer geven dan het heeft!'

Iris haalde haar schouders op: Tiberius irriteerde haar nog meer dan alle anderen. Wat was een prachtige dag nou eigenlijk voor haar die zichzelf in alle jaargetijden wel op zo'n dag kon trakteren, die naar de Canarische Eilanden of de Bahama's of ergens anders heen kon vertrekken, overal waar prachtige dagen werden gesignaleerd? Dat was noch een wonder, noch een geschenk. Maar gewoon een beslissing die je kon nemen, iets wat altijd mogelijk was, afhankelijk van haar bankrekening, in de vorm van bankbiljetten, onder andere mogelijkheden, huizen, juwelen, schilderijen, alle aardse zaken. Eilanden, tempels en feesten waren niet meer dan onderling verwisselbare bankbiljetten. Alle dromers dragen hun eiland in de zuidelijke zeeën met zich mee. Toen ze langs het Groot Barrière Rif voeren, herkende Alex het zijne en hij kon er geen weerstand aan bieden: de *Moana* wierp het anker uit. Dit was het, helemaal rond, met witheet zand waar al sinds eeuwen niemand een voet had gezet, hij wist het zeker... Het werd omgeven door een krans van kokospalmen: daaraan had je genoeg om te eten, te drinken, je te kleden en beschutting te vinden. Lege schelpen, van het soort dat, zo duur en zo triest, te koop ligt in de etalages van de natuurwinkels in Parijs, vlothout dat van de beste kwaliteit leek te zijn, witte skeletten van onbekende dieren, van een materie die door het zout en de zon was veredeld, lagen overal verspreid over het strand, dat een gebogen vorm had als van gespreide armen. Je had niet het recht hier anders dan naakt te zwemmen, naakt als de zon en het zand, naakt als het water.

Ze roeiden de sloep naar de kust: Alex weigerde de motor aan te zetten in de buurt van zijn eiland waar zelfs de stilte mooier was dan ergens anders. Bijna eerbiedig gingen ze zwemmen. De schemering bestaat niet in de tropen, het daglicht dooft plotseling uit. In korte tijd verdwijnen de kleuren en het landschap wordt zilverachtig voordat het grijs en wit wordt onder de sterren die algauw beginnen te flonkeren.

Benoîte Groult

De eerste is geheel van zilver
En haar trillende naam is Pâline,

zei Alex nog eens liefdevol bij zichzelf terwijl hij naar Betty keek, en alleen naar haar, hoe ze de zee inging waarbij ze schitterend schuim deed opspatten, en hoe het leek alsof ze was geboren uit dat eiland, zijn eiland, even zuiver als een kokospalm, een schelp, een waterdruppel. Het was de laatste keer dat Alex haar mooi vond. Daarna kreeg hij zin in haar en beoordeelde hij haar niet meer: het was het zwaard Pâline, het had zijn hart doorkliefd.

Vanaf het bovendek van de *Moana* sloeg Iris het tafereel vanuit de verte gade, en vroeg zich af waarom ze zin had om dood te gaan. In ieder geval was er voor haar geen plaats op dit eiland. Vanaf het eerste ogenblik wilde ze niet meer naakt zwemmen; en hoe mooier het landschap was, hoe meer ze zich er misplaatst voelde. Bomen zien er nooit te oud uit, vissen en wilde dieren ook niet, dacht ze, waarom waren alleen mensen behept met zo'n langdurige lelijke ouderdom die de helft van hun leven in beslag nam? En waarom leken oude mannen altijd minder weerzinwekkend, minder afkeurenswaardig? Buiten hun korte vlinderperiode was de wereld voor vrouwen niet geschikt, en door een wrede omkering van het gebruikelijke proces begonnen ze als vlinder en werden ze dan plotseling veranderd in rupsen en beroofd van de vleugels en de schoonheid die zo kostbaar waren. En dan hebben echte rupsen nog het vage voorgevoel ooit vlinder te zullen worden... Iris voelde alleen maar schaamte en angst bij de gedachte aan wat er van haar zou worden. Ze streek met haar hand over haar buik in wat voor haar een gewoontegebaar was geworden: slap en week als een rups. Rupsenborsten. Op zekere dag zouden ze haar, zonder er acht op te slaan, vertrappen als een rups. Er bleef haar niets anders over dan zich te verschuilen, als een dier waarmee niemand iets te maken wil hebben.

HET GALLIA-SCHRIFT

Elfduizend mijl afleggen, een ander halfrond bereiken en helemaal bij de antipoden van Parijs aankomen, om dan te belanden in de minst poëtische, minst exotische, minst uitheemse stad die je je in je saaiste dromen maar kunt voorstellen! Cairns is een kruising tussen een prefab gehucht uit het Midwesten en het allerarmetierigste Franse dorp, en heeft de schaarse bezoekers niet meer te bieden dan een reeks eentonige, door haaks op elkaar staande straten gescheiden huizenblokken, die stuk voor stuk een winkel voor Ladies bevatten, waar aan hangertjes stijlloze, leeftijdloze jurken hangen, en een hoedenwinkel, waar in keurige stapels honderden beige Anzaks met brede rand staan opgesteld, het verplichte model voor de avonturier. Zuivelwinkels die op klinieken lijken, cafés die op zuivelwinkels lijken, niets te koop, geen enkel plaatselijk of ambachtelijk produkt behalve de 'Souvenirs van het Groot Barrière Rif', blokken koraal die met onfeilbaar gebrek aan smaak pistachegroen of roze zijn geschilderd en in sigarenwinkels worden verkocht onder de afschuwelijke benaming *curios.* Op straat een enkele Tasmaniër die de mensenjacht van de vorige eeuw heeft overleefd. Een geslaagde vorm van anticonceptie door middel van geweerschoten.

Door de intense hitte in die meedogenloze straten, waaruit alle groen was verbannen opdat het er netter uitzag, werden we vanzelfsprekend naar een bar in de hoofdstraat gedreven.

'*Six beers, please,*' zei Alex duidelijk.

De baas, een opgeblazen kolos die dacht dat hij een man was, kwam met een laatdunkende blik naar ons toe en deelde mee dat in Australië geen alcohol werd geschonken aan dames, en aan minderjarigen trouwens ook niet.

'En aan honden?' vroeg Tiberius.

De dames verklaarden dat ze wel uit het glas van hun man zouden drinken. De baas verduidelijkte dat vrouwen en minderjarigen evenmin het recht hadden te gaan zitten in een bar, ook al namen ze geen consumptie. Dat is de wet, zei hij zelfvoldaan. Het enige wat ze konden doen, was op het gloeiendhete trottoir gaan wachten tot degenen die een aanhangsel tussen hun benen hadden, hun legitieme dorst hadden gelest. Dat was de eerste keer dat ik het jammer vond geen travestiet te zijn: dan had ik mijn rok opgetild, mijn broekje naar beneden gedaan en mijn orgaan op tafel gelegd met de woorden: 'Een biertje voor hem, alstublieft.'

Betty probeerde het met een Parijse glimlach. Die stond in dit land slecht aangeschreven.

'In "puritain" zit een in tweeën gehakte "putain"'[1] zei die imbeciel van een Tiberius.

Iris, die niet gewend was gedwarsboomd te worden door mensen die ze als ondergeschikten beschouwde, werd woe-

---

1 putain: hoer

dend en zei tegen de eigenaar van de bar dat Frankrijk met dat hele Australië zijn reet afveegde! Het gezicht van de Australische despoot kreeg dadelijk een kleur van deugdzame verontwaardiging die hem sterkte in de overtuiging dat de wetgevende macht zich niet had vergist door zulke beesten het bierdrinken te verbieden. De beesten stonden dus weer op het trottoir, want de ober weigerde de mensen te bedienen voordat de vrouwelijke monden buiten bereik waren.

'Kop op, vrouwen,' zei Tiberius joviaal toen hij een paar minuten later de bar uitkwam met een snor van schuim op zijn lippen, 'maak je niet druk: ik hoorde dat negers hier ook niet worden toegelaten!'

'Australië heb ik wel gezien!' liet Iris weten. 'Zullen we weer aan boord gaan? Anders vermoord ik zo meteen nog iemand...'

Maar we wilden graag van het beroemde Australische rund proeven, dat, na de runderen van Kobe die alle dagen in hun wei worden gemasseerd om het vlees malser te maken, naar het schijnt het mooiste rode vlees ter wereld voortbrengt.

'Merkwaardig dat ze jullie toestemming geven om rood vlees te eten,' zei Tiberius. 'Daar word je strijdlustig van. Ik zou deegwaren aanraden...'

Het vrolijke hotel Impérial zag er aan de buitenkant uit als een kazerne; we gingen naar binnen. In de enorme eetzaal, die was betegeld als een ziekenzaal, zat aan een tafel een gezelschap oude Australische vrouwen, met op hun hoofd breedgerande hoeden overdekt met kersen en kolibries, en aan hun voeten pastelkleurige pumps, kreetjes te slaken als kleine meisjes. Er gaat niets boven oude Engelssprekende vrouwen als het eropaan komt clubjes te vormen waarin ze zich gedragen als kostschoolmeisjes die eindelijk uit het pensionaat zijn ontsnapt! Op het menu stond Tournedos Rossini, precies waar we zo naar verlangden.

'*Underdone*,' benadrukten we tegenover de eerste kelner. '*Very red, please.*'

'*Not like zat,*' voegde Tiberius eraan toe, terwijl hij wees naar de grijze plakjes, nog dunner dan sigarettenvloei, die in een melig sausje dreven op de borden van de Australische dames, die steeds opgewondener raakten door hun vruchtesap.

Toch kregen we 'zat' op ons bord, een 'zat' dat naar Europese maatstaven – en dan heb ik het natuurlijk over het vasteland – alleen vergelijkbaar was met gedroogd ezelvlees dat een jaar ergens achter een radiator heeft gelegen.

'Deze keer stappen we op, jongens,' zei Iris. 'We gaan naar de overkant.'

Aan de overkant zat La Nouvelle-Calédonie, het onze, waar Frans werd gesproken en gegeten en waar Franse vrouwen hun dorst konden lessen zonder aan hun geslacht te denken.

We waren van plan die avond nog het anker te lichten, zodra we onze post, die poste restante arriveerde, hadden opgehaald. We wilden dat vierkante stadje niet meer zien, met langs de rivier de mangroven die deden alsof ze exotisch waren. Maar we vergaten de voorschriften, die het voor elkaar kregen de pleziervaart bijna even onplezierig te maken als autorijden: we moesten wachten op het medisch onderzoek dat nu op zijn vroegst de volgende ochtend kon plaatsvinden.

De Australische ambtenaar die ons zestien uur later opzocht, weigerde, in tegenstelling tot zijn Indiase collega, interesse te tonen voor onze polsslag, maar bekeek zorgvuldig onze handen, waarbij hij onze vingers één voor één spreidde op zoek naar eventuele uitslag.

'Dokter, ik heb een rare puist in mijn lies,' zei Tiberius in het Frans tegen hem. 'Het zou me niks verbazen als het een pestbuil was...'

'O, Tiberius, alsjeblieft,' onderbrak Iris hem. 'Geen grappen waardoor we hier misschien nog een dag langer moeten blijven.'

Gelukkig had de dokter van Cairns wat de pest betreft geen instructies gekregen en sprak hij geen Frans. Hij tekende voor onze invrijheidstelling.

'Kapitein, lieverd, we vertrekken vanavond nog,' zei Iris tegen de kapitein die de salon binnenkwam.

'Dat zou me verbazen,' zei de kapitein, en hij overhandigde haar het speciale bericht dat Radio Sydney zojuist had uitgezonden.

'Verwacht wordt een cycloon,' las Iris hardop. 'Luchtdruk in het centrum: 945 millibar. Wind van orkaankracht tot 200 zeemijl vanaf het epicentrum. Maximaal kracht 14...'

'Dat wil zeggen tachtig à negentig knopen,' verduidelijkte de kapitein.

'... De depressie ontstaat in het oververhitte binnenland van Australië en begeeft zich met een snelheid van ongeveer 20 knopen in de richting van Queensland, intussen in kracht toenemend.'

Queensland, dat waren wij. Als we in de haven bleven, legde de kapitein uit, zelfs al zouden we niet van onze kabels losslaan, dan nog zouden alle boten gevaar lopen op elkaar gesmeten te worden. We konden niet naar het oosten vluchten vanwege het Groot Barrière Rif. Er bleef dus maar één oplossing over: niet al te ver weg een verlaten baai vinden, die door eilanden beschut werd tegen de sterke deining die ongetwijfeld zou ontstaan, een baai die zo groot was dat we de *Moana* konden vertuien over een afstand van verscheidene honderden meters ankerketting, om de herhaalde klappen op te vangen. Als we de motoren op volle kracht lieten draaien en met de neus in de wind lagen, hadden we een goede kans dat onze ankers het zouden houden.

Aangezien de snelheid van de cycloon twintig knopen bedroeg en die van ons vijftien, hadden we maar net genoeg tijd om er in zuidelijke richting vandoor te gaan.

'En als we nu eens in hotel Impérial gingen zitten met het materiaal, om het te beschermen?' suggereerde Tiberius. 'Ik ga nog liever dood,' zei Iris.

We waren niet ongerust, nee, maar we vonden plotseling dat er een eigenaardige drukkende warmte heerste! In noordwestelijke richting was aan een duidelijk begrensd stukje van de hemel een inktzwarte wolk ontstaan waaruit het pijpestelen regende, waar de zon dwars doorheen scheen zoals de stralen van het Heilig Hart op communieprentjes. In dat deel van de wereld lijkt de hemel zo groot dat er zich vaak verscheidene dingen tegelijk afspelen.

Het werd donker en we zouden juist afvaren toen we hoorden dat de cycloon nu op ons afkwam met een snelheid van vijfentwintig knopen en ons dus zou inhalen voordat we Heyman Island hadden bereikt, de schuilplaats die de kapitein had uitgekozen. De rode vlag was trouwens zojuist gehesen bij de ingang van de haven: we konden geen kant meer op. Ik voelde stiekem een soort voldoening als een ondeugend kind dat in een al te geregeld leven hoopt dat er een ongeluk gebeurt, voor de sensatie... Ik stelde me een *Moana* voor die op zijn zijkant lag, zodat de salon eindelijk zijn waardige karakter zou verliezen, de afschuwelijke fauteuils uit onze slaapkamer zouden wegdrijven, de keukens vernield zouden worden, en wij in een sloep naar een eiland zouden varen waar je eendemossels zou moeten eten en hout zoeken om vuur te maken. Dan zou ik eindelijk eens kunnen laten zien wat ik kon! Je geniet graag van de gedachte dat je een fantastische Robinson zou zijn.

Maar helaas was de barometer de volgende dag weer gestegen. We begonnen de kapitein boos aan te kijken. Waar bleef die orkaan nou? We hadden het programma, nu wilden we de voorstelling.

'Cyclonen,' zei de kapitein met een rancuneuze blik in de richting van de aanwezige dames, 'zijn, net als vrouwen, onvoorspelbaar.' De onze ging niet harder meer dan drie knopen en was zojuist weer van richting veranderd. Maar hij kon ieder ogenblik op zijn schreden terugkeren of integendeel drie dagen lang boven ons komen rondcirkelen. Er bleef ons niets anders over dan de grillen van het monster af te wachten, terwijl we vastzaten in de saaiste haven van het saaiste land ter wereld. En we konden niet meer van boord gaan in Cairns, want dan liepen we het risico dat we een tweede medisch onderzoek moesten ondergaan! Dus besloten we, omdat we nu eenmaal gevangen waren, bij elkaar in de salon te gaan zitten om samen de post te lezen die we zojuist uit Frankrijk hadden ontvangen, zoals onder gedetineerden uit dezelfde cel een pakje wordt gedeeld dat de familie heeft gestuurd. Wat mij betreft, ik had een bericht gekregen dat ik vervelend vond: Dominique schreef me dat ze zwanger was. Het ontbrak er nog maar aan dat ze, zoals toen ze klein was, eraan toevoegde: 'Ik kan het niet helpen, ik heb het niet expres gedaan.'

'Kortom, de aankondiging aan Marion,' zei Tiberius.

En het is waar dat in de eeuw van de atoomsplitsing een kind nog steeds even onverwachts komt als een cycloon, de mazelen of een magische handeling! Het 'hoerenlot', zoals ze in Toulouse zeggen. Het lijkt wel of vrouwen niet geloven in zaadcellen, of zelfs nu nog meisjes niet kunnen wachten tot ze die lichamelijke functie mogen vervullen die als enige in staat lijkt hun het gevoel te geven dat ze bestaan! Het is alsof je hen, door hen uit te huwelijken, laat dekken. De bevruchting volgt onmiddellijk op de huwelijksplechtigheid alsof die er het geheime doel van is. In ieder geval is hiermee voor Dominique de studie afgelopen. Je zult nooit dokter worden, schat, maar de ware roeping van de vrouw blijft nog voor je over, dat beroep met een naam die nog ondraaglijker is dan dat wat de naam representeert: je wordt huisvrouw, mijn kind.

We hadden er vaak over gesproken met Dominique en *eerst* was ze het helemaal met ons eens... En dan gebeurt het, al die Amazones worden nog steeds bij de eerste prikkeling zwanger alsof de buik de overhand heeft op de hersenen. De geschiedenis van het stuifmeel en de stamper is helaas het enige werkelijke. Intelligentie, studie, theorieën over vrijheid en gelijkheid zijn voor meisjes niet meer dan bloemblaadjes: ze vallen uit zodra ze hun doel hebben bereikt, het stuifmeel aanlokken op een wat meer sophisticated manier dan door de geur van een krolse kat of een loopse teef.

'En de pil dan?' zei Iris. 'Frédéric is toch dokter!'

'Maar een man uit Toulouse,' zei ik. 'Ten zuiden van de Loire zien ze niet graag dat vrouwen werken of tijd hebben om zich met hun persoonlijkheid bezig te houden. Ze hebben liever mama's...'

Hoeren en mama's, dat is een wereld waarin alles op zijn plaats is, precies uitgestippeld door de Heer. Het beeldige meisje met wie je trouwt, daar wil je gewoon zo snel mogelijk een huismoeder met spataderen van maken, dan blijft ze tenminste thuis. Daar is haar plaats en daar ligt haar *ware* geluk.

'Hoe oud is Dominique?' vroeg Iris.

'Net eenentwintig, de leeftijd waarop je het recht zou moeten hebben om aan jezelf te denken, om bij voorbeeld je studie af te maken.'

'Toch overdrijf je,' zei Jacques. 'Als Dominique zo nou gelukkig is? Patricia wilde zelf met haar studie stoppen toen wij trouwden. En ik heb haar nooit zo gelukkig gezien als met een baby in haar armen. Ze heeft er nooit spijt van gehad dat ze haar rechtenstudie niet heeft afgemaakt.'

'Haar leven is nog niet afgelopen,' zei Iris vals.

Ik had graag een beetje willen schelden op Jacques, van wiens ideeën ik niet goed word, hem eens even in zijn buik schoppen zodat hij weet wat het is... Door de geladen sfeer werd ik ertoe aangemoedigd, maar Yves, die discussies verafschuwt zodra ze interessant worden, stelde voor te gaan bridgen. En dat akelige spel daalde als een loden kap op Alex, Yves, Jacques en Tiberius neer en veranderde hen voor ettelijke uren in doofstommen waar geen land mee was te bezeilen. Weer een dag verknoeid!

De volgende dag was natuurlijk een zondag, zo'n Australische zondag waarop nog minder valt te beleven dan in de Grote Zandwoestijn van Australië en waarbij vergeleken de Engelse zondagen bacchanalen lijken. Het was mooi weer, maar die idioot van een cycloon verroerde zich niet meer. Alex en Jacques wilden op wallaby's jagen, die arme kleine weerloze kangoeroe waar de Australiërs in een jeep achteraan jagen; maar die kangoeroe gaat 's zondags waarschijnlijk naar de mis want die dag mag je niet op hem jagen. Er bleef ons niets anders over dan te doen zoals de Australiërs: picknicken op een naburig eiland dat speciaal voor de zondag was gemaakt en dat ze met een fantasie om te gillen Sunday Island hadden genoemd.

Het was een steriel, clean eiland, gezuiverd van ongedierte en van de inlanders met hun prauwen met uitleggers, een mooi eiland met een marmeren hotel en een onderzeese vitrine om, zonder nat te worden, de koralen en zeeslangen van dichtbij te zien, mooie, goed gevoede, gespierde Australiërs, jonge blonde vrouwen wier neus zorgvuldig met zonnebrandcrème was bedekt, want hun huid was niet berekend op deze streken, en prachtige roze met blanke kinderen, een reclame voor het Westen, vrolijk, onuitstaanbaar en gelukkig. Brioches, buns, witbrood, ham in blik en ingeblikt vruchtesap in het land van de veeteelt en het verse fruit. Geen schadelijk dier te bekennen, zelfs geen vlieg. Het tegendeel van Aden! Alleen wat de zee betrof kon nog geen garantie worden gegeven, en op bordjes werd gewaarschuwd tegen haaien.

's Avonds begonnen we te vinden dat het lang duurde: er werd aan één stuk door gebridged. Het was de eerste keer dat onze boot zich niet als een trein gedroeg en gedwongen was rekening te houden met de elementen... als ik nu niet ging bridgen, zou het er nooit meer van komen... nou ja: dan maar nooit. Bridge en rugby... vooroordelen waaraan ik was gehecht. Bovendien had ik Proust, ook heel interessant. Maar hoe kon je onder die geladen hemel, in de Koraalzee, voor de kust van dat dwaze werelddeel waar één inwoner per vierkante kilometer woonde, terwijl je zat te wachten op een cycloon met de naam Godot, van Marcel Proust genieten? Nou ja, ook deze keer zou ik de verloren tijd niet inhalen. Proust kun je alleen lezen in een dorp met een klokketoren, een apotheek, een notaris, en aan alle kanten korenvelden. Liever mopperde ik om Yves te irriteren, sleepte ik me voortdurend naar de patrijspoorten om te kijken naar een lucht die door bliksemflitsen werd doorkliefd maar zonder dat het regende, en las ik de kranten uit Frankrijk. In l'Atelier werd *L'Oeuf* gespeeld, dat had ik best willen zien. De camelia's zouden wel in bloei staan in Bretagne. Aan land verveelde ik me nooit. Op de *Moana* had ik voor het eerst van mijn leven ontdekt wat verveling is.

Tegen middernacht, terwijl de bridgespelers aan de revanche na de beslissende wedstrijd begonnen, verscheen de kapitein om ons mee te delen dat de cycloon zojuist twee steden had verwoest, Ayre en Bowen, nadat hij Heyman Island, waar wij hadden moeten zitten, had geruïneerd. Hij trok nu weg naar het zuidwesten, met windkracht veertien. We waren vrij: we konden morgen vertrekken.

Toch wilde de kapitein ons graag laten zien waaraan we waren ontsnapt en wat er van een stad overbleef nadat er een cycloon was gepasseerd.

We konden pas in de schemering de baai van Bowen bereiken. Het rook er heel sterk naar omgewoelde aarde en geplette bladeren, zelfs tamelijk ver op zee waar we voor anker moesten gaan, want langs de hele kust was er geen vuurtoren of elektriciteit meer. Er heerste een doodse stilte alsof daar nooit een stad had bestaan.

In de ochtend gingen we aan land kijken, maar er viel niets te kijken. Bowen was met de grond gelijkgemaakt met uitzondering van twee of drie gebouwen van stevig materiaal, de banken, die ongeschonden en symbolisch boven een chaos van plaatijzer, planken en gebroken glas schenen uit te torenen. Geen restaurants, fonteinen of winkels voor Ladies meer. Aan een stalletje in de open lucht verkocht een vrouw fruit en koekjes. Er dobberde niet één boot normaal in de haven: ze waren allemaal gekapseisd, gezonken of op elkaar gestapeld of ook wel heel ver weg in de buitenwijken van de stad terechtgekomen, in een tuin of op het platte dak van een huis. Maar de inwoners leken heel kalm, volkomen berustend in hun jaarlijkse cycloon. De gehavende aanblik die de omgeving bood, was nog ongewoner: van het woud dat de stad omgaf stonden alleen nog kale zwarte staken overeind waaraan geen blad meer zat. Het was alsof er een soort winter van het einde van de wereld in de hele streek zijn intrede had gedaan.

Tiberius had zijn camera meegenomen maar er viel eigenlijk *niets* te filmen, behalve dat woud van skeletten. Die steden van hout en plaatijzer storten bij iedere cycloon als kaarten in en leveren niet eens mooie ruïnes op.

'De wind had een snelheid van meer dan tweehonderd kilometer per uur in het oog van de cycloon,' vertelde de kapitein. 'Bij zulke snelheden houdt niets stand, blijft er niets overeind.'

'Het graf zat in het oog,' zei Tiberius.

'Beslist,' zei Iris, die alle woordspelingen en grappen van

dat individu wilde negeren, 'Australië is na een orkaan even
lelijk als ervoor. Verlos ons hiervan, kapitein, en breng ons
ergens anders heen.' Omdat de cycloon ons ook had bevrijd van de douane, de
politie en de geneeskundige dienst en geen enkele boot
meer in staat was bij ons langszij te komen, konden we ter-
stond de steven wenden naar ons kleine Caledonië, duizend mijl daarvandaan. Nog vier dagen op zee, dat leek me
lang, zelfs op de Koraalzee. Zodra je geen land meer ziet,
lijkt iedere golf verschrikkelijk veel op een andere. 'Je praat
net als Iris,' zei Yves die zich niet hoefde te vervelen, want
hij had een kaakontsteking. Hij had dat voorwendsel aangegrepen om zijn toevlucht te zoeken in de hut met airconditioning waar de film werd bewaard en hij bewaarde er zijn
zieke kies en wat daaromheen zat... dat wil zeggen: niet
veel, want hij is een en al kies.

Hij heeft op dit moment geen zin om met me te praten, ik
werk op zijn zenuwen. Omdat ik weiger te leren bridgen –
ik geef de voorkeur aan klaverjassen dat niet van die quasi
religieuze riten met zich meebrengt – omdat ik, in plaats
van te waarderen dat ik zo bevoorrecht ben om in Australië
te zijn, Kervinicc zit op te hemelen; omdat ik, in plaats van
blij te zijn met het comfort en de ledigheid die me op deze
boot worden geboden, soms terugverlang naar mijn leven
in Parijs. We hebben hier allebei te maken met een cruciaal
probleem dat als het ware ressorteert onder de secundaire
geslachtskenmerken. Yves is lichtelijk geïrriteerd dat hij me
niet in een voortdurende staat van gelukzaligheid aantreft
omdat ik niet meer hoef te koken en geen boodschappen of
wat voor huishoudelijke karweitjes dan ook hoef te doen.
Niet dat ik een hekel heb aan die bezigheden; wat ik zo de-
primerend vind, is dat ze onvermijdelijk deel uitmaken van
mijn levenslot. En dat ik, zelfs vier maanden lang, op de Stille Oceaan rondzwalk, verandert niets aan mijn lot. Dat

wacht op me! Door die fataliteit gaan slachtoffers reacties vertonen die natuurlijk onterecht, maar wel gerechtvaardigd zijn. Telkens als Yves in de loop van die twintig jaar tegen me zei: 'We eten vanavond niet thuis, ben je niet blij? Dan hoef je niets klaar te maken', dacht ik aan het stilzwijgende vervolg: 'Maar morgen begin je natuurlijk weer.' Die vrije uren hebben niets te maken met *de* vrijheid, het zijn vakanties, en nooit doorbetaalde vakanties zoals bij andere werkende mensen.

'Neem iemand die je kan helpen,' zegt de allerinschikkelijkste echtgenoot wanneer ik hem van tijd tot tijd uiteenzet wat mijn standpunt is wat de binnens- en buitenshuis werkende vrouw betreft.

En ik kan hem maar niet uitleggen dat dat gemak het probleem niet essentieel verandert. *Laten doen* door iemand anders is nog steeds *doen*, want er wordt in jouw plaats gehandeld en *jij* blijft titulair en verantwoordelijk! En de enige echte vrijheid is nu juist het *niet verantwoordelijk zijn*! Dat hebben zelfs de allerinschikkelijkste echtgenoten heel goed door, die niet aarzelen zich voor te doen alsof ze onhandig of achterlijk zijn in hun eigen huis en hun toevlucht zoeken in een aandoenlijke onbekwaamheid, waarbij ze zich afvragen of ze het visbestek wel moeten neerleggen terwijl je bezig bent wijtingen te bakken, of hun leven lang beweren zich niet meer te herinneren waar je de blikopener opbergt... terwijl ze, zodra ze de deur uit zijn, weer briljante ingenieurs of topmanagers worden. De besten onder hen menen dat ze het al ver hebben geschopt als ze zich bezighouden met de drankjes of 's zondags de tafel dekken. Al zouden ze het iedere dag doen, dan zou dat nog niets veranderen aan de essentiële onwrikbaarheid van de positie van de vrouw en de man. Want ook al krijgt een werknemer opslag, het wordt nooit een werkgever. En als de werkgever zegt: 'Ik begrijp uw problemen heus wel...' vergist hij zich lelijk. Hij is niet in staat de positie van de arbeider beter te begrijpen dan een mens van het mannelijk geslacht kan vatten wat de huishoudelijke en moederlijke slavernij van een mens van het vrouwelijk geslacht betekent; niet als karwei of als aantal uren, dat is van secundair belang; maar als aantasting van het individu en als onomkeerbare verandering in je persoonlijkheid. Vooral omdat alles ertoe bijdraagt je te doen inzien dat je positie een biologische noodwendigheid is. Onze vrienden zijn veel minder opgetogen over het feit dat ik werk, zonder dat ik daarom onvruchtbaar zou zijn of niet in staat een ei te bakken, dan over het feit dat Yves soms kookt. Dan zijn ze werkelijk opgetogen! 'Hoe bestaat het? Zo'n intelligente man!' zeggen de ogen van de echtgenoten van onze vriendinnen, die zich pas hebben verwaardigd zich bezig te houden met het klaarmaken van een gerecht toen de barbecue in hun tweede huis zijn intrede deed, een manier van koken die een alibi verschaft voor hun ijdelheid omdat die doet denken aan de prehistorische jager die terugkeert naar zijn hol en daar de bizon die hij zojuist heeft gedood op het vuur werpt waarbij zijn vrouwen nederig in de weer zijn.

Kortom, Yves had de pech om vriendelijk tegen me te zeggen: dat is geweldig voor jou, hè, om zo lang helemaal geen huishoudelijk werk te hoeven doen, en ik antwoordde hem dat dat nog maar hooguit vijf of zes weken zou zijn en dat ik het huis met Pauline in belabberde staat zou aantreffen, dus toen herhaalde hij deze keer iets minder vriendelijk: ja, maar op het ogenblik is het toch geweldig, en ik zei *och*, omdat ik die dag zin had om humeurig te zijn, en hij vroeg me steeds minder vriendelijk of ik er spijt van had deze cruise te hebben gemaakt, en daarop zei ik dat ik het altijd afschuwelijk had gevonden als een luie parasiet te leven, en hij wees er op ronduit ijzige toon op dat ik in Parijs klaagde dat ik genoodzaakt was dwangarbeid te verrichten, en wat ik daarop antwoordde weet ik niet meer maar het was ongetwijfeld iets vervelends maar hij zei niets terug omdat discussies met hem helaas plotseling ophouden, en hij ging zichzelf opsluiten, met een acceptabele smoes, de kaakontsteking, en sindsdien zijn we koel tegen elkaar. Maar ik geloof dat het hem wel goed uitkomt. Je moet niet vergeten dat Yves sinds een jaar een man is wiens hart in het gips zit, en dit gezelschap waaraan we voortdurend zijn overgeleverd, aan tafel, aan land en aan boord, en dat mij verschrikkelijk zwaar valt, is voor hem een nuttige barrière tegen mijn aanwezigheid die al te werkelijk is tegenover de afwezigheid van Yang. We hebben zelden momenten van echte intimiteit. Maar alles is bij hem een kwestie van het moment: je zou als een tijger boven op hem moeten springen...

'Dat zien we later wel, als je het goedvindt,' zegt hij op kwijnende toon telkens als ik ongelegen kom, en daarbij werpt hij me een blik toe als van een gewonde die kijkt naar een voddenraapster die hem komt afranselen met haar smerige haak.

Maar op zekere dag zal hij uit dat gips komen, zoals wij ten slotte uit dat Groot Barrière Rif zullen komen, dat drie keer zo lang is als Frankrijk, en waarvan de schoonheid ons op den duur, net als de ellende in India, is gaan vervelen. Hadden we maar twee zulke eilanden ergens voor de Franse kust, al waren het er maar twee! Wat een opwinding en sensatie zou dat teweegbrengen! Maar na honderdduizend paradijzen zijn we nu blasé, en we kaarten, lezen of mopperen in plaats van onze ogen de kost te geven bij die meesterwerken die we toch niet zo gauw zullen weerzien. Er is bij een mens maar een smalle marge tussen te veel en te weinig, tussen bewondering en verveling.

Langzaam maar zeker krijgen we ander water: het jadegroen van de Koraalzee met haar zandbodem gaat over in het marineblauw van de diepe Stille Oceaan en de deining wordt majestueus en weids, de voorbode van een grote oceaan. We zijn de steenbokskeerkring gepasseerd en de thermometer is naar achtentwintig graden gedaald, de laagste waarde sinds drie weken. Is het door die betrekkelijke koelte of door het feit dat we binnenkort in Frankrijk aankomen dat we weer opleven en opeens weer vrolijk en goede vrienden zijn?

Op 21 februari komt eindelijk, heel hoog aan de horizon, omgeven door een enorme kraag van wit, brullend schuim, ons Nieuw-Caledonië in zicht, zo ver van het moederland. We hopen allemaal in onze onnozelheid dat de eerste Fransman die we na die lange rondreis door Engels gebied tegenkomen er niet uitziet als een beschonken, slonzige, pietluttige douanebeambte. Ik herken weer die angst dat degene van wie je houdt zich niet van zijn beste kant zal laten zien, zoals in de tijd dat Pauline en Dominique bij de jaarlijkse uitvoering van de school hun stukje speelden voor het ergste publiek, de ouders van de anderen!

'Echt een schatje!' roept Iris uit als ze onze eerste Fransman aan boord ziet klimmen, een klein rond kereltje met een alpinopet op, dat praat met zijn handen... en met een zuidelijk accent. 'De karikatuur overtreft de werkelijkheid, zo zou je hem hebben getekend!'

De haven van Nouméa zou je ook zo hebben getekend, met haar schaduwrijke boulevard, haar cafés met terrasjes, haar vertrouwde figuren: de douanebeambte, de postbode, de zeeman, de politieagent en de slenteraars. De kapitein was al verscheidene keren in de haven van Nouméa geweest en om zijn terugkomst te vieren, hadden zijn vrienden een Kanaakse aubade voor hem georganiseerd: een stuk of tien enorme negerinnen in 'missie-kleed', wijde seksloze jakken, ontworpen door de nonnen, stonden op een podium gegroepeerd en brulden kerkliederen te midden van het geraas van de motoren en de vreugdekreten.

'Je ziet, Iris,' zei Yves, 'de karikatuur blijft de werkelijkheid overtreffen, zoals het harmonieuze gezang van deze opwindende Tahitiaanse schonen laat zien...!'

De stormloop begon meteen, zoals op elk eiland in de Stille Oceaan als er een boot arriveerde. Alle vrouwen die naar de haven hadden kunnen komen, verspreidden zich over het dek en in de hutten, waarbij ze iedereen voor alle zekerheid op de mond zoenden, dat is altijd leuk, met de smoes dat ze op zoek waren naar de mond van de kapitein en van de matrozen die ze kenden. Alleen de Kanaakse zangeressen, die onverbiddelijk aan land werden gehouden door twee nonnen die op hun hoede waren, gingen door met krijsen, omdat hun verboden werd hun vreugde op een meer lichamelijke manier te uiten.

Een uur later was er niemand meer aan boord, behalve de pechvogels die dienst hadden. Iemand had slakken met knoflookboter gezien bij de Marsupilami... iemand anders had ons allemaal uitgenodigd voor de lunch, voor het avondeten, om te komen slapen... we renden over de kade, opgewonden als kinderen wanneer de school uitgaat. We moesten zo snel mogelijk knapperig brood hebben, bourgogne en camembert. We verzuchtten: 'Ach, stokbroden in de etalage... O, kijk, daar, een echte kroeg... Hé, al die kleine Dauphientjes!', als debielen.

In het restaurant kregen we onze slakken met knoflookboter, in grote, puntige, beige schelpen; maar er zat wel hetzelfde beest in, en zijn grijze neutrale vlees wasemde heerlijke geuren uit. En pastis op het terras. En grappige verhalen van de eigenaar van het restaurant. En verder ik weet niet wat in de lucht, de geur van patates frites misschien, maar het rook Frans. Toch ben je op het water nooit thuis! Iedereen keek vertederd naar zichzelf: zijn wij dit?

'Hé, jij daar in de verte, lief moederland! Je bent echt onze

moeder, weet je, en hier zijn we thuis.' En er gaat niets boven een huis als je families met elkaar wilt verzoenen.

II
NOUMEA – TONGA:
1104 MIJL

'Jongens, we zijn in het land van de erotiek,' kondigde Tiberius aan terwijl hij een veroveringslustige voet op de kade van Nouméa zette. 'Ik voel dat het ware leven gaat beginnen.'

'Wacht daarmee maar tot Frans Polynesië,' antwoordde Alex. 'De Kanaken gaan door voor het lelijkste volk ter wereld.'

'Bovendien,' onderbrak Iris, 'moet je voor erotiek een verdorven intellectueel zijn, dat is bekend. Hier schijnt de liefde tot de eenvoudigste vorm herleid te zijn: het dingetje in het doosje en geen tierelantijnen! Dat heb ik bij T'sterstevens gelezen.'

'Nou ja, daar nemen we wel genoegen mee,' zei Tiberius vrolijk, 'hè Jacques? Wij zijn juist geen intellectuelen!'

En ze begonnen over de kade te dansen en te springen, en lieten om het hardst blijken hoe gelukkig je je voelt als je in een nieuw jachtgebied belandt zonder al van een echtgenote te zijn voorzien.

'Arme schat,' zei Marion tegen Yves.

'Hoezo?' zei Yves.

'Nou... omdat het nu begint.'

'Wat dan?'

'Oceanië! Een van de plekken op de wereld waar je het minst behoefte hebt aan je vrouw.'

'Ik heb altijd behoefte aan jou, ook al zou ik dat niet moeten hebben, dat heb je me vaak genoeg verweten! Maar het is waar dat ik een arme schat ben, omdat jij niet zult kunnen laten het me betaald te zetten, wat ik ook doe of niet doe! Dat weet ik heel goed.'

Marion sloeg haar arm om zijn middel.

'En reken maar dat ik er klaar voor ben,' voegde Yves eraan toe met die sombere stem waarmee hij altijd de aardigste dingen zei.

Ze drukte hem steviger tegen zich aan. Maar waarvoor was hij klaar, vroeg ze zich stilletjes af. Om zich te onthouden? Om zich te verbergen? Of om heldhaftig de jaloezie van zijn vrouw te verdragen? Trouwens, zij voelde zich er ook klaar voor: je komt niet in Polynesië om voor zedenpolitie te spelen. Hoe het ook zij, ze waren nog maar in Melanesië.

Als 'compensatie voor de verveling die een al te lange vaart met zich meebrengt', zoals de kapitein zei, die van eufemismen hield, had hij die avond bij vrienden van hem thuis alle mooie meisjes en vrouwen van lichte zeden die 'de kolonie' telde, verzameld. Dat waren trouwens dezelfden: het kon niet anders of je hield van een los leventje daar aan die Côte d'Azur in het klein, in dat provinciestadje zonder provincie eromheen, waar je afgesneden leeft van je basis, ver van je familie, van oude mensen die vanachter hun gordijnen het leven van anderen in de gaten houden, verlost van de zorg om je respectabiliteit, in een land waar je niet oud zult worden, waar je je een beetje verveelt, waar je meestal wel geld hebt en altijd een verrukkelijk klimaat. En voor degenen die op doorreis waren, gold hetzelfde: Nouméa leek zo ver van het moederland vandaan dat ze zich door de afstand net zo beschermd voelden als door een masker.

Het was heel donker bij de vrienden van de kapitein, in de strohut die ze zelf achter in de tuin hadden gebouwd om plaats te bieden aan hun uitspattingen, zoals ze zeiden, en die ze hadden versierd met netten, schelpen en lampions. Achterin verspreidde een enorm aquarium waarin giftige anemonen en monstervissen leefden die je strak aankeken, een groen, buitenaards licht. Het was er ook heel alcoholisch. Marion dronk om moed te scheppen; Yves dronk omdat hij de Tahitiaanse punch lekker vond; Jacques omdat hij leefde; Tiberius uit gewoonte; Iris om het verleden, het heden of de toekomst, om het even, te vergeten. Alleen Alex dronk niet, om beter naar Betty te kunnen kijken. Hij verbaasde zich erover dat hij het zo onprettig vond haar in de armen van die Fransen 'van de kolonie' te zien, die loerden op een nieuw lichaam. Van nature had hij nooit gehouden van die seks-slachthuizen en van die opwinding van tien uur tot vroeg in de morgen bij deze of gene thuis, r.s.v.p. Bovendien kon hij niet dansen. Tegen één uur 's ochtends lagen er al meer mensen dan er nog stonden. Hij ging naast Marion zitten die zich leek te vervelen en keek met zijn heldere, koele blik hoe de meisjes en vrouwen zich steeds verder ontdeden van hun kleren en hun schaamtegevoelens. Zij lette op Yves, die al volkomen was opgenomen in dit nieuwe aquarium, de plaatselijke drankjes dronk, op het balkon naar de sterren ging kijken met zijn hand achteloos op de schouder van een halfnaakt meisje, terugkwam om over Parijs te praten met een ander meisje, enthousiast over de onderwatervisserij babbelde met Toto, de heer des huizes, en de punch klaarmaakte met de vrouw des huizes die

Lolotte werd genoemd, nog een brutaal wijf ook.
'Alleen die namen al!' zei Marion, die een reden zocht om chagrijnig te kunnen zijn. 'Zulke avondjes zijn dodelijk voor echtparen; je zou op onze leeftijd niet meer samen uit moeten gaan.' 'Yves heeft ongetwijfeld liever dat jij erbij bent,' zei Alex. 'Laten we zeggen dat het hem niet stoort,' antwoordde Marion. 'Maar het stoort mij als hij erbij is, dan kan ik niet doen wat ik wil; en het stoort me om toe te kijken hoe hij doet wat hij wil! Je ziet dat ik het verkeerd aanpak, wil ik me amuseren.' 'Yves maakt jou nog onzeker,' zei Alex. 'Dat vind ik fantastisch.' 'Het is ook lastig. Ik kan het niet uitleggen... wanneer hij er niet bij is, kan ik plotseling verhalen vertellen, flirten, onzin uitkramen als ik daar zin in heb... maar zodra ik weet dat hij in de buurt is, word ik een pietluttige figuur die helemaal niet leuk is, dat heb ik wel door... Maar wat doe ik eraan?'

Een meisje zat in een hoek op een gitaar te tokkelen, en een jongen lag languit over haar benen; ze zagen er gelukkig uit en hoorden *La Comparsita* niet, die iemand net op de platenspeler had gelegd, een tango uit Alex' jeugd. Iris danste dicht tegen Toto aangedrukt die zijn hand in de hals van haar decolleté had. Alex zei:

'Daarop heb ik leren dansen, op een belachelijke school die geloof ik "Georges en Rosy" heette, of zoiets. Maar ik had duidelijk geen talent: ik kan je nog steeds niet ten dans vragen, zelfs niet voor een tango!'

'Dat is verlegenheid,' zei Marion.

Glimlachend stonden ze op en ze hielp hem in het juiste ritme te komen.

'Jij, die zo'n streng iemand bent,' zei Alex, 'wat vind jij van een man van mijn leeftijd die zich plotseling aangedaan en vertederd voelt tegenover een meisje?'

'Ik denk dat je er behoefte aan hebt om gelukkig te zijn, Alex. En om van iemand te houden. Want bemind worden is eigenlijk helemaal niet belangrijk. Jij bent daarin net als ik, geloof ik. Van iemand houden, dat is wonderbaarlijk. Dat is bijzonder. Dus wanneer dat gebeurt, heb je daar heel veel voor over of vind je dat anderen daar heel veel voor over moeten hebben...'

Ja, het is wonderbaarlijk, dacht Alex. En het is idioot en ik begrijp er niets van: dat meisje heeft niets met mij gemeen. *La Comparsita* maakte dat hij wegzonk in een vreselijk melancholieke bui. De plaat stopte en dat was nog erger. Hij ging naar buiten omdat hij zogenaamd een luchtje wilde scheppen en trof daar Betty aan, die leunde over de balustrade van de veranda die om de strohut heen liep.

'Precies zo had ik me een tropische nacht voorgesteld,' zei ze, 'die geuren... dat zachte... Ik had juist zin om de zee van dichterbij te zien. Ga je met me mee, Alex?'

Ze liepen over de steile helling naar beneden. Er was net kortstondig een regenbui gevallen: het wegdek glom en de lucht leek verrukkelijk zuiver, evenals de stilte na het lawaai van de mensen en de muziek. De zee ruiste heel zacht. Alex zei niets. Hij was weer die verlegen jongeman die over de weg boven de steile helling in La Baule liep en een onuitsprekelijke liefde voelde voor een meisje met een lange hals. Een meisje dat hij twee zomers lang in stilte had bemind en van wie hij had gezien hoe ze zich verloofde met een ander, daarna met hem trouwde en niet gelukkig was. Nu was het hetzelfde zorgeloze, bruuske meisje, maar hij was oud geworden, heel oud, en hij had nooit kunnen praten met zulke meisjes, de meisjes van wie hij hield. En nu was het te laat; hij kon alleen nog naar hen kijken. Hij had het gevoel dat hij niet het recht had om tegen Betty de enige waarheid van die nacht te zeggen: dat ze mooi was en dat ze uitgebluste hartstochten in hem wekte. Dus vertelde hij haar over het eiland Nou, over de haaien die als bewakers voor de dwangarbeiders fungeerden, over de communards die hier hadden geleefd, Rochefort, Louise Michel en toen... En toen was het stil en hoorde Alex zichzelf zeggen:

'Je bent heel mooi, Betty.'

'Vind je?' zei Betty. 'Ik vind mezelf niet zo geweldig. Ik had liever een vrouw van het type Louise Michel willen zijn, zie je? Niet mooi, maar met fascinerende ogen... en dat enthousiasme! Maar mannen houden niet van zulke vrouwen... die bewonderen ze als ze dood zijn.'

'En vind je het belangrijker dat er van je gehouden wordt?' hernam Alex, die niet wilde afdwalen van zo'n heerlijk onderwerp van gesprek.

'Helemaal niet. Het is voornamelijk omdat ik niet de persoonlijkheid van Louise Michel heb. Dus doe ik als iedereen. Domme dingen vaak.'

'Tiberius?' vroeg Alex.

'O, Tiberius en anderen. Ik ben zesentwintig, weet je.'

'En ik tweeënvijftig. Precies het dubbele,' benadrukte Alex, die zichzelf verwenste om zijn stommiteit. 'Dat zul jij wel verschrikkelijk oud vinden, tweeënvijftig?'

'Om wat te doen?' zei Betty met een glimlach. 'Om je te kussen?'

Met een tederheid die in tegenspraak was met haar ironische manier van praten, legde ze haar hoofd tegen Alex' schouder.

'Jij bent ook niet gelukkig, nietwaar? En dit is zo'n mooie nacht... en als het mooi is, ben je nog meer alleen...'

Alex hield haar in zijn armen zonder haar te kussen, met een brok in zijn keel, en hij had zijn mond in haar haren. Omdat hij haar niet meer zag, zei hij tegen haar:

'Het is niet omdat het een mooie nacht is, Betty. En ook niet omdat ik niet gelukkig ben; dat is al zo lang, daar was ik wel aan gewend. Het is omdat jij het bent.'

Hij voelde de kleine borsten van Nausicaä tegen zich aan. Hij beheerste zich en nam ze niet in zijn hand, hij wilde ze eerst tegen zich aan laten bewegen. Hij had zin om te huilen. Wat een stomme streek, dacht hij, en hoopte dat die term de emotie die van heel ver in hem opkwam, zou doen afzwakken. Was zijn leven dan niet afgelopen? Was er nog steeds zoveel kracht, zoveel verlangen, zoveel tederheid in hem? Heel voorzichtig maakte hij zich van haar los om naar haar te kijken. Hij had de tijd. Je hebt alle tijd als je oud bent.

'De eerste is geheel van zilver
En haar trillende naam is Pâline...

je deed me meteen denken aan die versregels. Van Apollinaire,' voegde hij er heel snel aan toe om niet het risico te lopen dat ze een vraag zou stellen... Zesentwintig jaar tussen hen, die kloof was al breed genoeg.

Hij nam haar weer in zijn armen. Hij was nu al bang die warmte die hij nog maar net had teruggevonden weer kwijt te raken. Hoe had hij dan al die jaren geleefd? Betty rilde een beetje tegen hem aan. Dat was ongetwijfeld de kou van de naderende ochtend. Hij voelde zich tegelijk haar vader en haar zoon, en hij was in beide rollen even bang.

'Betty,' begon hij, 'ik ben een idioot...'

'Zeg alsjeblieft niets,' zei Betty.

Hij was haar dankbaar voor die woorden en hij maakte geen enkele beweging meer. Hij voelde haar ademhaling in zijn hals en hij hield zijn mond tegen het harde voorhoofd van Betty gedrukt, waarbij hij zijn lippen ternauwernood bewoog. Ze hief zachtjes haar hoofd op en liet haar mond op de zijne rusten. Een bron in hem begon weer te stromen: hij was in die tuin in La Baule en het meisje zei eindelijk ja en hij kuste haar eindelijk voor de eerste keer. Hij hoorde de golven van de Atlantische Oceaan op het enorme strand en het geluid van de wind in de pijnbomen. Hij was ten slotte aan het einde gekomen van die heel lange liefde en hij wilde die mond niet meer loslaten. Hij kon zich niets heerlijkers voorstellen dan Betty zo tegen zich aan te houden, en ze bleven lange tijd op het koraalstrand liggen, bewegingloos, dicht tegen elkaar, en in de duisternis van hun lichamen gingen ze elkaar tegemoet.

Toen hij terugging naar de *Moana*, was het zes uur. Hij ging zijn slaapkamer binnen zonder het licht aan te doen.

'En? Fijne avond gehad?' schreeuwde Iris.

Waarom moet iemand zo'n vreselijke rol spelen, dacht hij met medelijden.

'En jij?' antwoordde hij met zachte stem.

'Ik? Ik heb Toto gepakt.'

'Toto?'

'Ja, de heer des huizes, de meest vulgaire van allemaal.'

'Nou ja, als je plezier hebt gehad,' zei Alex.

'Minder dan jij in ieder geval.'

'Luister Iris,' zei Alex zacht, 'ik heb vannacht niemand gepakt. Ik dacht terug aan momenten uit mijn jeugd, ik heb me laten verleiden tot dromen, dat is alles. Betty is half zo oud als ik, je begrijpt wel dat het niet serieus kan zijn tussen ons.'

'M'n reet,' zei Iris. 'Als een jongen van vijfentwintig van mij hield, dat zou niet serieus kunnen zijn. Maar met een meisje is alles mogelijk. Je bent een naïeveling. En een smeerlap bovendien,' voegde ze eraan toe met een trilling in haar stem.

'Luister liefje, het is laat. Laten we gaan slapen, goed? Het is idioot om drukte te maken over een nacht waarin we allemaal wat gedronken hebben.'

Alex ging naast Iris liggen die hem krampachtig in haar armen drukte.

'Ik zou niet willen dat je bij me wegging,' zei ze.

'Maar liefje, daar is geen sprake van,' zei Alex. 'Je raaskalt. Kom, ga slapen.'

Yves kwam ook terug, met een Marion die door zo'n nacht agressief werd, en Jacques nam een kleurlinge mee van wie hij geweldige genoegens verwachtte en voor haar alleen al was het de moeite waard dat hij nog leefde. Hij vond haar onweerstaanbaar met haar kroeshaar, haar fraaie lichaam en vooral die billen, die donker en vol en hard waren als het achterste van een hinde. Vrouwen zijn verrukkelijk in hun verscheidenheid. Ze droeg alleen een rokje. Jacques liet zijn blonde hand over het kleine, stevige, gekroesde geslacht glijden en ze begon met fonkelende ogen te lachen. Dat was de liefde: een vrolijke smulpartij en niet die ceremonie in het donker, die bol stond van bijna religieuze verwikkelingen en waarbij het verboden was te lachen, alsof dat heiligschennis was. Plotseling zag hij het gezicht van Patricia voor zich wanneer ze klaarkwam. Meestal vermeed hij het tijdens het vrijen naar zijn vrouw te kijken, zonder dat hij precies wist waarom. Plotseling ging hem een licht op: op zulke ogenblikken deed ze hem denken aan zijn moeder wanneer ze terugkwam van de Heilige Tafel, met een gesloten gezicht, een strenge houding, met halfgeloken ogen zodat ze nog net haar bidstoel kon terugvinden... Als jongetje had hij dezelfde gêne gevoeld wanneer hij zijn moeder zag langslopen en al die vrome dames, met hun hostie tegen hun gehemelte geplakt, geaffecteerd blijk gevend van een extase die hij hypocriet, ja zelfs belachelijk vond. Zo sloot Patricia haar ogen wanneer de mannelijke manna in haar neerdaalde, maar ze kwam alleen klaar omdat God het zo had gewild. Nu wilde Jacques lachen bij het vrijen en een vrouw in de ogen kijken die ook van vreugde zou lachen.

Tiberius bleef aan land slapen met een meisje dat hij bij het wakker worden erg lelijk vond. Maar dat kon gebeuren. Hij hoefde alleen maar even goed te douchen.

'En nu,' zei de kapitein drie dagen later, 'vraag ik u niet wat u ervan vindt: ik neem u mee naar het Ile des Pins.' Op de kaart een zwart stipje, zeventig mijl van Nouméa, met een paar duizend bewoners. In werkelijkheid een utopie die aan de fantasie van Rousseau leek ontsproten, een broos en aanstootgevend paradijs, een eiland van een volmaakte schoonheid waar nog een paar Kanakenstammen leven in een primitieve gelukzaligheid, onder het dubbele beschermheerschap van de Franse republiek en de katholieke kerk. Hier zijn alle wilden onbedorven en dientengevolge vol levensvreugde. Alles lijkt idyllisch, goed geconserveerd door een wonder waarvan je later pas merkt dat het schandalig is. Maar is het dat eigenlijk wel? In ieder geval bestaat het wonder, en de kerk en de republiek gaan hier hand in hand als op een plaatje van Epinal. De kerk in de gedaante van de missie, de republiek in die van meneer Citron die tegelijk de functie van politieagent en resident vervult. Zijn vrouw is postbeambte. De negers spelen naar het schijnt zonder tegenstribbelen lief voor neger, ingebed in een soort luie oppassendheid die zorgvuldig in stand wordt gehouden door de autoriteiten die hun leven hebben ingekrompen tot twee of drie onontbeerlijke activiteiten. Gedwongen werk en geld, dat zijn tekenen van slavernij. Hier zijn geen slaven, er is geen werk en geen geld. In het enige hotel-restaurant van het eiland willen de dienstertjes, die Roques met de grootste moeite aanwerft, niets liever dan ontslagen worden. Waar zouden ze hun salaris ook voor moeten gebruiken? Er is niets te koop, zelfs geen alcohol, want het is de inboorlingen verboden dat te verkopen. Alleen agent Citron kan thuis zijn pastis drinken. Er is geen winkel want er hangt genoeg te eten in de bomen en er is genoeg te vissen in een van de visrijkste zeeën ter wereld. Koffie en bananen groeien vanzelf. Het is communisme in overvloed. Er zijn geen weeskinderen: de kinderen worden net als de vis en het fruit verdeeld. Als een man naar Nouméa vertrekt, bebouwt de buurman zijn akker voor hem en bewaakt zijn bezit. Tegen wie trouwens? Agent Citron hoeft nooit in te grijpen.

'De blanke man die rent altijd en werkt altijd!' zeggen de Kanaken met oprecht medelijden en dat accent dat nergens op lijkt.

De missie heeft dit ideale materiaal niet verknoeid: het is het grote succes in het kinderlijke wereldje van de nonnen. Niemand bereikt hier de volwassen leeftijd. Zou dat de sleutel tot het geluk zijn? De missionarissen, die meer macht hebben dan de Franse overheid in de persoon van meneer en mevrouw Citron, hebben zich belast met het openbaar onderwijs. Ze houden de meisjes op school tot het huwelijk, dat uitsluitend gesloten wordt door middel van brieven, die de nonnen hebben opgesteld want ze leren de meisjes nauwelijks schrijven. Kijk maar naar het Westen... Waar leidt de cultuur toe? Ze kunnen ook niet erg goed rekenen, waar is dat voor nodig? Het geld wordt beter besteed door degenen die er verstand van hebben. Zo is Mathilde, wasvrouw bij hotel Roques, voor Sint-Juttemis tweeduizend C.F.A.-frank, verscheidene maanden salaris, komen ophalen van haar spaargeld dat door de nonnen wordt bewaard: dat is om aan de pastoor te geven die zondag op de preekstoel een beroep op de mensen heeft gedaan.

De tijd van de verleiding is voorbij, van het bouwen van scholen en consultatiebureaus. Nu ze de ziel eenmaal bezitten, zijn ze niet meer geïnteresseerd in de geest. Een broeder is vorig jaar berispt, en vervolgens ergens anders heen gestuurd omdat hij met de inkomsten van de school voor elke scholier een eetketeltje en een vork had gekocht. Waarom zou je hun een gevoel voor luxe geven dat niet in hun aard ligt, is de mening van de hiërarchie. Ze zijn gewend met hun vingers te eten uit een grote bak die midden op tafel staat: laten we hun traditie respecteren, en de collectebussen worden beter gevuld. Die van de kerk wel te verstaan.

Vanuit moreel oogpunt worden ze opgevoed in vrees voor de Blanke en het Moederland, de Toren van Babel van de zonden, die alles bederft wat hij aanraakt. Ze leren geen enkel beroep behalve dat van visser, dat van vader op zoon wordt overgedragen, en ze zijn al hun vaardigheden vergeten. De kleding van de meisjes is door de nonnen gemaakt, een soort zak met opzichtige bloemen die tot op hun kuiten valt en aan de hals is afgezet met een machinaal vervaardigd kanten randje. Tijdens hun tien schooljaren zullen ze leren koken en zullen ze borduurwerk maken dat zal worden verstuurd naar de fancy-fairs in het moederland waar de vrouwen, die men helaas maar al te goed heeft leren lezen, niet vaak genoeg meer aan handwerken toekomen. Niets van dat al op het Ile des Pins: ze worden allemaal angstvallig in een paradijs voor imbecielen gehouden, door beschaafde mensen die er weinig belang bij hebben onze universiteiten voor hen open te stellen en op die manier van hen de toekomstige leiders van een opstand te maken. Mensen zijn ondankbaar. Dat heeft de geschiedenis bewezen.

Agent Citron, die weinig gelegenheid had om zijn functie van resident uit te oefenen, bood zijn gasten aan in zijn halfrupsvoertuig een rondrit over het eiland te maken, om in ieder dorp aan diegenen die nog 'hoofd' werden genoemd, te vragen of ze een 'pilou' wilden organiseren ter ere van de bezoekers uit Frankrijk. De hoofden hadden hun insignes mogen behouden, en hun totems en het traditionele kapsel, kortom, hun arsenaal van wilde, zoals je een kind toestemming geeft om zijn brandweerhelm aan tafel op te houden, om van het gezeur af te zijn. Maar al hun dansen waren verboden omdat ze te suggestief waren, behalve nu juist de 'pilou' van de krijgers, want gevechten heeft de kerk altijd minder ondermijnend gevonden dan de liefde.

Op het grote feestterrein, dat ook als voetbalveld werd gebruikt, speelden Kanaken van nu, verkleed als Kanaken van vroeger met lendendoeken en veren, dat ze elkaar besprongen, waarbij ze vreselijk met hun ogen rolden, op de klanken van een orkest van 'popinées'[1] die op oude ketels sloegen of op de grond stampten met buizen van asbestcement die gebruikt worden bij de watervoorziening, een tragisch symbool van de degeneratie van een ras dat zelfs geen gevoel meer heeft voor zijn muziekinstrumenten. Zelfs geen trommel of tamtam. De Kanaken maken geen enkel nuttig of nutteloos voorwerp meer, een duidelijk teken dat ze dood zijn. Omdat alles door het moederland wordt aangevoerd, is de kunst doodgebloed en daarmee de ziel van het volk. Het aardse paradijs bevat alleen nog herenloze mensen.

De Kanaken hebben in de vorige eeuw veel blanken opgegeten. Tegenwoordig eten de blanken op hun beurt hen op, maar levend en wel.

Op de avond van de 'pilou' aten Alex en zijn vrienden bij Roques. Langs het strand boden de hutjes van het hotel de mogelijkheid voor een tropische nacht aan de lagune, met modern comfort, maanlicht en palmen die zachtjes heen en weer bewogen door een briesje dat geurde naar ilangilang, een nacht waar je 's winters in Frankrijk van droomt, als je 's zondags in bed, terwijl een ijzige regen tegen de ruiten klettert, de reisgidsen zit te bekijken die er zo opwindend uitzien dat je zou zweren dat ze niet echt waren.

'Zullen we eens een hutje huren voor de nacht?' stelde Marion voor. 'Het moet fantastisch zijn om daar te slapen...'

'Het hangt er helemaal van af wie je in je hutje stopt,' zei Iris droog.

---

1 popinees: naam voor de vrouwen in Melanesië, zoals de vrouwen op Tahiti 'vahinés' worden genoemd.

'Want in tegenstelling tot alles wat ze ons beloofd hadden, zijn we nog steeds niet in het land van de erotiek,' onderbrak Tiberius, in de hoop dat hij de gedachten van Iris in een andere richting kon leiden. 'Ze hebben ons in de boot genomen! Er is geen sprake van dat we hier ook maar enige Kanakenvrouw kunnen strikken,' concludeerde hij en hij had geen goed woord over voor de missie die alle meisjes uit de circulatie nam om hen te verlossen van de kwade mannen en hun de gemeenschap der geiligen te ontzeggen.

Iris sloeg haar ogen ten hemel. De woordspelingen van Tiberius brachten haar elke dag meer tot razernij.

'In ieder geval,' zei ze terwijl ze opstond, 'komt er niets van in dat er een hutje gehuurd wordt om je oude Kanakenvrouw in te stoppen. Ik ga liever weer aan boord.'

Alex ging haar achterna waarbij hij Betty's blik ontweek.

Yves en Marion liepen samen naar de lagune waarlangs een stuk of tien strohutten op een rij stonden.

'En jij, zie jij er wel wat in om met je oude Kanakenvrouw langs de Stille Oceaan te wandelen?' vroeg Marion hem. 'In de reclame zie je alleen maar jonge stellen in het water dartelen terwijl ze elkaars hand vasthouden...'

'Het lijkt wel of die praatjes van Iris op den duur indruk op je maken.'

'Ze zegt zoveel dingen die waar zijn,' antwoordde Marion.

'Door haar agressieve, defaitistische mentaliteit worden ze waar.'

'In ieder geval zal het leven haar gelijk geven: ze zal verstoten worden ten gunste van een meisje dat op haar vijftigste misschien net zo'n zeurkous is als zij. Betty heeft geen gemakkelijk karakter, nietwaar? Maar zoals Iris zegt: voor een man hangt alles af van de verpakking!'

'Ik vind het afschuwelijk om jou net als haar te horen praten,' zei Yves. 'Bovendien weet je best dat leeftijd voor mij

helemaal niet belangrijk is. Denk maar aan Mercédès...'
'Dat is waar, van vijftien tot vijfenzeventig jaar; nou ja...
toch wel in een snel aflopende reeks. Met zestig moeten ze
geniaal zijn! Maar jij bent een uizondering op dat gebied,
kijk maar om je heen... Ik bof maar dat ik met een abnormale man door het leven ga!'

Ze liepen langs het strand onder de kokospalmen. Alles
was ongehoord mooi. Vanuit de hut die ze hadden gereser-
veerd, hoorde je heel in de verte de oceaan razen op het rif
en, heel dichtbij, wat er van hem overbleef na die beproeving, minuscule golfjes die zachtjes op het strand braken.

'Wat prachtig!' zei Marion. 'Het doet me denken aan de
hut die ik bij mijn grootouders achter in de tuin had en die
boven de zee uitstak. Ik had overal mijn favoriete citaten
geschilderd en ik had op de deur een zin van Bachelard geschreven, die ik trouwens steeds juister vind: ''Er bestaat
een principe voor dromen: dat is het principe van de eenvoud van de schuilplaats.'' De eenvoud van de schuilplaats,
dat is zo goed gezegd... De *Moana*, zie je, dat is dodelijk voor
dromen, dat is te indrukwekkend, dat is van een onbeschaamde rijkdom. Hier heb ik zin om dingen tegen je te
zeggen.'

Yves nam haar in zijn armen en ze bleven onder de beschutting van de palmen kijken hoe de zee licht gaf.

'Het is gek, wat Alex betreft... had ik het nooit gedacht.
Op een bepaald moment dacht ik dat jij verliefd zou worden
op Betty.'

'Zo zie je maar, je denkt te veel,' zei Yves. 'Dat is nooit bij
me opgekomen. Is dat niet mooi? Ben je tevreden?'

'Als je er nooit zin in hebt gehad, heeft dat niet speciaal
iets ''moois'',' verklaarde Marion.

'Goed, dan zal ik je een plezier doen: ik had helemaal
geen zin hier vanavond met jou naar toe te gaan, maar ik
heb mezelf gedwongen. Nou, dat is ''mooi'' hè? Heb je graag

dat mensen zichzelf dwingen? Beschouw je een krachtsinspanning als een bewijs van liefde? Als ik gewoon gekomen ben omdat ik daar zin in had, is het niet interessant meer?'

'Je pest me zelfs op een onbewoond eiland, schat, te voet, te paard en per boot,' zei Marion, terwijl ze haar beide armen om zijn middel sloeg en hem stevig vastklemde om hem pijn te doen.

'Ik stond op het punt om precies hetzelfde tegen jou te zeggen, schat,' gaf Yves ten antwoord.

De volgende morgen, voordat de *Moana* koers zette naar de Tonga-eilanden, stond de resident erop zijn gasten het binnenland te laten zien van het eiland dat je wel gelukkig moest noemen, waar in overvloed sandelbomen, mangobomen, agaven en koffiestruiken groeiden en de verbazingwekkende kolonisten-pijnbomen, die hier door Cook waren geplant in de tijd waarin de grote zeevaarders de zorg hadden om ook humanisten te zijn, en aan hun bemanning ook geleerden, tekenaars en plantkundigen toevoegden. In de dorpen deden Kanakenvrouwen, die waarschijnlijk betaald werden door het verkeersbureau, tijdens de bezoeken alsof ze gierst fijnstampten in een houten trog, in ruil waarvoor ze, zodra het avond was en de toeristen waren vertrokken, een blikje cornedbeef mochten openmaken dat ze in hun gereconstrueerde strohutten met smaak opaten aan een 'exotisch houten' formica tafel. De dorpen waren goed onderhouden, ordelijk en vol bloemen, als dodenakkers.

'Was deze beschaving bezig te verdwijnen of heeft het Westen haar vernietigd?' zei Alex toen hij weer in het busje stapte dat hen terug zou brengen naar de haven.

'Victor Ségalen zegt dat de Polynesiërs...'

De rest van Yves' zin ging voor Alex verloren: Betty had zojuist haar hand onder de zijne geschoven. Hij sloot zijn ogen om haar beter te voelen. Wat ze zojuist had gedaan, was verschrikkelijk, besefte ze dat wel? Hij strekte zijn been langs dat van Betty. Al die gebaren die hij al lang belachelijk vond, werden plotseling voor hem noodzakelijk en weldadig. Uit de bus stappen was een pijnlijke ervaring voor hem: hij was zojuist weer aan de jeugd van de liefde begonnen, waarin alles opnieuw gebeurt, waarin niemand ooit oud of uitgeblust genoeg is om niet, alsof het de eerste keer is, de opwinding van de eerste aanrakingen te voelen.

Hij keek naar Iris: alles was al gedaan, beleefd en uitgeput wat haar betrof, en zijn hart sprong op bij de gedachte aan alles wat er voor hem met Betty nog te doen was. Er was nog.... van alles te doen; van alles opnieuw te beleven. De eerste hele nacht die hij bij haar zou doorbrengen... het eerste ontwaken dat haar heldere ogen zouden verwelkomen... hij zou haar donker Afrika laten zien dat hij goed kende, Iris hield niet van negers. Hij zou met haar weer naar musea gaan, Iris had een hekel aan musea en in zijn eentje ging hij er niet meer heen. Het leek hem plotseling alsof de wereld overvloeide van rijkdommen omdat hij ze zag met de ogen van Betty. Als ze hem nu de ogen van Betty afnamen, als ze het zwaard Pâline uit zijn hart zouden halen, zou hij het gevoel hebben dat hij een oude man werd. Dit was het laatste kruispunt, waarop hij niet eens meer hoopte. Hij begreep opeens beter wat Jacques hem al drie maanden bezig was uit te leggen. Ook hij was al dood zonder het te weten, een Kanaak van het Ile des Pins die werktuiglijk de gebaren van een levende bleef maken. In zijn naïviteit beeldde hij zich in dat hij niet meer zonder haar kon leven, waarbij hij vergat dat hij drie maanden eerder niet wist dat hij ongelukkig was. Hij besteeg achter haar de loopplank van de *Moana*: voortaan had zijn leven exact de vorm van Betty.

Op de kade van Konie stonden agent Citron en mevrouw lange tijd met hun zakdoeken te zwaaien voordat ze langzamerhand vervaagden in de ogen van de passagiers; alleen de enorme silhouetten van de pijnbomen van Cook bleven nog lang aan de horizon zichtbaar.

Daarna werd de *Moana* weer opgenomen in de eindeloze bollingen van die oceaan die nooit stil is; ieder voorwerp begon zich weer abnormaal te gedragen, laden begonnen weer vanzelf open te gaan, kleren maakten weer een hoek van vijfenveertig graden met de wand waaraan ze hingen, lichamen begonnen weer als worstjes in een koekepan heen en weer te rollen zodra de slaper zich er niet meer van bewust was en vergat zich schrap te zetten tegen de slinger-schotten. En de geest zonk weg in een misselijkmakend nirwana dat tenminste het voordeel bood dat het elk gevoel uitschakelde en ieder de lust tot discussiëren ontnam. Zelfs de mooiste liefde is nog niet bestand tegen zeeziekte.

12

HET GALLIA-SCHRIFT

Zaterdag 7 maart

Iedereen had schoon genoeg van de Stille Oceaan toen we de majestueuze zandbank passeerden die met een boa van witte rechtopstaande veren het belangrijkste Tonga-eiland omgeeft, dat waanzinnige koninkrijkje waar een koningin van twee meter vier regeert, dat ver van de bewoonde wereld, op flinke afstand van de route van de grote vrachtschepen ligt, zonder geregelde verbinding met de rest van de wereld, en dat alleen bezocht wordt door min of meer eenzame zeevaarders. We dachten dat we met uitbundig vreugdebetoon zouden worden ontvangen, maar we waren nog maar net de vaargeul ingevaren of de gezagsdragers van Tonga kwamen ons haastig tegemoet om ons te verbieden dicht bij hun kust te komen: het schijnt dat niemand het recht heeft hier aan land te gaan tussen vijf uur 's middags en zonsopgang, want de archipel is tot nu toe gespaard gebleven voor een vreselijke kever die in Oceanië verwoestingen aanricht en alleen 's nachts rondvliegt: de neushoorn van de kokospalmen. Hij dringt de boom binnen door middel van een hoorn op zijn neus en zuigt het sap eruit. De kokosboom, waar je alle kanten mee op kunt, die voor eten, drinken en beschutting zorgt, kwijnt binnen een jaar weg en gaat dood. Overdag slapen die beesten gelukkig en houden ze zich schuil in de kieren van de boten. Maar 's nachts moeten we ons tot ruim een mijl voor de kust terugtrekken, een afstand die de neushoorn niet kan overbruggen.

'Nou, laten we de *Moana* deze nacht in open zee achterlaten en met u aan land gaan,' stelde Alex voor, 'dan slapen we in het hotel.'

Maar de gezagsdragers antwoordden dat er noch een hotel noch een restaurant in Nukualofa, de hoofdstad, was, omdat er nooit enige 'toerist' aanlegde.

Alex en Iris wilden de koningin graag ontmoeten en vroegen de gezagsdragers of ze audiëntie voor hen konden aanvragen. Waarbij ze vergaten dat Tonga, hoewel het een onafhankelijk koninkrijk was, de Britse overheersing had gekend waarvan de Britse zondag nog steeds de blijvende erfenis is!

'Het spijt me,' zei de dikste van de ambtenaren, die allemaal reuzen waren, 'u kunt de koningin vanavond niet zien vanwege de neushoorn...'

'Hij denkt dat hij Ionesco is,' onderbrak Iris.

'... en morgen is het zondag,' hernam de dikke ambtenaar, 'en niemand mag die dag enig verzoek aan de koningin doorgeven. U zult tot maandag moeten wachten voor u een aanvraag kunt doen.'

'In dat geval moet u maar een vispartij voor ons organiseren,' zei Alex vrolijk.

'Vissen op zondag? Dat meent u niet,' riep de ambtenaar, verontwaardigd over onze gewoonten. 'Iedere vorm van vissen of jagen is verboden in het hele grondgebied. En gaat u niet picknicken: het is verboden 's zondags vuur te maken.'

'Nou, laten we maar maken dat we wegkomen,' zei Iris. 'Er zijn duizenden eilanden zoals dit in de Stille Oceaan.'

'Onmogelijk,' antwoordde de gezagsdrager. 'Op zondag kunnen we u geen loods verschaffen. Trouwens op zaterdag na vijf uur ook niet,' voegde hij eraan toe terwijl hij op zijn horloge keek. 'En u hebt niet het recht weg te gaan zonder loods.'

'Maar we komen net binnen via de noordelijke vaargeul zonder loods,' pleitte de kapitein. 'We hebben uitstekende Engelse kaarten en...'

'Dan krijgt u een proces-verbaal omdat u zonder loods de baai bent binnengevaren,' onderbrak de ambtenaar die ons barbaarse gedrag steeds erger begon te vinden.

'Kortom, we zitten niet alleen tot maandag gevangen op dit eiland maar ook op deze boot?' vroeg Iris.

'U kunt morgen op een van de eilandjes een *koude* picknick houden, dat is toegestaan. Maar laat ik geen vishengel of onderwatergeweer aantreffen...'

'Een picknick,' zei Iris sarcastisch. 'Maar het regent aan één stuk door in uw land!'

Er viel inderdaad een mooie equatoriale, flink donkere regen boven de lagune, en die doordrenkte de vlakke kust waar enorme kokospalmen met spichtige stammen oprezen, die hun pluimen heen en weer zwaaiden in de plotseling opgestoken wind.

'Het regent alleen 's avonds, mevrouw,' zei de dikke ambtenaar.

'En nooit op zondag waarschijnlijk?' zei Iris spottend.

Hij was zo vriendelijk niet op die opmerking in te gaan en wees ons waar we voor anker konden gaan, op een flinke afstand van de kust vanwege de 'rino'. De ankerplaats lag aan de wateroppervlakte vol 'bataten' en we moesten tussen de klippen door laveren. Op het klif stak dramatisch een enorm scheepswrak als een waarschuwing de lucht in. En plotseling, toen we voorbij een eilandje waren gekomen, dachten we dat we ten prooi waren aan een collectieve zinsbegoocheling: midden in een Engelse tuin die beplant was met cederbomen en sparrebomen uit noordelijke streken stond met aan alle kanten torentjes en klokjes... Herberg het Witte Paard!

'*The residence of Queen Salote,*' vertelde de loods, die onze verbijstering voor bewondering aanzag, met respect.

Voor dit operettedecor dat midden in de Stille Oceaan was neergezet, hebben we het anker uitgeworpen om de avond en de nacht in de regen door te brengen, in quarantaine. 'Ze' hebben tot twee uur 's ochtends zitten bridgen. Je had een neushoorn kunnen horen vliegen.

Zondag 8 maart
En de Engelse zondag daalde neer over het koninkrijk van de Tonga-eilanden. De bevolking van Tongatabou, het belangrijkste eiland, is verdeeld over vier godsdienstige sekten, en juist die verscheidenheid waarborgt het geluk van de Tonganezen. Want naar de gunsten van vijftigduizend bewoners wordt tegelijkertijd gedongen door de methodistische kerk, de vrije protestantse kerk van Tonga, de rooms-katholieke kerk en 'overige sekten', een groepering die mormonen, adventisten van het zevende uur en diverse splintergroeperingen omvat, die er stuk voor stuk een eer in stellen *hun* kerk en *hun* school te bouwen, en de klanten van de buurman weg te kapen met zeer godsdienstige middelen zoals het ronddelen van snoepjes, extra verguldsel op de schooluniformen, talloze tombola's en allerlei snuisterijen die vroeger werden gebruikt om het lichaam van de zwarte te kopen en die nu als ruilmiddel dienen voor wat er nog over is: de ziel.

Het was mooi weer, zoals de ambtenaar van Hare Majesteit had beloofd. Op de aanlegsteiger vermaakten poedelnaakte, pikzwarte kindertjes zich door met gespreide armen en benen in het doorzichtige water van de haven te duiken. In de straten van Nukualofa, waar de acht of negen rivaliserende kerkjes elkaar angstvallig in de gaten hielden, hadden de kerkdiensten alle tegelijk plaats, met wijdopen deuren opdat de voorbijgangers het geloof van de schaapjes konden afmeten aan het klankvolume van de psalmen die men de gelovigen verzocht harder dan aan de overkant uit te schreeuwen.

's Middags liggen de Tonganezen opgerold in hun matten te slapen in de schaduw van hun fraaie bomen, tot de dag des Heren voorbij is en hun kleine hoofdstad met de verlaten straten en de gebarricadeerde winkels weer ontwaakt. Het was niet verboden te lopen of een auto te huren en we konden zelfs nog een rondrit over het eiland maken. Keurige, van struiken ontdane kokosplantages, bananebomen, sinaasappelbomen, schroefpalmen, ijzerbomen met wollige, grijze bladeren, broodbomen...

Dat was nu eens een koninkrijk naar mijn hart, een koninkrijk dat in gesloten economie zou kunnen leven, een klein koninkrijk van menselijk formaat, het enige waarvan ik zou accepteren koningin te worden, als er niet al één op de troon zat, en nog wel een enorme, die bovendien in het bezit was van een stuk of tien stevige afstammelingen. Zonder barrière van koraal, die bedacht was door een God die geroerd was bij het zien van zijn schepping en die het mooiste wat de wereld had voortgebracht wilde beschermen, zouden de golven van de Stille Oceaan al lang deze kleine archipel, die nauwelijks boven het water uitsteekt, hebben verzwolgen en de vierenzestigduizend bewoners hebben laten verdrinken, met inbegrip van zijn hoogste punt, Saloté Tupou, zijn koningin van twee meter. Maar achter zijn

ring van koraal lacht het verrukkelijke koninkrijkje de Stille
Oceaan in zijn gezicht uit en zet zijn rustige leventje voort.
Iris is maar niet aan land gegaan. Ze heeft een herpes op
een ongelukkige plek en brengt die heerlijke dag door met
haar achterwerk in een kom water met kaliumpermanga-
naat. Net als de cyclonen heeft deze herpes een vrouwen-
naam: hij heet Betty. En alle rijkdom van Iris en alle
schoonheid van de Tonga-eilanden kunnen niets uitrichten
tegen deze ellende.

Bij zijn terugkeer heeft Tiberius een paar dode bomen gefilmd die als slaapplaats dienen voor vleermuizen zo groot
als katten, die in hun weerzinwekkende vliezen zijn gehuld
als in sjaals die ze tot aan hun nek hebben omgeslagen om te
kunnen slapen, en die met hun kop naar beneden aan de
takken hangen, afgrijselijke vruchten die aan één stuk door
piepen en bewegen.

Maandag 9 maart
Het regent in mijn koninkrijk. We hebben vanochtend
een enorme horsmakreel gevangen. Met Iris gaat het beter
maar ze wil 'koningin Salope¹' niet meer zien. Yves, die
haar graag wil filmen, heeft zich vanochtend gemeld bij het
paleis waar een kleine Britse secretaris hem naar de 'pre-
mier' heeft gebracht, een jonge reus die de oudste zoon van
Hare Majesteit is. Maar het regent en als het regent, staat
Hare Majesteit niet op. Er mag zelfs niemand in haar kamer
komen. En morgen gaat Hare Majesteit, als het niet regent,
om zes uur 's ochtends officieel op reis om op een naburig
eiland een bezoek te brengen aan haar onderdanen. Te
vroeg voor onze camera's.

Dit koninkrijk is beslist in de contramine en ik zie ervan af
een staatsgreep te wagen in Tongatabou. Mijn troepen lij-

¹ salope: sloerie

den trouwens aan de ziekte van de Stille Oceaan: Jacques heeft een steenpuist aan zijn enkel ten gevolge van zo'n ongeneeslijke koraalwond, Yves heeft een tweede kaakontsteking die in werkelijkheid gewoon de eerste is die weer de kop opsteekt net als alle andere waarvan hij last heeft zo lang als ik hem ken en die hij weigert te laten behandelen, zelfs door Jacques; en Alex heeft merkwaardig genoeg een aanval van jeugdpuistjes waarvoor de Stille Oceaan misschien niet als enige verantwoordelijk is. En Tiberius is voor het eerst tijdens deze reis terneergeslagen.

'Sinds een tijdje heb ik zelfs geen zin meer om te vrijen,' bekent hij ons ongerust, want hij neemt zijn prestaties erg serieus. 'Ik denk er zelfs al drie dagen niet meer aan!'

'Och, drie dagen,' zegt Iris, 'dat is nog niet zorgwekkend...'

'Jawel. Voor mij wel. Ik weet niet wat ik heb: ik zal wel te weinig kalk hebben.'

'Wacht maar tot Tahiti,' zegt Iris, 'dan moet je je kalk eens zien!'

De *Moana* was bezig zich klaar te maken voor het vertrek, in een warme, stromende tropische regen.

'En met spijt verlaten we de Tonga-eilanden, het rijk van de tegenstellingen,' sprak Yves met de stem van een presentator van documentaires.

'Pardon: rijk van regenkwellingen,' verbeterde Tiberius.

We waren nog maar net de vaargeul gepasseerd of de Stille Oceaan begon weer met zijn streken. Tiberius dreigde hem met zijn vuist:

'Het schijnt dat de zee *daarvoor* heel slecht is,' zei hij werkelijk somber.

Dinsdag 10 maart

De Tonga-eilanden verlaten en de honderdtachtigste lengtegraad gepasseerd, de mysterieuze meridiaan bij uit-

stek, die maakte dat we onze horloges in één keer vierentwintig uur moesten terugzetten. Door die steeds maar
vooruit te zetten, liepen we twaalf uur voor ten opzichte
van Parijs, maar nu lopen we twaalf uur achter en dinsdag
10 maart komt morgen na de dinsdag 10 maart van vandaag. Zie dat maar eens te begrijpen!

IJskoude drankjes aan dek. Het slingert wel, maar, zoals
Tiberius zegt, het is minder erg dan gewoonlijk. Yves laat
zijn pijn betijen in zijn hut en Iris de hare in de hare. Omdat
ik geen land meer heb om naar te kijken en de zee me mijn
neus uitkomt, richt ik mijn aandacht op de mannen, op Jacques vooral die sinds enige tijd bijzonder mooi is geworden.
Het is fantastisch om zo'n slecht geheugen te hebben: ik ben
helemaal vergeten dat ik hem al heb gehad... ik zou zo weer
beginnen. Grote ruimtes komen zijn teint ten goede. In de
rue Paul-Valéry leek hij op een groot hert dat in een hotel-
kamer vastzat. Sommige mannen passen zich aan een
slaapkamer aan, ze weten die te vullen, terwijl andere onweerstaanbaar worden in het bos of op een eiland. Ik vind
dat we de laatste tijd veel eilanden tegenkomen!

Alex wordt weer een adolescent en verandert zienderogen. Hij loopt meer rechtop, barst in lachen uit bij alle grappen van Tiberius, zelfs de meest weerzinwekkende, raakt
enthousiast voor alles en nog wat, een eiland, een golf, het
weer, wat voor weer het ook is. Hij is zo naïef om te denken
dat hij de argwaan van Iris wegneemt door veel meer aandacht aan haar te schenken: hoe heeft ze vannacht geslapen? Hoe zit het met haar spijsvertering? Hoe gaat het met
haar herpes? Ik zou wantrouwig worden. Maar wat voor
advies moet je haar geven? Ik weet alleen wat ze niet zou
moeten doen... als ze dat kan: Jammeren, huilen, smeken...
Dat is erger dan lafheid in haar geval: het is stom. Maar juist
in haar geval, en dat maakt het ondraaglijk, is alles wat je
kunt bedenken verkeerd. Of op z'n best volslagen nutte-

loos. Er blijft ons niets anders over dan getuige te zijn van de schipbreuk die zich voor onze ogen voltrekt, in slow-motion, zonder dat we hulp kunnen bieden. 's Nachts hoor je luid geschreeuw in hun hut. Overdag, tegenover Betty die doet alsof het haar niet aangaat, probeert Iris ons wijs te maken dat ze dat kleine meisje niet serieus neemt. Aan land verwateren de gevoelens en neemt de spanning wat af; maar tijdens het varen zitten we gevangen op die enorme boot, die lijkt te zijn gekrompen tot de afmetingen van een cel, en zien we elkaar van te dichtbij om niet af en toe een hekel aan elkaar te krijgen.

Op die tweede dinsdag 10 maart zitten we voor de zoveelste keer met z'n allen aan dek, schijnheilig, met onze onderdrukte begeerten, onze zorgvuldig verborgen bijgedachten, met onze gekoelde glazen in de hand, en we doen alsof we hevig geïnteresseerd zijn in die meridiaan van de honderdtachtigste graad.

'Je zou hier je misdaden moeten plegen,' zegt Tiberius. 'Als alibi zou het geweldig zijn. Maandag 9 maart, meneer de president? Die dag heb ik bij de Von Brauns doorgebracht. Ik kon dus mijn compagnon niet in zijn kantoor vermoorden!'

'Het vervelende is dat ze die meridiaan hebben gekozen omdat die praktisch geen enkel land kruist,' merkte Alex op.

'Dan moet je zeggen: Maar meneer de president, ik kon me op 10 maart niet op de jonk vol opium van Phu Manchu bevinden omdat ik immers op het jacht van Lady Docker zat!'

'Als we nu eens met z'n allen een detective schreven!' stelde Iris voor. 'Dat doodt de tijd tenminste. En omdat we deze dinsdag nog een tweede keer moeten doormaken...'

'Maar we hebben geen tijd meer, lieve kinderen: over drie of vier dagen zijn we in het land van de erotiek! Als er één zo'n land in de wereld bestaat, is dat het wel,' zei Tiberius.

> *'Ik ga daarheen waar boom en man vol levenskracht*
> *Langdurig bezwijmen in dat hete klimaat...'*

droeg Alex voor, die door de liefde plotseling al zijn schaamtegevoel kwijtraakte. Iris wierp hem een woeste blik toe. 'Boom en man misschien,' merkte ze op, 'maar niet vrouw! Ik heb me laten vertellen dat de Tahitiaanse mannen nergens te vinden zijn. Wie heeft ooit gehoord van de liefdesstunts van de Tahitiaanse mannen? Nogmaals, wij zullen ons wel vermaken, dat voel ik.'

Woensdag 11 maart
Grijs weer. Deze oceaan is eentonig en veel vervelender dan de Atlantische met zijn onvervalste stormen. De ziekte van de Stille Oceaan blijft aan ons knagen. Steenpuisten en furunkels tieren welig en wonden gaan niet meer dicht. Op droomeilanden breken trouwens de vreselijkste ziekten uit: op Tahiti schijnen de zieken in het laatste stadium van elefantiasis hun monsterlijk opgezwollen lichaamsdelen op een kruiwagen te vervoeren. Hun ballen kan ik me nog voorstellen, maar dat andere geval? Is dat ook aangetast? Wat een uitgelezen straf voor een Don Juan!

Donderdag 12 maart
Hevig geslinger, broeierig weer.
In zo'n atmosfeer wordt de kleinste gebeurtenis gretig verwelkomd. Zo heeft Iris vandaag bij het haarwassen de verkeerde tube gepakt en heeft ze haar hoofd met Veet ontharingscrème ingesmeerd. Sommige haren hebben een eigenaardige dode krul gekregen... andere zijn bij het spoelen verdwenen. Er is nog wat over. Maar door deze tegenslag is haar stemming er niet beter op geworden.

Vrijdag 13 maart

De grote dag nadert: het is zoiets als twee mensen die voor elkaar zijn bestemd en na lang wachten aan elkaar zullen worden voorgesteld: morgen zal haar vader, de Stille Oceaan, de vrouw, Vahiné Tahiti, over wie we al zoveel hebben gehoord, naar ons toe brengen. Te veel gehoord misschien. In ieder geval is één ding zeker: als enige van al haar Polynesische zusters heeft Tahiti met succes het hoofd geboden aan de Engelse bezetting, aan de protestantse dominees en vervolgens aan de katholieke missionarissen, door met ontroerende standvastigheid te weigeren een van de belangrijkste punten uit de christelijke godsdienst toe te geven: de vleselijke daad als een zonde beschouwen. Dit dappere verzet was voldoende om Tahiti uniek en verbluffend te maken in de ogen van ons, arme wezens die vastzaten aan de onvergeeflijke misstap. Alle andere hoofdzonden, oké. De communie, heel interessant; Sacramentsdag, prachtig. Kerst, heel leuk... iets minder dan 14 juli, maar toch leuk. Een babytje is altijd fijn. Maar het begrip vleselijke zonde, nee, daar wilden ze niet aan! Daar moesten ze hard om lachen. Arme missionarissen! Of ze waren ziek, of ze waren *hem* kwijtgeraakt in een oorlog. Nee? Niet kwijtgeraakt? Dan zouden ze hen wel genezen. Voor hun eigen bestwil. Je zult zien dat je je na afloop een stuk beter voelt. Kijk maar naar ons! Bovendien, dat eeuwige leven van jullie, dat is wel best, maar weten jullie of je er daarboven wel *een* hebt, in dat paradijs van jullie? Dan zou het helemaal jammer zijn als je *hem* hier beneden niet gebruikt hebt, nietwaar?

Kortom, mensen die blij waren met de organen die ze hadden gekregen om mee te leven, en blij met het land dat ze voor zichzelf hadden gekozen. Je moest wel heel moedig of heel blind zijn om van zo ver te komen en hen te willen aanzetten tot opoffering, kuisheid en de hoop op een ander leven, terwijl dit leven hun zoveel voldoening gaf.

Het leven zoals het is

Zaterdag 14 maart

Klein, kleiner dan we verwachtten, met ringen van wolken als kringetjes rook rondom de bergtoppen, daar ligt het! We varen langs het zustereiland Moorea, waarvan de smalle gekromde bergen op heksenvingers lijken... we passeren de vaargeul, het eilandje Motu-Uta in de lagune, en dan zijn we bij Papeete, een rustig, aandoenlijk, slecht aangelegd haventje met zijn bouwvallige barakken in een typisch Franse wanorde. We stelden ons zoiets als een tropisch Saint-Tropez voor, het lijkt meer op Collioure maar dan zonder kasteel, omgeven door zeegroen water aan de voet van bergen die bedekt zijn met een weelderig groene vacht en die tot aan de nevelige toppen daar helemaal bovenaan, op een hoogte van vijfentwintighonderd meter reiken. Het is lichtgrijs weer, het is het einde van het regenseizoen.

Heel Tahiti staat op de kade... wij staan allemaal aan dek: het is een echte liefdesaankomst. De majorettes van de Stille Oceaan wachten op ons met halskettingen van bloemen, danseressen in 'moré' begroeten ons op een podium met een buikdans, en alle Fransen uit Tahiti zijn gekomen met hun vahinés. De matrozen van de *Moana*, in wit groot tenue, voeren met veel moeite de laatste manoeuvres uit te midden van de bloemen, de kussen en de bedwelmende geur van de 'tiaré'. Er is geen koopwaar die hier meer vreugde brengt dan de aankomst van een lading mannen. Iedereen heeft vrienden op Tahiti of vrienden van vrienden, men tutoyeert elkaar meteen, men omhelst elkaar en lacht. De majorettes willen ons met alle geweld de rituele halskettingen omdoen, het is onmogelijk daaraan te ontkomen. Ik heb er een hekel aan verkleed te worden en ik weet niet hoe ik zoiets moet dragen: het staat alleen leuk op blote borsten als je twintig bent en ik voldoe aan geen van beide voorwaarden. De meisjes met strooien rokjes zijn al op het bovendek geklommen waar ze zijn gaan dansen op de klan-

233

ken van twee of drie houten trommels die een Tahitiaan heeft meegenomen, terwijl op de kade de Franse kolonie naar ons gebaart alsof we de dierbaarste vrienden zijn. Minder Franse vrouwen hier dan in Nouméa om redenen die niemand kunnen ontgaan! De Melanesische vrouwen zijn lelijk, log, met haar dat op een baard lijkt. De schoonheid van de Polynesische vrouwen daarentegen heeft ertoe geleid dat de ambtenaren die zo onvoorzichtig waren om hun wettige echtgenoten mee te nemen, dezen zo snel mogelijk weer naar het moederland terugstuurden. De meeste mannen op de kade, zelfs de oudsten, hebben schitterende meisjes bij zich. Ze dragen allemaal lang haar, rode, groene of blauwe rokjes met witte bloemen, en hebben een smakelijk uitziend lichaam dat nooit te maken heeft gehad met de metro, de fabriek, het kantoor of de trein naar de voorsteden.

Aan de haven, vlak bij de schoeners of de kitsen waar families zwervende zeevaarders wonen, laat een vaalbleke Parijse mannequin, die aan land is gezet door het watervliegtuig dat 's ochtends komt, zich fotograferen voor de *Marie-France*. In een kring van halfnaakte Tahitiaanse vrouwen met mooie stevige benen, die stiekem lachend naar haar kijken, showt ze een beige zakjurk, heupwiegend, en met haar dijbeen in een naar buiten gedraaide stand, zoals dat bij mannequins hoort, met een blik die zorgvuldig van iedere uitdrukking is ontdaan, een somber gezicht en een agressief sleutelbeen. Er hangt een enorme oranje karbies onder aan haar magere arm, en een oranje klokhoed tot diep over haar ogen beneemt haar het uitzicht op het prachtige landschap. Lopen ze er zo bij in Parijs? Het is waar, dat waren we na vier maanden een beetje vergeten. En toch zullen we ze weer moeten dragen als we weer in onze beschaafde wereld komen, die tassen, die pruiken, die lijkbleke vloeibare make-up, die valse wimpers. We zullen een gele of paarse mond hebben als ons dat wordt voorgeschreven, we zullen al onze haartjes uitrukken als ons dat wordt gezegd, en vroeg of laat zullen we er allemaal aan moeten geloven, hoe belachelijk ons dat ook voorkomt nu we ons midden in de Stille Oceaan bevinden. Nauwelijks had ik de halskettingen afgedaan of ik werd diezelfde avond nog uitgedost met een kroon van bloemen. Schitterend, en heerlijk ruikend, oké..., maar dat uniform waarin je je moet amuseren werkt op mijn zenuwen. Wij, Parijzenaars, leken op die fuifnummers in nachtclubs die zich verplicht voelen papieren hoedjes op te zetten omdat het oudejaarsnacht is. De Tahitiaanse vrouwen waren op hun plaats, op hun gemak, op hun voordeligst. De kroon van tiarés is hun nationale hoofddeksel.

Ik houd nu eenmaal niet van feesten, noch van openlijke vrolijkheid, noch van dansen die ik niet kan dansen (en ik heb er al tien jaar niet één geleerd), noch van liedjes die in koor herhaald worden, noch van familiariteit die niet op echte sympathie berust, noch van al te mooie meisjes natuurlijk en van de blikken die mannen op hen werpen. Welnu, een 'feestje' op Tahiti is dat alles bij elkaar. Er was Tahitiaanse punch in soepterrines, een kant en klare *Tjap Tjoi* die twee meisjes waren gaan halen 'bij de Chinees' die hier alles doet, met inbegrip van het verkopen van warm water aan Tahitiaanse vrouwen die hun kooktoestel niet durven aansteken, en een grote pan lauwe kleefrijst. We hoefden alleen nog maar tot serieuze zaken over te gaan: ons amuseren!

Het feestje had plaats bij Roger, een Franse filmmaker die Yves had leren kennen in de tijd van de poolexpedities en die nu op Tahiti leefde met Toumata, een niet zo mooie vrouw, dat is ongebruikelijk. Er kwamen mensen uit alle naburige dorpen om zich te vermaken, steeds hetzelfde span: uitsluitend blanke mannen gekoppeld aan uitsluitend Tahitiaanse meisjes. Niet één gelijksoortig stel, behalve de arme stumpers van de *Moana*. En in dat hele gezelschap maar twee Tahitiaanse mannen, maar die liepen niet vrij rond: twee Tahitianen met een nuttige functie, die aan hun gitaren zaten vastgeklonken.

Onmiddellijk wikkelde de vrouw des huizes, veel meer vrouw dan des huizes, zich in een echt Tahitiaanse pareo die de borsten bloot laat, en begon de 'tamouré' te dansen met een klein Chinees halfbloed meisje, dat heel fijngebouwd was en me aan Yang deed denken. Iedereen zong met zijn mond vol rijst, stond op om te dansen, speelde gitaar, serveerde punch en genoot van het leven. Het was zoiets als de Folies Bergère in een onschuldige en spontane versie, waar iedereen voor zijn plezier zijn rol speelde, Adams en Eva's die de vloek van de Heer niet hadden gehoord en gelukkig zouden voortleven en in alle rust van de appel blijven eten! De bekoring van de Tahitiaanse vrouwen vindt daarin zijn oorsprong, in die gulheid in de liefde, in datgene wat, vermoedelijk van alle rassen afkomstig, in hen zijn neerslag heeft gevonden, de heftigheid van een Noor bij dat bijna blonde meisje, het genot van de Fransen, de Amerikanen, de Chinezen, van de roodharigen, de zeelui, de avonturiers, de arme drommels, de ambtenaren, of ze nu belangrijk of armzalig waren, van wie er niet één zo lelijk of oud was dat hij hier niet de illusie kon koesteren Don Juan te zijn... Al dat ontvangen en geschonken genot is moeiteloos af te lezen aan die wonderlijk verschillende meisjes; glanzend steil haar voor de bastaard-Chinese meisjes, of golvend haar als dat van Dorothy Lamour, en minder vaak gekruld, nooit gekroesd; een huid met kleurschakeringen van het meest maanachtige geel, het geel van Yang, tot de kleur van licht bruinrode was. En die ronde armen, die ronde heupen, die benen die gemaakt zijn om te zwemmen, te rennen, te dansen, het lichaam van een man te omklemmen...

Betty had besloten de moeilijke bewegingen van de tamouré te leren en lachend oefende ze met Toumata en Terii, met hun lendenen tegen elkaar. Ik durfde de rumba al niet te dansen toen ik twintig was! De tamouré moet je dansen met een blote buik. De pareo sluit heel strak om de laatste ronding van de heupen, zo laag dat hij nog net blijft hangen. Je ziet die verrukkelijke zone: van onder aan de ribben tot onder aan de buik, die lieflijke vorm als van een gitaar, de bruine strakke huid en die bewegingen die minder langzaam en kronkelend zijn dan bij Arabische dansen, heftiger, vrolijker, dierlijker ook, schitterend dierlijk.

'Het komt erop neer,' fluisterde Iris me toe, 'dat we hier enkel en alleen zijn om te zien hoe onze landgenoten, of liever gezegd onze echtgenoten, opgewonden raken van andere vrouwen dan wij!'

Haar kroon van witte tiarés en rode bloemen van de flamboyant met daartussen varens, die Toumata haar had gesmeekt op haar hoofd te houden, maakte dat ze eruitzag als een oude clown; ze voelde het zelf. Geen enkele vrouw was hier vijftig. Wat doen ze op dit eiland met oude vrouwen? Ze zocht met haar blik naar de gelukkige Alex. Maar wat hadden ze elkaar eigenlijk te vertellen? En de andere Franse mannen hadden nu juist hun land verlaten om niet meer te hoeven leven met dames die op Iris leken! Tot overmaat van ramp had Iris problemen, dat was, net als haar leeftijd, aan haar hele gezicht te zien. Ze houden niet erg van problemen op de eilanden; ze steken de draak met alles wat vervelend of moeilijk is.

Roger nadert ook de vijftig, hij is ouder dan Yves. Maar het is een man. Zijn geslachtsorganen verlenen hem alle rechten, zowel op Tahiti als in Australië. Je hoeft je buizenstelsel maar aan de buitenkant te hebben in plaats van dat het ingebouwd is, en je mag drinken in bars over de hele wereld, met een dikke buik, een glimmende schedel of de adem van een oude pijp rondlopen, zonder dat je daarmee verstoken bent van bloemenmeisjes of zelfs van oprechte liefde. Dat strekt de meisjes trouwens tot eer: voor hen is de huid niet essentieel. Roger, die drie jaar geleden bij toeval op Tahiti een film kwam opnemen, had niet de moed om weer te vertrekken. Aan de ene kant dertig jaar gewerkt in de filmindustrie waar je twee keer zo snel oud wordt, een haveloos appartement in Levallois, een talent dat maar niet erkend werd, een vrouw die zijn secretaresse was, die hij door en door kende en van wie hij zijn bekomst had, twee kinderen voor wie zij heel wat beter zorgde dan hij, om de goede reden dat hij nooit de gelegenheid had gehad het te proberen... Aan de andere kant onderwatervissen, leven in de open lucht, en wat voor lucht, een faré² aan het water, kleine karweitjes hier en daar als assistent bij talrijke films die opgenomen werden op de Genootschaps-eilanden, een droomklimaat, een spiksplinternieuw meisje met daarbij de mogelijkheid een ander te nemen zonder dat het een drama werd... Wat anders dan een allerwanhopigst plichtsgevoel had hem ertoe kunnen brengen voor Frankrijk te kiezen? Toch was Toumata lelijk, alsof Roger zichzelf niet alles tege- lijk had durven veroorloven. Hij had een enigszins Kanaak- se Tahitiaanse voor zichzelf gevonden, die plomp was, met een dikke neus en een dikke huid, zonder ook maar iets van de adellijke houding en manier van lopen van de anderen. Hij was erg dronken, lag lui uitgestrekt op een paar kussens, had zijn kroon naar voren laten zakken en keek met starre blik naar die bekoorlijke lichamen die heen en weer schom- melden, waarmee hij een duidelijk beeld gaf van het wrak dat hij waarschijnlijk binnen tien jaar zou worden, als hij hier bleef.

2 faré: Tahitiaans huis, gemaakt van hout en lianen, met een dak van palmbladeren

Omdat ik niet al te goed wist waar ik na het eten naar toe zou gaan, ging ik naast Iris zitten. Al met al was ik maar vijf jaar jonger dan zij en ik voelde me die avond ook een ontheemde. 'Bestaat er een land waar mensen van vijftig niet bekeken worden alsof ze al dood zijn?' vroeg ze me met een grafstem. 'Nice!' riep Tiberius, die langsliep en door een opkomende dronkenschap cynisch werd. 'De schoft!' zei Iris. 'Maar hij heeft gelijk. Wat doe ik hier? Het interesseert me maar matig om vrouwenbuiken te zien wiebelen.'

Ze vroeg Alex of hij met haar mee aan boord wilde gaan, wat hij met verdachte bereidwilligheid accepteerde.

Ik durfde niet tegen Yves te zeggen: laten we teruggaan, ik verveel me. Dat zou onmenselijk zijn geweest. En het was ook onmenselijk om alleen te gaan slapen met nutteloze crème op mijn gezicht en Proust, deel vii, terwijl Yves zich zou bewegen te midden van die nimfen die gespecialiseerd waren in wellustig gedrag. Wat dan? Och, Amerikaanse vrouwen, hoe houden jullie het hier uit? En jullie, mannen, hoe zouden jullie reageren als er voor ons gelukzalige eilanden bestonden waar wonderschone jongens als enige gedachte het verlangen hadden ons gelukkig te maken, ongeacht onze schoonheid, rijkdom of leeftijd?

'Is dat jouw man?' vraagt me plotseling een groot stuk met een paardestaart, terwijl ze naar Yves wijst. 'Mag ik hem van je lenen? De mijne zit op Bora-Bora,' gaat ze verder met dat accent als van een Bourgondische boer, waarvan je niet verwacht dat het uit de mond van zulke godinnen komt.

Dat doen ze altijd, legt een Fransman me uit, het is een test: en als de vrouwen zich enigszins kleingeestig gedragen, dan wordt de postkoets aangevallen: ze doen het om de beurt en het gebeurt zelden dat niet minstens één van hen weet af te rekenen met de meest standvastige principes. Ook daarom zie je hier zo weinig blanke vrouwen. Er zijn er een paar op Tahiti gebleven, maar helemaal alleen, uit liefde voor het land. Praktisch geen enkele vrouw is erin geslaagd een echtgenoot van haar eigen kleur te behouden en geen enkele vrouw is getrouwd met een man van Tahiti, dat Arles van de Stille Oceaan.

'Je ziet, ik heb mijn plaatje niet in,' legt een andere godin me uit, die zo'n Tahitiaanse naam heeft om van te dromen: Vahirea. En ze opent rustig haar lachende lippen waarachter bloot tandvlees is te zien.

'Robert heeft de tandarts voor me betaald, dus elke keer als hij naar de eilanden gaat, stopt hij het plaatje in zijn koffer: hij denkt dat ik dan de liefde niet kan bedrijven, die arme man!'

Ze lacht met haar mond wijd open, opgetogen over de streek die ze haar tané[3] levert.

Als ze haar mond dicht heeft, is ze mooier dan een hinde, dan de mooiste mannequin, dan alle schoonheidskoninginnen van de wereld, met die soepele hals die gebogen is als de stam van een kokospalm, en hetzelfde geldt voor haar dijen, met haar spleetogen die toch groot zijn, en die haardos die tot op haar knieën valt. En ze is twintig. Maar die schok, telkens als ze haar mond opendoet, en dat boerse accent en dat grove vocabulaire dat tussen haar tandvlees vandaan komt! Alle romantiek van de wereld als je hen ziet, en als je hen hoort geile grappen en vrolijke schaamteloosheid. Je moet ze nemen zoals ze zijn, graag of niet. Over het algemeen graag.

'Wil je dat we teruggaan?' was het voorstel van Yves, die het aan mijn gezicht zag.

'Maar waarom jij ook?' zei ik.

---

3 tané: de man met wie je leeft

'Omdat ik morgen om acht uur moet werken.'

'Maar als ik er niet was, zou je de hele nacht blijven, dat weet ik best.'

'Natuurlijk, schat. Maar je bent er wel.'

Ik wilde me niet belachelijk maken door hem voor de zoveelste keer te vragen wat hij in theorie liever wilde. Ik blijf er hoe dan ook altijd van overtuigd dat hij zonder mij pas echt zichzelf is. Daarin ben ik onverbeterlijk.

'Wat een merkwaardige avond,' zei Yves. 'Hoe vond jij het? Het is nog Tahitiaanser dan ik dacht.'

'Tja... buiken en nog eens buiken. Prachtig, schitterend... maar wat moet ik ermee?'

'Kortom, we gaan terug, ik heb het begrepen.'

'Maar jij dan?' drong ik aan. 'Je gaat Maeva of Vahirea toch niet weigeren de liefde met hen te bedrijven? Ik vind het niet zo vreselijk, dat weet je. Geloof je me niet?'

'Nee, schat,' zei Yves heel rustig.

'O. En daarom ga je met me mee terug?'

'Nee, schat,' zei Yves.

'Maar ik ben veranderd, weet je.'

'Ik ook,' zei Yves.

'Maar ik wil niet dat jij verandert! Niet dat je me zo bevalt, maar omdat ik bang ben dat je anders nog erger wordt. Vooral als je ten goede verandert...'

Ik weet per slot van rekening wat ik heb en ik begin er zo'n beetje aan te wennen. Bovendien is het niets voor Yves om zich te beteren: al ziet hij er nog zo rustig uit, hij zit in elkaar als een knibbelspel. Als je één staafje verplaatst, kan alles instorten. Ik ben altijd bang geweest om hem aan te raken. Ik weet zeker dat die humor, dat evenwicht, die levenslust die ik zo in hem waardeer, slechts aan een zijden draadje hangen. En ik weet niet zo goed aan welk draadje. Ik voel me vreselijk sterk vergeleken bij hem, tegelijkertijd kwetsbaar omdat ik weiger me te verdedigen, belachelijk gevoelig voor zijn doen en laten, maar onverwoestbaar. Wat een blok aan zijn been! En wat is dat voor een vreemd mechanisme dat maakt dat we misschien wel onmisbaar voor elkaar zijn?

Toen we de faré uitkwamen, zagen we Jacques die aan het donkere strand met drie meisjes aan het zwemmen was. Zijn haren waren bijna fosforescerend in het maanlicht. Ik vind hem aardig en vertederend, hij zou me geen verdriet hebben bezorgd, ik zou heel goed geweten hebben hoe ik met hem moest omgaan, maar ik zou het nooit twintig jaar met hem hebben uitgehouden. Nog geen vijf jaar. Jacques gebaarde vrolijk naar ons: hij heeft zijn paradijs gevonden: ze zijn hier dol op blonde mannen met blauwe ogen; zo mogelijk nog meer dan op bruin- of roodharige mannen, of mannen met kastanjebruin haar of kale mannen

Maandag 16 maart

Geluncht in Hôtel des Tropiques terwijl de regen in vlagen neerkletterde. Natuurlijk hebben ze me verteld dat dat zelden gebeurde in dit jaargetijde. Ik lachte spottend. Daarna gaan we bij de nieuwe vrienden langs: wat drinken bij een zekere Jean-Claude, die in het gips ligt, en in wiens faré iedereen Hoe-Hoe roepend binnenkomt, want er zijn geen deuren of ramen maar alleen gordijnen van lianen die je neerlaat aan de kant waar je jezelf wilt afschermen. De vochtige bloemen ruiken lekker, enorme kokospalmen werpen hun schaduw op het strand en je ziet op vijftig meter afstand het koraalrif waar kreeftenvissers lopen, met het water tot aan hun knieën. Daarna gaan we naar de admiraal. Hoe-Hoe, weer wat drinken. Daarna naar de fotograaf die zijn winkel sluit om met ons iets te gaan drinken en ons in een van de havencafés de attractie van Tahiti te laten zien: de enige Tahitiaanse die niet alleen voor haar plezier de liefde bedrijft! Ze noemen haar de Schoener omdat ze zes

242

knopen per uur loopt en iedereen schijnt opgetogen te zijn over die grap, zijzelf incluis. Bij iedere stopplaats verzamelen we nieuwe vrienden en al die mensen proppen zich in trucks en er is altijd ergens een gitaar en iemand die zingt en dan vertrekken we weer en zo gaat de dag voorbij en heel vanzelfsprekend zien we elkaar 's avonds allemaal weer terug om te gaan eten op de *Moana*, Vahirea zonder haar plaatje, Roger en Toumata, Terii, het kleine Chinese meisje, de fotograaf en zijn Tahitiaanse vrouw, een zekere Zizi die tandarts is in Papeete met zijn vrouw, en volop andere Tahitiaansen die niet bij iemand horen en verder 'de Kater', een pottenbakker die met een schitterende Tahitiaanse is getrouwd, maar hij is dubbel getrouwd, zoals ze hier zeggen, dat betekent in de kerk en in het stadhuis, al tien jaar. Zijn vrouw, Faréhau, heeft vijf kinderen in alle kleuren, met inbegrip overigens van de kleuren van de pottenbakker, een blonde man met blauwe ogen, maar nog steeds ziet ze eruit en gedraagt ze zich als een jong meisje. Faréhau schijnt een ster te zijn in dit gezelschap, misschien omdat ze aan het hoofd staat van de beste groep danseressen van het eiland, misschien omdat ze dubbel getrouwd is en dat ook blijft ondanks talrijke avonturen waarvan je wel voelt dat die zijn bijgewerkt in de loop van successieve verhalen. Ze hebben geleid tot dit gesproken gedicht dat al haar vriendinnen uit hun hoofd kennen en waarvan ze de beste passages met applaus begeleiden:

'In het begin van ons huwelijk,' zegt Faréhau, 'was de Kater boos als ik de tamouré danste.' (Ze glimlacht ontwapenend naar haar man.) 'Vooral wanneer ik die op de boot ging dansen voor de toeristen. Dan zat ie te mokken. Ik moest erom lachen. En omdat het vermoeiend is om in je eentje te zitten mokken, nog vermoeiender dan werken, verzoenden we ons dan weer. En nou zit de Kater nooit meer te mokken... Dat is de moeite niet!

In het begin wou hij ook altijd platen draaien van Bach en Mozart. Ohé! Dat vond ik vervelend! Ik dacht steeds dat het de mis was. En de Franse vrouw van de officier van justitie had speciaal dingen georganiseerd om naar Bach te luisteren; je kon niet zingen, je mocht alleen luisteren! Ik geloof dat ze dat concerten noemen. Gelukkig zijn die er nou niet meer: die vrouw is weer naar het moederland teruggegaan.' (Iedereen lacht zich krom bij die herinnering.) 'De Kater, die gaf me voortdurend goede raad: "Niet met je benen bewegen... Niet met je vingers knippen... Niet praten tijdens de muziek." Ohé! Ik hou niet van Bach. Maar Mozart, daar kan ik nou af en toe wel naar luisteren zonder met mijn vingers te knippen.'

In werkelijkheid is er maar één ding in het leven waar Faréhau van houdt: van dansen. En van de liefde natuurlijk, maar dat is hetzelfde.

'Houdt u soms van cocktailparty's?' vroeg ze aan Iris, die in haar ogen waarschijnlijk het hoofd en de leeftijd heeft voor cocktailparty's. 'Een keer heeft de Kater me meegenomen. Hij had me weer volop goede raad gegeven: niet te hard lachen, niet de hele tijd praten, niet veel drinken. En ze bleven maar staan praten en ik wachtte steeds maar tot ze gingen dansen. En de dames deden niks anders dan met me praten over mijn baby's en over het dienstmeisje dat goed was of niet goed en over hun ziektes... Dat vond ik niet interessant, om naar hun ziektes te luisteren! En ik vraag de Kater waar die dame die ons uitnodigde bij staat: "En? Wanneer gaan we dansen?" En hij kijkt me bestraffend aan en vertelt me dat er op een cocktailparty nooit wordt gedanst. "Wat doen ze dan?" zei ik. "Doen ze niks anders dan praten?" De Kater, die was niet tevreden. En ze deden niks anders dan praten. En de mannen, die praatten alleen maar over hun werk, dat was niet interessant. We praatten en toen gingen we weg. Ohé! Ik hou niet van cocktailparty's.'

Vahirea, die aan de voeten van Tiberius lag, glimlachte breed tegen hem met haar tandeloze mond. Ze had hem verleid met haar mond dicht: toen ze begon te praten, was het te laat, het gaat hier allemaal zo snel! 'Ach,' zei ze opgetogen tegen haar buren, 'wat heeft hij me gisteravond pijn gedaan aan mijn vagina, ohé! Ik kan niet meer lopen.'

En als die woorden door Tahitiaanse vrouwen worden gezegd, klinken ze charmant omdat voor hen alles wat van de natuur komt mooi is, zelfs de woorden die de vrouwelijke organen aanduiden, die bij ons lelijk lijken of lichtelijk weerzinwekkend, als het al niet doodgewoon scheldwoorden zijn geworden. Op Tahiti is alles plezierig en vooral dat wat je kunt gebruiken bij de liefde.

Terii had het over haar kinderen. Ze had alleen de eerste borstvoeding gegeven, 'omdat het vervelend is om steeds maar de tiet te geven'. Ze had nog een tweede gekregen, een blond jongetje dat zo mooi was dat ze het aan haar nicht had gegeven die geen kinderen kon krijgen. Ze zou er best nog een willen krijgen, maar dan ook weer blond, als het kon. Ze wierp Jacques een uitnodigende blik toe.

Daarna stelde iemand voor om 's avonds nog naar een ander feestje te gaan, bij Zizi. Maar Yves en Tiberius gingen naar de Bambou-bioscoop om de proefopnamen te bekijken van de crematie die ze in Benares hadden gefilmd en die zojuist per vliegtuig waren aangekomen. Iedereen wilde mee.

De Hindoewereld weerzien in dat land dat door geen enkele buitenzinnelijke plaag werd verontrust en waarvan de inwoners met ironisch medelijden naar de hartstochten keken waar die gekke Europeanen door werden gedreven, of dat nu ambitie, liefde of geld was, leek volkomen onwerkelijk. Maar de sfeer van Tahiti had nog geen sporen achtergelaten op de mensen van de *Moana*. Als ze zouden blijven, zouden ze heel snel net als de andere Popaas[4] worden en geen enkel boek meer lezen, zich niet meer interesseren voor politiek, en nog minder voor wat er van de wereld zou worden, alleen maar bezig met hun liefdesverhoudingen, met gekwebbel over de verhoudingen van anderen, met feestjes, met onderwatervissen en tochtjes naar de andere eilanden voor andere feestjes. De proefopnamen in kleur in cinemascope waren huiveringwekkend mooi. We waren het al een beetje vergeten, Benares kun je alleen maar vergeten: het is ondraaglijk. De Tahitiaanse vrouwen konden er trouwens niet tegen. Ze hielden in de bioscoop alleen van westerns en voetbalwedstrijden. Ze begonnen achter in de zaal te kletsen en stiekem te lachen, als schoolmeisjes wanneer de leraar vervelend is.

Na de voorstelling propten we ons in auto's die op de klanken van de gitaar voortreden en gingen we wat drinken bij Zizi, die samenwoont met Emilie, de zus van Faréhau, in de buurt van Papeete, aan een volkomen zwart strand. Toen we aankwamen, merkten we dat Alex en Betty ontbraken. Een uur later waren ze nog steeds niet gearriveerd.

'Nou ja,' barstte Iris los, 'dit is belachelijk, waar is Alex? We moeten hem gaan zoeken.'

'Je moet een man nooit gaan zoeken,' zei Faréhau vriendelijk, terwijl ze Iris bij haar schouder vastpakte. Maar Iris maakte zich ruw los.

'Ik heb niet dezelfde ideeën als u. Noch dezelfde gewoonten.'

'Luister, Iris,' zei Yves, die niet tegen dit soort scènes kan, 'je bent moe en ik breng je terug aan boord als je het goedvindt. Je gaat naar bed met een lekkere slaappil en je zult zien dat het morgen allemaal beter gaat.'

'Goed zo, oma wordt naar bed gebracht en daarna gaan

4 Popaas: vreemdelingen, over het algemeen Europeanen

we terug om lol te maken. Jullie zijn allemaal schoften,' zei
Iris, die in de tuin van Zizi op de grond ging zitten en begon
te huilen.
'Weet je zeker dat je niet wilt dat ik je terugbreng?' zei
Yves nog eens, op de ijzige toon die hij aanslaat als men zich
niet gedraagt zoals hij het zou wensen, zonder respect voor
de beweegredenen.
'Ik weet zeker dat ik die hoer niet meer op mijn boot wil
hebben,' schreeuwde Iris. 'En ik wil niet langer op dit hoe-
reneiland blijven.'
'In dat geval gaan we hier allemaal van boord,' zei Yves.
'Ik wil in ieder geval mijn film afmaken. Voor de laatste
maal, wil je dat ik je naar de boot breng, Iris?'
Terwijl hij die woorden zei, keek hij zo woest dat het wel
leek alsof hij voorstelde haar neer te schieten.
'Ja, breng me maar terug,' zei Iris met een kinderlijk
stemmetje. 'En zorg dat ik niet zoveel punch drink, dan zie
ik de waarheid te goed.'
Ze klampte zich als een drenkeling aan Yves' arm vast. In
de faré van Zizi gingen de gelukkige meisjes door met zingen in hun lieflijke taal vol klinkers:

Te manu Pukarua
E rua puka manu

waarbij ze in koor het verbluffende refrein herhaalden dat
de toeristen pas na enige tijd durven te begrijpen:

Hata po po po
Te haua ragoût pommes de terre
Hata po po po
Te haua ragoût pommes de terre.

Dinsdag 17 maart
Iris is de hele dag in haar kamer gebleven. Betty heeft er lak aan. Het is een hard, of misschien rigoureus vrouwtje, dat van mening is dat dit probleem haar niet aangaat, dat het een zaak is van Alex en zijn vrouw en dat ze Alex eerder een dienst bewijst door hem de gelegenheid te bieden zich te redden uit een dubbelzinnige situatie die niemand gelukkig maakt. Alex is volkomen van slag. Hij die zich altijd heeft geschikt in de onduidelijkheid van zijn bestaan, is verbijsterd, of eigenlijk meer beduusd door de hardvochtigheid van Betty, die hij schijnt aan te zien voor de onbuigzame onbedorvenheid van de jeugd. 'Het is een Anouilh-meisje' zegt hij steeds maar tegen ons als om zich te verontschuldigen. Hij loopt verwilderd rond, klopt aan de deur van Iris die 'val dood' tegen hem roept, sluit zich in zijn kamer op met Betty, komt nog meer verwilderd naar buiten, te midden van een horde Tahitiaanse vrouwen die aan boord van de *Moana* komen en gaan alsof ze thuis zijn, want ze zijn erg nieuwsgierig naar dat drama tussen Popaas dat ze maar niet serieus kunnen nemen. Je vindt ze overal: in de bar, in de slaapkamers waar ze verrukt onze halskettingen passen, in de salon waar ze zitten te zingen of vertellen hoe die en die de liefde bedrijft, en ook in de bedden, en druk aan het dansen.

We aten 's avonds aan land, bij de Kater deze keer, en Faréhau danste prachtig de tamouré en daarna gingen alle meisjes achter elkaar in het donker op het strand zitten om een heel mooi lied uit te beelden dat herinnerde aan de tijd van de heldhaftige zeereizen van de Maori's. En daarna de hele nacht de gitaar en natuurlijk Hata po po po, Ragoût pommes de terre.

Toen ik tegen twee uur 's ochtends door de gang langs de hut van Iris liep, zat ze waarschijnlijk op me te wachten, want ze riep me. Ze leek kalmer. Ze had een driedubbele laag nachtcrème op, die haar tijdelijk geruststelde: al die tijd dat de crème werkte, had ze respijt, was het verouderings- proces tot stilstand gebracht. Dat stond althans in de ge- bruiksaanwijzing. Drie koffers waren uit de kast gehaald. 'Ga daar zitten,' zei ze tegen me terwijl ze naar haar bed wees. 'Kan ik je even spreken? Daar heb ik behoefte aan.' Ze droeg een zachtpaars nylon nachthemd met frutsels. Nylon is gemeen. Je zag waar haar zware borsten begon- nen. Echt begonnen: ze liepen naar beneden door. Twee vouwen aan beide kanten van haar mond. Haar mooie wil- de haar; haar magere handen met te veel ringen; haar tragi- sche bruine ogen; en klein en kwetsbaar met al dat geld dat niet kon voorkomen dat ze zich ellendig voelde. Alles wel- beschouwd had Alex maar vier grijze haren op zijn magere tors. Vier grijze haren is ook triest. En gezwollen aderen op zijn linkerkuit; en sterke, kleine, dicht op elkaar staande tanden zoals je ze wel eens op het strand vindt, als ze nog vastzitten aan de kaak van een ezel.. maar die van Alex wa- ren bruin en geel vanwege de nicotine, en een grappenma- ker van een tandarts, die waarschijnlijk als smid was begon- nen, had aan zijn voorkant haakjes, verstevigende plaatjes en vullingen achtergelaten, waardoor zijn mond op een op- slagplaats van non-ferrometalen leek. Gelukkig lachte hij weinig en niet breeduit. Waarom waren al die stigma's bij hem van geen enkel belang?

'Je ziet, ik heb besloten op te krassen,' zei ze, terwijl ze naar haar koffers wees. 'Ik heb voor morgen een plaats in het watervliegtuig besproken. Ik ga naar New York, naar mijn zus.'

'Ben je niet bang om Alex... zo maar te laten gaan?'

'Alex en Betty te laten gaan, bedoel je? Jawel, daar ben ik vreselijk bang voor. Maar minder bang dan wanneer ik naar ze blijf zitten kijken. Wat zou ik moeten doen? Mijn bed voor ze openslaan? En als jullie me allemaal in de steek zouden laten, kun je je voorstellen hoe ik dan alleen tegenover Alex op deze boot zit? Trouwens, Alex zou niet bij me blijven, dat weet ik. Wanneer een man als hij eenmaal gek wordt...'

Ze verschoof de kussens opdat ik niet zou zien dat ze zin had om te huilen en ze stak een sigaret op.

'Nee, als er één kans is dat hij terugkomt, dan is dat op voorwaarde dat ik meteen verdwijn. Hem geen redenen geef om bij me weg te gaan. En als ik blijf, je weet hoe ik ben, dan geef ik hem die wel. Denk je niet dat ik gelijk heb?'

Dat dacht ik wel, maar gelijk hebben, wat schoot ze daarmee op? Ze zou in de steek worden gelaten net als wanneer ze ongelijk had, ze zou er hoogstens drie maanden mee winnen. Maar Alex zou haar in de steek laten. Behalve als Betty dood zou gaan of hem zou laten vallen, zou hij maar naar één ding verlangen, hij verlangde maar naar één ding: weg zien te komen uit zijn bestaan dat hem nu een gevangenis leek, en dat meisje bij haar haren grijpen om in haar weg te zinken, haar leven te drinken. Iris wilde vertrekken zonder iemand op de hoogte te stellen, waarbij ze niet kon nalaten te blijven hopen dat de schok van haar vertrek indruk zou maken op Alex en hem er misschien toe zou brengen haar op te zoeken in New York. Ook al was er maar een kans van één op een miljoen.

'Wat me bang maakt, is dat Alex alles altijd serieus heeft gedaan. Zijn aanval van gekte zal hij ook serieus nemen... die imbeciel, als hij denkt dat hij gelukkig zal zijn met een meisje als zij...'

Ze viel snikkend op het kussen neer. Ik dwong mezelf haar haren te strelen, terwijl ik dingen zei waarin ik niet geloofde, dat we door dat lange opgesloten zitten aan boord een beetje in de war waren geraakt, dat Tahiti een land is waar je de waarde van dingen vergeet en dat alles wel weer in orde zou komen als we weer in onze gewone omgeving waren. Ze antwoordde: 'Denk je?', helemaal bereid, zoals ik dat in sombere tijden ook was geweest, zich vast te grijpen aan half vergane touwen, om het hoofd nog iets langer boven water te houden.

'En jij dan,' zei ze, 'hoe kreeg jij het voor elkaar om dat vol te houden? Had jij wel eens zin om ervandoor te gaan?' Nou nee, nooit! En ik begreep niet meer hoe ik het voor elkaar had gekregen om me al die tijd staande te houden. Als ik mezelf nuchter een advies had kunnen geven, met de geestesgesteldheid die ik nu heb, zou ik tegen mezelf hebben gezegd: 'Beste meid, arme lieverd, je maakt jezelf kapot, het is niet vol te houden. Ga weg uit medelijden met jezelf.' Met de bijgedachte dat Yves dan gedwongen zou worden een beslissing te nemen, in elk geval na te gaan hoe belangrijk ik was op grond van de leegte die ik zou achterlaten. 'Ik herkende mijn geluk aan het stof dat het deed opwaaien door te verdwijnen,' zei Prévert. Het lijkt me nu dat dat de verstandige oplossing zou zijn geweest. Maar verstandig zijn, wat een grap! Iedere tegenslag bezorgt je misschien de specifieke genade die je nodig hebt om die slag te boven te komen. Ik heb me uiteindelijk zo goed mogelijk aan de toestand aangepast, want we zijn immers nog steeds bij elkaar en daar zijn we blij om. Ik zou het nu niet meer op die manier doen: achteraf bewonder ik mezelf en sta ik van mezelf versteld. Maar nu zou je het misschien anders moeten aanpakken. Wat moet ik nu tegen Iris zeggen? Hoe dan ook, je hebt zo weinig keus. Iris heeft de kracht niet om te blijven; wel om te vertrekken. Laat ze daarheen gaan waar ze het sterkst is.

Ik ging de volgende ochtend met haar mee naar Faaa. Het watervliegtuig steeg op om kwart voor zes en we konden zonder gezien te worden de bagage meenemen en van boord gaan. Ik had Yves natuurlijk gewaarschuwd. Ik heb geen geheimen voor hem, behalve mijn eigen geheimen.

Bovendien wil ik graag weten wat hij van die toestanden denkt, ook al zorgt hij er wel voor dat ik nooit kan raden wat hij in iemand anders' plaats zou doen. Trouwens, als het zo ver is, doe je nooit wat je hebt gepland. Lief en leed, verdriet maakt er een puinhoop van.

In Faaa loopt niemand met halskettingen van bloemen. Het was een uitvaart in aller ijl, die zich als toppunt van wrangheid (maar was dat eigenlijk wel erger?) afspeelde op zo'n volmaakte ochtend dat het was alsof die iedereen geluk beloofde. Iris huilde niet. Ze was altijd dol op drama geweest en de onverwachte wending die zij verzonnen had, maakte dat haar ogen schitterden van opwinding. Ze had het gezicht van Alex wel eens willen zien, 's avonds, als ik hem het nieuws onder het eten zou vertellen, waar de anderen bij waren, zoals zij het had gewild. Toch kun je je, als je geld hebt, in zo'n geval wat compensatie veroorloven, daar wees ik haar op.

'Jij wilt maar niet begrijpen dat dat helemaal niets uitmaakt,' antwoordde ze. 'Integendeel. Niemand heeft medelijden met rijke mensen; het wordt bijna onfatsoenlijk gevonden dat ze het lef hebben ongelukkig te zijn. Ik zou liever afstand doen van mijn vermogen en Ivan en Alex om me heen hebben. Ik ben alles kwijt!'

'Het had ook gekund dat je, zoals de vrouw van Roger, je man was kwijtgeraakt en alleen, zonder beroep, achterbleef in Levallois...'

'Wees niet zo neutraal en populistisch, dat is een trekje van jou dat ik uiterst irritant vind,' onderbrak Iris.

De passagiers met bestemming Samoa werden opgeroepen. Iris stopte een pakje in mijn hand en omhelsde me terwijl ze fluisterde:

'Zeg maar tegen Alex dat ik hem niet als eerste schrijf. Hij weet heel goed dat ik niet veranderd ben en dat ik op hem wacht.'

Ik omarmde haar. Ik voelde geen echte vriendschap voor dat oude rijke meisje en minder medelijden dan voor een ander, vanwege haar enorme vermogen... het is waar dat het onrechtvaardig was, ze had gelijk. Maar ik hield van haar uit een gevoel van vrouwelijke saamhorigheid, vanwege de verstandhouding die ik heb met alle vrouwen die in de steek zijn gelaten, vanaf Bérénice en nog verder terug, en die zozeer in de liefde geloofden dat ze niet zorgden voor een plaats waar ze zich konden terugtrekken. 'Ik zal een afschuwelijke herinnering aan Tahiti overhouden,' zei ze tegen me terwijl ze wegliep.

Er was toch een kroon van tiarés: ik zag dat iemand die in zee gooide terwijl hij de ladder opklom, en het zware watervliegtuig steeg heel langzaam op en de kroon dreef erachteraan op het water, en ik kreeg bijna zin om te huilen maar dat was vanwege *Tabou*, een film die me plotseling na zoveel jaren weer voor de geest kwam, alleen vanwege de laatste scène, al het andere was ik vergeten, die scène waaraan ik een hartverscheurende herinnering had, die man die tot hij niet meer kan achter de boot van Tahiti aan zwemt, die de vrouw wegvoert van wie hij houdt, en de kroon die daar drijft en steeds kleiner wordt, het armzalige symbool van de gelukkige eilanden, dat algauw zal zinken zonder een spoor na te laten. *Tabou!* Ik had hem gezien in de Pagode. Er zwom niemand achter Iris aan. Geen bloemen, geen kransen. In besloten kring. Amen.

And then they were five.

13
TAHITI:
1040 KM², 28 000 BEWONERS

Levenskunst gaat altijd gepaard met vertwijfeling, dacht Alex, met een zekere voldoening zijn favoriete schrijver citerend, terwijl hij in de lege kamer van Iris stond. Maar zijn beroep op de literatuur waarvoor hij respect had en waarvan hij hoge verwachtingen koesterde, slaagde er niet lang in de stroom van vreugde die hem overspoelde in te dammen: precies op het moment waarop Iris in Faaa in het vliegtuig stapte, werd Alex, die die nacht niet aan boord was teruggekeerd, wakker naast Betty met wie hij zojuist zijn eerste nacht had doorgebracht. Hij bekeek zichzelf in de spiegel en herkende zichzelf niet. Hij was de man van wie Betty hield, dat ongelofelijke had ze hem juist die nacht verteld. En hij, Alex, tweeënvijftig jaar, directeur van de sectie Afrika bij de Unesco, hij had zojuist als een kwajongen liggen vrijen in het zand! En daarna hadden ze een strohut gehuurd bij het Hôtel des Tropiques en hadden ze weer gevreeën in een bed vlak aan de Stille Oceaan. Hij glimlachte tegen zichzelf in de spiegel: 'Wel wel, ouwe jongen,' zei hij zachtjes tegen zichzelf, want in zijn ontroering kon hij niets beters bedenken.

Dat zou allemaal nooit zijn gebeurd in Parijs met de Unesco, de collega's, de georganiseerde reizen, de grote diners thuis, dat hele keurslijf van gewoontes die vaak prettig waren, en verplichtingen die niet altijd onaangenaam waren, en die hij was gaan beschouwen als de gewone structuur van het dagelijks leven voor een man van zijn leeftijd. 'Ik ben geen jongeman meer,' zei hij vaak, zonder al te veel spijt. Het was zelfs zover met hem gekomen dat hij dacht dat gezondheid uiteindelijk het kostbaarste bezit is. Een rampzalige verstandsverbijstering, de reactie van een oude man! Deze vreugde was het kostbaarste bezit. Zo'n intense vreugde, die in korte tijd zo essentieel voor hem was geworden dat bespiegelingen over de ellende van Iris alleen maar belachelijk konden lijken. Ik ben tenslotte net zo kostbaar als zij, dacht Alex, waarom zou ik me nog langer opofferen voor een vrouw die niet gelukkig is en voor een vorm van geluk die ik naar mijn gevoel niet in staat ben haar te verschaffen? Eigenlijk gaat levenskunst altijd gepaard met geluk, concludeerde hij, Camus corrigerend, en tamelijk tevreden deed hij de deur van de kamer van zijn ex-vrouw achter zich dicht.

Hij had nog nooit geproefd van het bitterzoete genot van de schuld en de lafheid, van die momenten waarop de tijd lijkt stil te staan en het ogenblik waarop je moet kiezen en pijn moet doen nog niet is aangebroken, die momenten waarop je schijnheilig kunt genieten door jezelf wijs te maken dat dat ogenblik nooit komt en dat alles wel in orde zal komen, terwijl iedere dag, ieder genotsgevoel de mogelijkheid om op je schreden terug te keren verder uitsluit. Tahiti had bijgedragen tot zijn verandering. Het was een beetje dank zij de Tahitiaanse aanleg voor geluk dat hij zojuist het egoïsme had ontdekt, die ondeugd die onontbeerlijk is voor je gezondheid, en voor het eerst had hij de hevige behoefte zichzelf plezier te doen in plaats van het trieste gevoel van beloning dat je geacht wordt te ervaren wanneer je je voor anderen opoffert.

Ook Jacques was zojuist tot een beslissing gekomen waarvan hij het gewicht zonder het te weten al maanden met zich meedroeg. Tahiti bood hem een onverwacht geheel dat zo ongeveer zijn ideaal vertegenwoordigde: een kinderlijke vrouwenmaatschappij die sensueel en vrolijk was en hem tamelijk exact het soort relaties verschafte dat hij wenste te hebben met het vrouwelijk deel van het mensdom; en tegelijkertijd een saamhorigheid van kameraden die veel belang hechtten aan een goede conditie, onderwatervissen, jagen, de boot, lol maken, dat wil zeggen feestjes, en tochtjes naar de eilanden op een of andere schoener die ze te pakken konden krijgen. In Frankrijk lukte het niet meer om die twee aspecten los van elkaar te zien: Jacques bewonderde Zizi, met wie hij vroeger in Parijs had gestudeerd, omdat die al heel jong had weten te kiezen. Zizi was al aan zijn derde vrouw, maar omdat hij nooit dubbel getrouwd was, hadden die verbintenissen niets belastends. Hij woonde al vijftien jaar op Tahiti en de gedachte dat hij elf van de twaalf maanden weer een dubbelrijig kostuum zou aantrekken, iedere avond naar huis gaan om groentesoep te eten in een goed afgesloten eetkamer, met een boek en algauw met een bril naar bed gaan, waarbij hij het raam op een kier zou zetten om koolmonoxyde in te ademen, zijn bruine kleur verliezen, zijn vrijheid en zijn stranden, en weer belastingontvangers, verkeersagenten, snobs en intellectuelen zou aantreffen, leek hem zijn krachten te boven te gaan. Jacques luisterde hoe hij vertelde over zijn leven, zoals de woestijn regen in zich opneemt. Frankrijk was heel ver weg maar tenslotte waren ze toch op de terugweg en de angst begon zijn hart binnen te sijpelen, dat arme hart dat hij niet meer mocht overbelasten! Hij had nooit echt aan terugkeren gedacht, uit discipline meende hij, om zich alleen bezig te houden met het consolideren van zijn genezing. Maar die Zizi die het had over dubbelrijige kostuums, soep, eetkamer... die beelden deden zijn infarct geen goed. Daar zou hij later wel aan denken, veel later... als alles goed ging. Tegenover Zizi begon hij over zijn plan om 'een tijdje' op Tahiti te blijven, zoals hij schroomvallig zei. Zijn instinct waarschuwde hem dat hij van die kant geen serieuze tegenspraak hoefde te verwachten.

'Maar beste Jacques,' zei Zizi tegen hem, 'het is zo simpel als wat! Ik heb een tandartsenpraktijk en ik werk niet de hele dag. Aan tandartsen is er geen gebrek hier, op alle boten komen ze aan! Maar met jou is het wat anders: ik doe een deel van mijn patiënten aan jou over, ik heb er te veel. Ik ben hier al lang, snap je. En jij hebt toch ook wel wat geld?'

'Maar mijn vrouw dan?' zei Jacques, die vol vertrouwen de slechte raad van zijn vriend afwachtte.

'Wat denk je? We hadden allemaal een vrouw in Frankrijk, of bijna allemaal. En voor jou, ouwe jongen, is het een kwestie van leven of dood. Je vrouw zou er mooi mee opschieten als jij na drie maanden weer een infarct oploopt!'

'Ik zou mijn aandelen kunnen verkopen,' zei Jacques. 'Een huis in Cherbourg dat ik van mijn ouders heb geërfd. Ik zou Patricia natuurlijk alles laten houden. Haar vader is trouwens rijk. Wat dat betreft zal ze zich geen zorgen hoeven te maken,' besloot hij met sluwe blik, waarbij hij van de voorwaardelijke wijs op de toekomende tijd overging.

Ze wachtten zich er wel voor de andere kanten van de zaak aan te snijden. Ze hadden wat gedronken bij de lunch, de zon scheen voor iedereen, en als je het vanuit Tahiti bekeek, leek niets echt ernstig. Alex zou Patricia goed moeten uitleggen... De kinderen zou hij laten overkomen, ze zouden hier de drie zomermaanden doorbrengen, dan zouden ze er heel wat beter gaan uitzien! Ze zouden Tahiti geweldig vinden. Kortom, alles zou in orde komen.

En later, nou ja, dan zag hij wel. Misschien. Intussen zou alles voor hem veranderen. Van de beslissing die hij zojuist had genomen, verwachtte hij wonder wat, alles wat hij tot dusver niet had gevonden, met inbegrip van dat droombeeld: dat het leven zin zou krijgen. In ieder geval was het een manier waarop zijn verleden zou ophouden te bestaan die plezieriger was dan zelfmoord of een hartaanval.

Zizi en Jacques waren dolgelukkig met elkaar toen ze het Chinese restaurant uitkwamen. Dat was nou vriendschap onder mannen, de ware vriendschap. Emilie en Terii wachtten op hen in de Lafayette. Ze zouden hen eens verrassen. Met een weids gebaar wees Jacques naar zijn nieuwe vaderland:

'Ik geloof dat ik niet weer terugga met de *Moana*,' zei hij. 'Uiteindelijk heb ik besloten hier nog wat te blijven... je hebt niet het recht om Tahiti zo snel te verlaten, het is te mooi.'

'Ohé!' riep Terii opgetogen.

Hij liet zijn blik over zijn koninkrijk dwalen en zag niet dat een eiland ook een gevangenis is. Hij zag achter de schitterende buitenkant niet de gruwelijke verveling die dat enigszins vervallen stadje uitwasemde, waaruit de slapheid en de zorgeloosheid van een gedevitaliseerd volk spraken. Hij keek naar het heerlijke lichaam van Terii en had niet door dat haar blik leeg was en dat ze nooit iets intelligents tegen hem zou zeggen, en dat hij op zekere dag die intelligentie zou missen, zelfs bij een vrouw, zelfs hij. Niemand herinnerde hem eraan dat Gauguin hier jaren van armoede en verbittering had doorgebracht, vervolgd door het ambtenarenapparaat, geminacht door de blanken en de inlanders, en door allen beschouwd als een waardeloze klad-schilder. Hij kon nog niet weten wat voor mislukkingen, die schuilgaan achter de humbug van de tropen, verborgen worden gehouden door die ouder wordende Fransen die al te lange tijd op Tahiti zijn blijven hangen en die niet het ver-langen maar wel de middelen om weg te gaan zijn kwijtge-raakt. Ze zouden niet eens meer ergens anders kunnen le-ven, die oude gedesillusioneerde ballingen die door al te veel schoonheid zijn vastgeketend, door al te veel gemak-zucht zijn gesloopt, en ze zijn al lang geen trekpleister meer in de ogen van de Tahitianen. Ze praten steeds vaker met de gelukkigen die per boot uit Frankrijk komen, waar zij waar-schijnlijk nooit naar zullen terugkeren want het lukt niet om hier veel geld te verdienen; je leeft met weinig, dat is al heel wat. Ze praten over hun provincie – 'Kent u de Bour-gogne...? Daar bracht ik altijd mijn vakantie door met mijn ouders en mijn zussen, in een oud huis van lichte steen zo-als ze die daar hebben...' Op Tahiti zijn de huizen van hout, plaatijzer of beton. Ze dromen steeds vaker van de herfst, de eeuwige lente is geen lente meer, ze dromen van sneeuw, van zeegras, van een Normandisch strand, van een moeder misschien die hun verleden vertegenwoordigt. Je hebt het koud zonder verleden, zelfs in een warm land. Hun Maeva of Théoura of Hinano zal bij de Chinees heet water halen om oploskoffie te maken; het is vermoeiend om het butagas aan te steken. Mensen die neerslachtig zijn, zijn ook ver-moeiend, dat is niet interessant. Ze hebben prachtige armen en schouders. Een haardos zoals je in Parijs nooit ziet. En ook niet in de Bourgogne. Ze ruiken altijd lekker. Ze hebben altijd zin om te vrijen. Ze vallen je niet lastig met het eind van de maand en eisen geen wasmachine. Maar ze lopen van de ene op de andere dag weg als ze fiu[1] zijn; ze hebben

---

1 fiu zijn: het zat zijn, een typisch Tahitiaans begrip

je nooit gevraagd welk beroep je vroeger had, van welke boeken je hield. Werk, boeken, dat is niet interessant. Je bent voor hen een geslacht, met daaromheen een persoonlijkheid, het doet er niet toe wat voor persoonlijkheid. Jacques nodigde de volgende dag Alex, Yves, Marion en Tiberius te eten uit om hun uitleg te geven. Ze bestelden garnalen, die heerlijke zoetwatergarnalen die smaken zoals de Bretonse. Er was nog maar voor één persoon, zoals gewoonlijk. Tahitianen zullen er met een speer een paar voor zichzelf vangen, in hun beken die er vol mee zitten, maar nooit genoeg om serieus een restaurant te bevoorraden. Ze doen niets serieus: hun akkers verhuren ze aan de Chinezen, ze laten hun vanille oogsten door de Chinezen, hun kopra exploiteren door de Chinezen. Geld verdienen is niet interessant.

'Zo,' zei Jacques, enigszins in verlegenheid gebracht door de aanwezigheid van Marion (mannen onder elkaar hebben meer begrip voor bepaalde laffe gedragingen) '... Er wordt me aangeboden om hier te blijven als tandarts.'

Alex voelde zich niet in staat om te oordelen, hij verkeerde nog in het stadium dat hij zich afvroeg of hij schuldig was ten opzichte van Iris of dat hij zich eindelijk losmaakte uit een al te langdurige onderworpenheid.

'Alles welbeschouwd, als ik dood was gegaan door dat infarct...' zei Jacques, die de voorafgaande bepalingen maar wegliet.

'Patricia zou dat misschien minder verdrietig vinden,' insinueerde Marion.

'Ik heb toch twintig jaar van mijn leven aan haar besteed.'

'Zij ook aan jou,' antwoordde Marion. 'Precies evenveel. En het zou me verbazen als zij een nieuw leven zou kunnen beginnen, met die vijf kinderen die jij bij haar achterlaat... Vooral omdat ze plichtsgevoel heeft. Wat een pech!'

'Alle vrouwen hebben plichtsgevoel, dat is lichamelijk,'

zei Jacques. 'En dat is niet altijd prachtig: het is vaak omdat ze niet in staat zijn zichzelf ergens anders voor te stellen, niet in staat ertussenuit te trekken.'

'Nou, dan zie je maar eens dat jij een echte man bent,' zei Marion. 'Hoe ga je haar het nieuws vertellen?'

'Niet zo'n haast,' zei Jacques. 'Ik zal haar eerst schrijven dat ik niet met jullie verder ga omdat ik moe word van de boot en dat ik nog even op Tahiti blijf. En daarna heb ik dan de tijd om eens te kijken. Ik weet alleen dat het voorlopig mijn krachten te boven gaat om naar huis te gaan.'

'Laten we hopen dat Patricia niet al te veel fantasie heeft,' zei Yves.

'Zeg eens eerlijk, wat vinden jullie eigenlijk van mijn gedrag, zoals dat heet? Marion, jou vraag ik het niet, dat weet ik wel. Bovendien weet ik zeker dat je het diep in je hart met me eens bent. Waar of niet?'

'Helaas,' zei Marion.

'Maar jullie?'

'Wat moeten we tegen je zeggen? Jij bent de enige die tot een gegrond oordeel kan komen,' antwoordde Yves. 'Bovendien ben jij bijna doodgegaan. Hoe moeten wij weten wat dat voor een man betekent?'

'Dat is waar,' zei Alex. 'Yves heeft gelijk. En ik ben op het ogenblik net zo van de kaart als jij. Ik ben Ivan kwijt, ik ben bezig Iris kwijt te raken, is dat helemaal mijn schuld? Ik heb de indruk dat de vlucht naar het paradijs meer is dan een oplossing voor problemen, het is misschien een noodzaak, een onvermijdelijkheid in het leven van een man.'

'Heeft men het recht je je leven lang verantwoordelijk te stellen voor een keuze die je op je twintigste hebt gemaakt?' vroeg Jacques, die van de persoonlijke omstandigheden van Alex onverwachte steun ondervond. 'Zelfs levenslang veroordeelden worden na een bepaald aantal jaren vrijgelaten...'

'Het vervelende,' zei Marion, die zich geroepen voelde om de argumenten van de verdediging te laten horen, 'is dat jij niet bent vrijgelaten: jij ontsnapt! Voor jou is het de vraag: heb je het recht als een dief te ontsnappen uit een gevangenis waarvan je twintig jaar hebt gehouden, of gedaan hebt alsof?'

'Het is een kwestie van leven of dood,' zei Jacques. 'Ik kan niet meer. Ook al zou ik naar huis gaan, dan zou ik alles kapotmaken.'

'Ik geloof dat niemand hier erover denkt tegen je te zeggen: ga naar huis, dat is je plicht. Wie heeft er altijd zijn plicht gedaan aan deze tafel?' zei Marion met een glimlach die in het bijzonder voor Yves was bestemd. 'Niemand gelukkig.'

'Wanneer je het hebt over samen door het leven gaan, dan is plicht...' zei Alex.

Jacques sloeg zijn arm om de schouders van zijn vriend. Dat hij alles had gezegd, alles had besloten, bevrijdde hem van een enorme last, als de middelbare scholier die heeft besloten geen examen te doen, nu hij eenmaal zijn schooltas in het water heeft gegooid.

'Ik zal je wel missen,' zei Alex tegen hem. 'Het is ook niet altijd gemakkelijk een andere richting in te slaan...'

'Arme Jacques,' zei Tiberius, 'het zal moeilijk voor je worden.'

'Imbeciel,' antwoordde Jacques, terwijl hij hem een paar stompen gaf. 'Als we nou eens gingen zwemmen. Zizi wacht op ons.'

Hij voelde zich plotseling wonderbaarlijk licht. Ieder spoortje van zijn hartinfarct was verdwenen. Hij was weer geworden zoals vroeger maar hij wist nu hoe je domweg dood kunt gaan. Hij zou niet meer doodgaan, op één voorwaarde: dat hij zorgde dat die tienduizend kilometer zeewater tussen hem en zijn vroegere leven bleven liggen.

Donderdag 19 maart was het grijs weer, als in Oostende, en Yves die met alle binnenopnamen klaar was, kon niet, zoals gepland, bij het Leprozenhuis van Orofara filmen. Jacques liep het hele eiland af op zoek naar een faré die hij kon huren. Hij had wel een klein appartement in Papeete gevonden, maar hij meende dat pas als hij in een hut van palmbladeren ging wonen, echt was aangetoond dat hij was ontsnapt. Tiberius was bezig in Papeete; Alex en Betty zag je niet meer. Yves en Marlon waren misschien voor het eerst sinds het vertrek weer alleen. Ze besloten de dag in Moorea door te brengen.

Het was prettig om opnieuw te ontdekken dat ze het samen goed konden vinden, om te praten over de dingen waarvan ze hielden. Voor het eerst sinds heel lange tijd leek het verleden zijn greep te laten verslappen. Toch waren hier volop Yangs, want de Chinese kruideniers hadden door veel openstaande rekeningen uit de huishoudboekjes een streep gehaald in ruil voor een paar pond jong Tahitiaans vlees. Maar wat maakt het uit, dacht Marion. Met het leven is het net als met de cultuur: het essentiële is wat er overblijft wanneer je hebt geleefd. En zij tweeën gingen samen door het leven en wisten heel goed waarvan ze hielden in de ander, zonder het altijd met de ander eens te zijn, en wat ze tot het einde der tijden afschuwelijk zouden blijven vinden. Maar er was nooit sprake van onverschilligheid. Evenmin van volledige harmonie, die je op den duur niet meer hoort, zo perfect als die is. Aan een zekere inbreuk op haar smaak, aan een zekere aantasting van haar persoonlijkheid in tegenwoordigheid van de ander herkende ze de liefde. Yves wist niet wat liefde was. Hij had het nooit geweten. Hij kreeg het benauwd bij de gedachte dat hij vastzat, al was het maar door een gevoel, vooral door een gevoel. Die wezens beseffen niet, arme hazewinden die ze zijn, dat wanneer ze wat langere tijd met dezelfde vrouw leven, deze langzaam maar zeker hun meest intieme landschap, hun gevoel, hun verleden binnendringt, en zo, zonder dat ze het merken, onverbrekelijk met hen verbonden raakt. Na een voldoende aantal jaren zijn ze lichamelijk niet in staat zich van hen te ontdoen zonder zichzelf kapot te maken. Ze is met hun leven verweven, als wol van een andere kleur, die je met de eigenlijke kleur hebt meegebreid zonder er al te veel acht op te slaan en die je er niet meer tussenuit kunt krijgen of je moet het hele werk uithalen. Er zat een kleur Yang in een deel van het werk van Yves. Daarna was de draad op geweest. Die van Marion liep aan de voorkant, de binnenkant, en de achterkant, een oneindig lange winde die Yves nog steeds met zijn leven meebreide. Het moeilijkst was het om de eerste vijftien jaar door te komen zonder zeker te zijn van je positie.

'Heb je niet heel even de neiging hetzelfde te doen als Jacques?' vroeg Marion hem.

'Ik heb overal de neiging toe, dat weet je best. Ik had ook de neiging hetzelfde te doen als Ivan.'

'Het is toch triest om te weten dat je weerstand zult bieden aan je neigingen?'

'Het is niet opwindend... maar ik weet heel goed wat er kinderachtig en misschien zelfs bedrieglijk aan mijn houding is. Ik vermoed dat ik de verleiding op zich aanlokkelijk vind, het principe van de verleiding. Trouwens, Jacques is niet gezwicht voor de verleiding, hij gehoorzaamde aan een onbedwingbare behoefte. Anders zou hij geloof ik echt dood zijn gegaan. Echt.'

'Zou jij in zo'n geval zwichten? Ik zou niet met een dode willen leven.'

'We hebben wel degelijk met een dode geleefd,' zei Yves.

Het was de eerste keer dat hij een grapje maakte over dat onderwerp. Degenen die zoveel spottende opmerkingen hadden gemaakt over overspel toen Yang nog leefde, hadden sinds haar zelfmoord geen enkele toespeling meer gemaakt. Ze verzamelde moed en vroeg:

'De doden zinken ten slotte langzaam weg, nietwaar...'

'Ja, schat,' zei Yves. 'Gelukkig wel.'

Ze wist nooit wat ze moest antwoorden als Yves voor zijn waarheid uitkwam. Ze tuurde in haar glas vruchtesap. De schroom van de ziel is vaak heel wat moeilijker te overwinnen dan die van het lichaam.

'Eigenlijk is het wel goed dat je nog even alleen op Tahiti blijft... Het zou idioot zijn wanneer jij als enige niet profiteerde van dit eiland omdat jij er je vrouw nu eenmaal mee naar toe hebt genomen!'

'Komt het nooit bij je op dat ik er niet van profiteer omdat ik van je houd?'

'Nee,' antwoordde Marion spontaan, 'ik probeer altijd andere redenen te bedenken.'

Ze besefte plotseling dat ze werkelijk nooit had verondersteld dat Yves genoeg van haar kon houden om zijn gedrag te veranderen.

'Het is al met al wel fijn om van jou te houden,' zei Yves. 'Jij bent je nergens van bewust!'

'Jawel,' zei Marion, terwijl ze haar hand op die van Yves legde. 'Jawel... maar vertel eens: als ik er niet bij was, zou je evenveel van me houden, maar je zou met Tahitiaanse vrouwen naar bed gaan?'

'Precies,' zei Yves. 'Ik ben geen seksmaniak, maar als jij er niet bij was, zie ik niet in op grond waarvan ik dan alleen zou gaan slapen. En ook niet wat jij daarmee zou opschieten. En ik houd vol dat ik evenveel van je zou houden. Maar ik weet dat jij dat nooit zult aanvaarden.'

'Vind je dat vervelend?' vroeg Marion.

'Voor zover het jou verhindert om met mij gelukkig te zijn, ja.'

'Dat moet je niet vervelend vinden, tané,' zei Marion. 'Ik

heb er behoefte aan dat jij niet zo bent als ik zou willen. Ik heb het gevoel dat als jij in alle opzichten net zo was als in mijn dromen, ik er geen aardigheid meer in zou hebben om van je te houden.'

'En heb je er nog aardigheid in?' zei Yves. 'Dat hoor ik graag. Maar ik zie je niet zo vaak lachen...'

'Er zijn nare momenten, absoluut. Maar dat kan niet anders... nou ja, dat zeg je achteraf. Dat ik na twintig jaar nog van je houd, is omdat je me nog irriteert! En hetzelfde geldt voor je uiterlijk. Ik mag dat wel, dat je altijd iets hebt wat niet klopt, dat je er niet uitziet als een playboy die bij Dorian Guy vandaan komt. Ik vind het leuk dat je een belachelijk duur jasje koopt maar dat je je kapotte schoenen bewaart. Je ziet, het type Tiberius... dat haat ik. Maar ja, dat geldt allemaal alleen voor mij; ik weet dat jij het afschuwelijk vindt dat ik niet ben zoals jij zou willen.'

'Dat wil zeggen dat ik me terecht of ten onrechte een bepaald beeld van jou heb gevormd en dat ik me niet graag vergis. Ik heb geen enkele behoefte om ten opzichte van jou een tweede vergissing te maken.'

Zo spraken ze luchtig over serieuze zaken, bijna onbewust van zichzelf, omdat ze zich midden op de Stille Oceaan bevonden, en ze tengevolge van een onwaarschijnlijke aaneenschakeling van toevalligheden onder de kokospalmen zaten van het enige, schitterende hotel van Moorea, aan de rand van een groene lagune. Ze gingen over op een ander onderwerp.

'Over een week ben ik in Parijs,' zei Marion. 'Ik kan het geen seconde geloven.'

De eigenaar kwam naar hen toe met het menu. Er zaten maar twee andere gasten op het terras, twee Amerikanen. Yves schoof zijn glas opzij en pakte het menu. Er stond geen verse vis op maar alleen vis uit blik die uit Nieuw-Zeeland was geïmporteerd; toch zag je op enige tientallen meters afstand inlanders in een prauw die zaten te vissen in de heldere baai.

'Ze vissen alleen voor hun eigen behoeften,' zei de eigenaar. 'Als ze een vis hebben gevangen voor hun gezin, houden ze ermee op en gaan ze naar huis. Ze hebben geen behoefte aan geld, ze vinden dat ze dat te duur moeten betalen!'

Maar de eerste Amerikaanse toeristen begonnen, in dichte drommen, te arriveren. Er zouden, naar het scheen, hotels gebouwd worden, wolkenkrabbers zoals ze die gewend waren overal zo'n beetje aan te treffen. Op den duur zouden de Tahitianen besmet raken door het geld. En het verbazingwekkende evenwicht dat door een soort wonder was ontstaan tussen de Franse gezagsdragers en wat er nog over was van de Maori-ziel, zou weggevaagd worden, en Tahiti zou voor de tweede keer sterven. Een zekere houding van overal-maling-aan-hebben, afkomstig van de Fransen, gevoel voor de liefde, en een soort schunnigheid die lijnrecht tegenover het Engelse puritanisme stond, hadden toch maar tot deze schitterende prestatie geleid: Tahiti, dat gedegenereerd en vulgair geworden was en zorgvuldig ontdaan was van zijn godsdienstige en traditionele inhoud, waarbij zijn monumenten waren verwoest en zijn tempels door al te geestdriftige missionarissen met de grond gelijk waren gemaakt, Tahiti dat in artistiek opzicht dood was, bleef toch het enige eiland in de Stille Oceaan waar nog wat was overgebleven van de magie, de kracht, de zeer originele gewoonten, die zoveel indruk maakten op de zeevaarders, die het eiland zo laat ontdekten, een geluk voor het land zelf, een van de laatste gebieden waar de westerse beschaving haar stempel zwaar op zou drukken. Iets van die betovering die Cook angst aanjoeg toen hij op de Pointe Vénus aan land ging en die hij dacht te bezweren door het eiland de naam George III te geven. Van die betovering die Bougainville in vervoering bracht, die drie maanden later ook meende dat hij het eiland had ontdekt; maar hij noemde het La Nouvelle-Cythère, waarmee hij het huwelijk uit liefde inwijdde dat de Fransen zouden sluiten met de Parel van de Stille Oceaan.

'We maken de laatste jaren van Tahiti mee,' zei Yves. 'Ik ben blij dat we het samen hebben gezien.'

'Is je opgevallen wat ik vanochtend heb gekregen?' zei Marion, terwijl ze haar arm optilde. 'Iris, die arme Iris, had het besteld bij een handwerksman in Papeete.'

Ze hield hem een gouden armband voor waaraan een lange Tiki van paarlemoer hing, de Polynesische god met een paddegezicht, het laatste overblijfsel van de vroegere machtige godsdienst.

'Tiki's zul je zien op de Marquesas-eilanden. Ik zou het leuk vinden als je een grote voor ons meeneemt, van steen als het kan.'

'Ik weet niet of we eigenlijk wel aanleggen bij de Marquesas-eilanden. Zonder Jacques, zonder Iris, zonder jou... zal het nogal triest zijn aan boord. We gaan natuurlijk naar de Galápagos-eilanden voor het slot van de film; en daarna laten we de boot in Panama achter en gaan we met het vliegtuig naar huis.'

Zondag 22 maart om vijf uur 's ochtends ging Yves met zijn vrouw mee naar Faaa. Het regenseizoen was nu echt voorbij en eindelijk zag je tot aan de toppen de vijfentwintighonderd meter hoge, gekartelde bergen die boven Papeete uitsteken en die ontelbare kleine bergjes lijken te hebben voortgebracht, die langs hun flanken omhoogkruipen. Het watervliegtuig leek enorm groot en bol met zijn twee verdiepingen en zijn piepkleine vleugeltjes.

'Ik had liever het tegenovergestelde gehad,' merkte Marion op. 'Nou ja, dit lijken geen mensen die gauw dood zul-

len gaan... Dan zou je het wel zien! Toch moet ik twaalfdui-
zend kilometer in een vliegtuig afleggen...'
'Je hebt geen last van geslinger, wees blij.'
Vijf uur 's ochtends is een slecht tijdstip om op een mooie
manier te vertrekken: de ochtendschemering is niet geschikt voor uitingen van tederheid. Trouwens, Yves bleef
alleen op Tahiti... Dit detail verloor Marion niet uit het oog.
'Vergeet vooral onze schelpen niet,' zei ze, 'en het paarlemoer. Dat is bij Zizi.'
'Nee, schat, ik zal niets vergeten op Tahiti. Zelfs jou niet.'
'Ik ken jouw manier van niet vergeten,' zei Marion lachend.
'Maar ik ben zowaar bang dat ik erg ben veranderd... ik
vind het heel vervelend.'
'Maak je maar niet ongerust. Faréhau heeft me beloofd je
onder haar hoede te nemen; ze heeft vastberaden troepen
die goed zijn getraind: je hoeft geen vinger uit te steken.'
Ze gingen lachend uit elkaar. Alleen een licht floers voor
de ogen van Marion maakte dat ze niet zag dat Yves' ogen
dat ook hadden.
'En denk erom,' riep Marion, 'geen romantiek:

Hata po po po
Ragoût pommes de terre!'

Het watervliegtuig steeg op in een waaier van water. Van
bovenaf leken Tahiti en Moorea nog mooier, in hun zetting
van jadegroene lagunen omzoomd door wit schuim, die
hier en daar werden doorsneden door diepblauwe vaargeu-
len. Het Nouvelle-Cythère, het vaderland van Jacques, de
minuscule bewaarder van zoveel dromen die te groot voor
het land waren, werd algauw een groene stip in de Stille
Oceaan.

14
HET GALLIA-SCHRIFT

We hebben vier maanden moeten varen om van Toulon naar Tahiti te komen en ik zal in zesendertig uur, de tussenlandingen niet meegerekend, de westkust van Amerika bereiken. Het is alsof ik uit mijn klooster ben weggegaan en alleen op de wereld ben achtergelaten. Bewolkt weer. Het watervliegtuig vliegt laag, maar het vliegt, een oude vermoeide hommel die allang op de schroothoop had moeten liggen, net als alle lekke schoeners waar de Tahitianen mee van het ene eiland naar het andere varen. De Tiki's houden waarschijnlijk de wacht. Door de luchtopeningen blaast een ijskoude noordoostenwind en ik pak me warm in, als een zieke kolibrie.

Om twaalf uur 's middags landen we op de enorme lagune van Aïtutaki, die bezaaid is met eilandjes. De warme regen valt in stromen neer maar omdat het mijn laatste Stille-Oceaanbad is, laat ik van tevoren al met heimwee dat unieke water over me heen plenzen. Het strand van Aïtutaki

wordt zo elke week een uur lang overstroomd door vierenzestig passagiers, voor het merendeel Amerikanen. Zodra
wordt gemeld dat het toestel in aantocht is, komt een Mao-
rivrouw in rokje over de pier aangelopen, maakt haar haren
los en gaat met haar ukulele aan het water zitten. De toeristen drommen gewillig samen om haar op de foto te zetten.
Gedrongen kokospalmen groeien zomaar in het spierwitte
zand. Mijn kokospalmen, die ik niet meer zal zien! Het water van de lagune is, zoals bij alle lagunes, blauwer dan
aquamarijn. Wat komen die vierenzestig als toeristen van
de Stille Oceaan vermomde reizigers doen, die iedere week
op dit zo zuivere eiland neerstrijken? Wat komt dat ijzeren
ding op het doorzichtige water doen tussen de prauwen met
uitleggers, dat ding met vleugels waarop een stuk of tien
mannen, die hopelijk zijn gespecialiseerd, druk in de weer
zijn?

Na een lichte maaltijd van Snack International worden
we het ijzeren ding weer ingeduwd en de atol is voor een
week verlost van het westerse gespuis.

We kwamen in de avond bij de Samoa-eilanden aan en
meteen rook ik de Engelse Stille Oceaan: ronde, onberispe-
lijk opgeruimde hutten die allemaal eender waren zoals in
de Engelse dorpen, goed onderhouden akkers, een kerk per
vierkante kilometer, die steeds weer bij een andere sekte
hoorde, luxe, rust en weinig wellust. Weer regende het.
Yves beweert dat ik het zelfs zou laten regenen in de Gobi-
woestijn.

De nacht breng ik door in de White Horse Inn, in Apia,
met tot halverwege wanden tussen de kamers, waar je alles
van je buurman hoort. Aan de ene kant van mijn box heeft
een Tahitiaanse familie de hele nacht gitaar gespeeld. Aan
de andere kant huilt een meisje hevig snikkend: de adventisten sturen haar ver van haar eiland vandaan om in Australië Engels te gaan studeren. Ze moest eens weten...

's Avonds aan de stamtafel hebben de Amerikanen zitten smullen: broodboomvruchtensoep; donkergrijs gebraden rundvlees uit Nieuw-Zeeland; waterige puree; de zes onvermijdelijke Engelse doperwten; warme broodboomvruchten en broodpudding.

De hele weg van vijfenveertig kilometer lang die loopt van Apia naar het vliegveld, willen de Amerikanen van alles weten: 'Hoeveel inwoners per dorp...? Hoeveel dorpen op het hele eiland...? Hoeveel verdienen de inlanders...? Is het hoofd *a nice man*...? *Ah, good,*' antwoorden ze oprecht opgelucht als ze ten antwoord krijgen dat hij *very nice* is. Vriendelijk geïnteresseerd als ze zijn in het leven van hun naasten, vragen ze mij in het Frans het huilende Tahitiaanse meisje te ondervragen, te informeren waarom ze verdriet heeft en of ze haar kunnen helpen.

Het watervliegtuig van de TEAL heeft een voordeel: het vliegt heel laag en je ontdekt dat dit stukje van de Stille Oceaan op de Champs-Elysées lijkt. Na het prachtige eilandje Palmerston met zijn vierkante vormen, de Samoa-eilanden en de Exploring Islands vliegen we voortdurend over atols die niet meer zijn dan witte kringetjes in het blauw en die bijna allemaal verlaten zijn, en daarna komen de driehonderd Fiji-eilanden. Het lijkt wel alsof een hand in één gebaar deze sliert eilandjes heeft weggeworpen, die lijkt op een melkweg in zee. In Nandi overstappen in een ander vliegtuig: we naderen de beschaafde landen en de QANTAS neemt het over van de TEAL.

Weer een tussenlanding om vijf uur 's ochtends op Canton Island, één van de Phoenix-eilanden deze keer! Ik heb Yves een kaart geschreven maar vreemd genoeg zit er een postzegel van de Gilbert-eilanden op, en omdat we in ieder geval zojuist de internationale datumlijn weer zijn gepasseerd en Oceanië uit ontelbare menigten eilandjes bestaat die bij alle landen van de wereld horen, heb ik het maar helemaal opgegeven om te willen begrijpen hoe de volkeren deze fantastische knikkers onderling hebben verdeeld. Canton Island is trouwens nauwelijks een eiland te noemen, eerder een abstractie, een ongelofelijke schepping, een dorre atol waar nog geen kokospalm groeit maar waar de mensen er wel in zijn geslaagd een vliegveld aan te leggen. Hier is nog geen vingerhoedje grond, zegt de hostess trots tegen ons terwijl ze ons uitnodigt ter ontspanning even over het koraal te lopen. Geen inlander, geen huis te bekennen, alleen een vliegveld vlak aan de rand van het water.

Dit danteske beeld gaf aan waar het echte Oceanië ophield, omdat de laatste handvol Polynesische eilanden in het noorden was terechtgekomen, veel te dicht bij de Verenigde Staten om niet tot aan de laatste haai veramerikaanst te zijn. Op deze Hawaii-eilanden was een rustpauze van drie uur gepland in het Reef Hotel, aan Waikiki Beach: luxueuze kamers, terrassen met weids uitzicht over een methyleenblauwe zee, een strand van vijfentwintig kilometer waar duizenden veelkleurige parasols stonden. De lift scheidde tegelijk zachte muziek en een geur van desinfecteermiddel af. In de gigantische hal werden Hawaiaanse rokjes van synthetisch stro verkocht, kettingen van namaaktiarés met kunstmatige geur, geverfde schelpen, en bij honderdduizenden tegelijk Hawaiaanse gitaren zodat de ragoût-pommes-de-terre je de neus uitkwam.

'*Pretty, hey?*' zei een grote robuuste kerel achter me, zichtbaar verrukt dat hij Amerikaan was. Ik draaide me om: hij had een paar grijze haren, heel lichte ogen, mooie tanden, een mooi kostuum van ongevoerde katoen, alles was mooi aan hem, met inbegrip van zijn tevreden uiterlijk; je kon niet anders dan terugglimlachen tegen die jongen, ook al was je Frans, van geboorte verlegen, en voelde je je niet meer zo zelfverzekerd als toen je twintig was.

'*Handmade*,' voegde hij er opgetogen aan toe, terwijl hij me op de kettingen van geverfde schelpen wees, alsof de menselijke hand een fantastisch instrument was geworden dat in onbruik was geraakt.

Hij zat vanaf de Fiji-eilanden in hetzelfde vliegtuig als ik, zei hij nog, en zijn naam was Bing. Hij ging via San Francisco naar Los Angeles en ik ook, dat had hij op de lijsten gezien want hij werkte bij luchtvaartmaatschappij QANTAS. Ging ik helemaal naar Parijs? *Wonderful!* Een Parisienne dus, zei hij gulzig, met gefascineerde blik. Al was ik honderd geweest. Omdat ik dat nog niet helemaal was, stemde ik erin toe een ijsje te gaan eten met Bing.

Het was een *made in USA* televisiefiguur: de houding van een Ranger, een compact, sterk lichaam, enigszins dikke enkels en putjes van de acne in zijn bruine nek. Een prachtig dier, zou Iris hebben gezegd. Eigenlijk is Amerika een Tahiti voor vrouwen. Jammer genoeg blijven de Amerikaanse vrouwen hier niet in hun hutjes zitten. Hoe lang zou die reputatie van de Françaises stand houden? In elk geval wel zo lang als ik. Intussen droeg Bing mijn koffers en was hij met zijn maatschappij aan het onderhandelen om met mijn toeristenticket een plaats in de businessclass voor me te krijgen. De volgende nacht kon ik dank zij hem eindelijk mijn benen strekken, mijn stoel kantelen en slapen na vier dagen van waanzinnige meridianen en niet op elkaar aansluitende tijdzones.

San Francisco was voor mij altijd Jeannette Mac Donald met haar huig die je zag wanneer ze zong, vóór de aardbeving. Maar dat zei ik niet tegen Bing opdat hij zich geen beeld zou kunnen vormen van mijn leeftijd. Ik voelde me in vorm en mijn rimpels waren niet al te diep geworden tijdens die zes maanden van nietsdoen... Hij huurde een enorme lichtpaarse Chevrolet met vleugeltjes die nog langer waren dan die van het watervliegtuig van Tahiti en we bekeken San Francisco. Daarna nam hij me mee naar Bob's Inn, een restaurant waar ik vast en zeker van zou houden, zei die man die nergens aan scheen te twijfelen, vanwege de 'Parijse sfeer'. Het was er midden op de dag zo donker dat je het menu nauwelijks kon ontcijferen. Dat was trouwens maar beter ook en ik zei tegen Bing dat hij karakteristieke dingen voor me moest uitkiezen die vooral niet Parijs' waren.

'*That's a good girl!*' zei hij met een vriendelijke glimlach.

Ik voelde me minstens alsof ik zijn grootmoeder was met die tien eeuwen geschiedenis die ik met me mee torste en die tien jaar die ik ouder was en hij noemde me *good girl!* Dat was grappig.

Toen we buiten kwamen, stortregende het. Dat zal ik niet aan Yves durven schrijven. Ik zal toch de Gobi-woestijn eens moeten proberen. Ik wilde naar het hotel terug om te slapen. Uitstekend. Terwijl we door de stad reden, kwamen we langs een nachtasiel waar bij de deur een enorm bord hing: *When have you last written to mother?* Wie zou in Frankrijk die vraag durven te stellen aan een zwerver van het Leger des Heils, zonder bang te zijn een homerisch gelach te ontketenen?

Mijn kamer keek voor de zoveelste keer uit op het mooiste landschap ter wereld, maar dat was drijfnat van de regen. Ik had er de beschikking over een radio en een televisie. Ook over een man als ik dat wilde, ik hoefde, zei hij, maar op een knopje op mijn nachtkastje te drukken. Omdat ik tienduizend kilometer van Parijs was, voor mij de juiste afstand, en een afstand die ik voorlopig niet weer zou afleggen, drukte ik, en Bing kwam uit een luikje te voorschijn, glimlachend en wel. Hij zei niet: *That's a good girl!*, maar hij dacht het zo te zien wel. Yves? In jouw taalgebruik betekent een *good girl* zijn toch: Je bent een beschaafd mens? Ik ga de liefde bedrijven als een Tahitiaanse, zie je, het werkt aanstekelijk; of liever gezegd, als een man. Ik heb vorderingen gemaakt, vind je niet? Ik begin door te krijgen hoe je je hoort te gedragen. Maar ik zal het je niet vertellen. Je komt pas over twee maanden terug, dan ben ik het vergeten. Bovendien gaat er soms iets mis, zelfs met door en door beschaafde mensen, zoals jij. En ik wil niet dat er met jou iets misgaat. We hebben genoeg risico's genomen.

Eén van de veertien televisiekanalen zond een western uit... zoals een western hoort te zijn! Het was de beste die ik ooit gezien had! Ik hield in mijn armen zo'n namaakavonturier waarvan het wemelt in hun films, met een wiegelende gang, enigszins wijdbeens doordat ze altijd op een paard zitten, ogen zo licht als de grote open ruimtes die ze geacht worden te weerspiegelen, met in hun buik een onverbloemd verlangen van korte duur naar zo'n griet die nooit iets zal begrijpen van het voorrecht een man te zijn. Een verrukkelijk misverstand!

We bleven tot de volgende morgen bij elkaar... Zoals het in San Francisco hoort toe te gaan.

Als ze nu met me praten over die stad, zal ik niet meer in de eerste plaats aan Jeannette Mac Donald denken, maar dan zal ik mijn aandacht er even niet bij hebben om mijn vrienden vervolgens te antwoorden:

'O ja, San Francisco ken ik goed. Een prachtig dier!'

15
PARIJS – KERVINIEC: 543 KM

'Alles is mooi. Over een varken hoor je net zo te praten
als over een bloem.'

Jules Renard

De treinen naar Bretagne zijn meer trein dan andere treinen. Het contingent emigranten dat er al een eeuw lang elke dag in Montparnasse uit dromt, heeft de naburige straten
tot een soort Bretonse voorpost gemaakt. Van daaruit ga je
pas echt in ballingschap.

De SNCF heeft gemeend dat het onnodig is slaaprijtuigen
op de lijn Parijs-Quimper in te zetten, behalve in juli en au-
gustus voor reizigers die nu juist geen Bretons zijn. Er is gezorgd voor een paar coupés met couchettes, maar vooral
voor zitplaatsen die er niet voor niets zijn. Die mensen kunnen nog geen geld uitgeven voor hun eigen plezier en vanaf
het ogenblik dat ze aankomen op de plaats van bestemming, doet vermoeidheid voor hen niet ter zake. In andere

milieus wordt hetzelfde gezegd en dan betekent het juist het tegendeel: 'Gezondheid heeft geen prijs.' Dat zei Iris vaak.

Je ziet altijd wel iemand met een kap in een trein naar Bretagne, minstens een. Deze keer is het een vrouw met een bigouden. Die hoeft niet te proberen languit te gaan liggen of zelfs maar haar hoofd ergens tegen te laten steunen. Een kap kun je onmogelijk afzetten in een coupé. Ze zal de hele nacht rechtop blijven zitten, trouw en waardig, en niet beseffen dat ze een hoogst onwaarschijnlijk fenomeen vertegenwoordigt, het laatste bolwerk in Europa van het verzet tegen de mode, tegen de reclame, tegen de vrouwenbladen, tegen een praktische instelling, tegen de behoefte net zo te zijn als iedereen. Met een paar andere vrouwen blijft ze onverstoorbaar getuigen voor een parochiedorp, dat gesymboliseerd wordt door dat heel precieze bouwsel van kant en lint, dat ze alle dagen van haar volwassen leven heeft gedragen. Zelfs de nonnen hebben afstand gedaan van hun kappen onder druk van een tijdperk waarin alles functioneel is. Deze Bretonse vrouwen niet. Maar ze zijn van nu af aan allemaal oud, ontoegankelijk geworden door hun leeftijd, ongevoelig voor het verlangen te behagen. Waarom zou je veranderen als 'je tijd nadert'? De vrouwen die, om financiële redenen, ten slotte afstand doen van de kap, durven niet zo ver te gaan dat ze het knotje afschaffen waaraan de kap werd vastgespeld. Het is of je op hun hoofd er nog een schim van ziet.

De coupé waar Marion gaat zitten is zoals gewoonlijk vol. Het hele jaar is het vol omdat er zoveel Bretons buiten en zoveel families in Bretagne wonen. Een oud boerenechtpaar houdt de onderste couchette bezet. Ze zijn al bezig dingen te eten die ze uit een grote paarsgeruite zakdoek te voorschijn halen: ze zijn altijd bang tekort te komen als ze hun boerderij verlaten en wantrouwen het voedsel dat ze daarginds maken! Dat beweegt zich moeilijk, een boer in een beperkte ruimte, dat is stram. Terwijl de man stilzit en zorgvuldig kauwt, rusten zijn halfgesloten handen op zijn knieën, en in de holte van die handen zie je nog de vorm van de steel van zijn gereedschap. Zodra ze klaar zijn, verzamelt de vrouw de korsten en de overgebleven pâté, veegt de kruimels bij elkaar en doet de huishouding zoals alle dagen van haar leven vanaf de tijd dat ze zes of zeven jaar was.

Bovenin liggen nog een dame en twee mannen van een jongere generatie dan de boeren. Ze zien eruit als ieder ander. Iemand doet onmiddellijk het licht uit. Er wordt niet veel gelezen in die treinen, daarom heeft de SNCF verzuimd de afzonderlijke verlichting aan te brengen die je op andere lijnen wel ziet, en de rijtuigen te moderniseren. Op de lijn Parijs-Quimper wordt het oude materieel afgereden. Het is immers toch altijd vol! Trouwens, als je voor een couchette hebt betaald, is dat toch om te slapen? Iemand vraagt:

'Hoe laat komen we dan in Rosporden aan?'

En Marion glimlacht bij zichzelf: ze is weer thuis.

De middelste couchette is de meest oncomfortabele. De paardedeken ruikt naar wolvet en iemand heeft het raam op een kier gezet, waardoor het rolgordijn klappert in de koude nachtwind. Op dit ogenblik vaart Yves op een zeewaardig schip naar de Marquesas-eilanden, dwars over een schitterende oceaan, en zij gaat schommelend op weg naar Quimper Corentin 'waarheen het lot je stuurt wanneer het je wil tergen...'

Het harde kussen, de deken, de mogelijkheid om languit te liggen, kortom de couchette, kost haar veertienhonderd frank. Na die vijf maanden die ze in een vreemde zorgeloosheid heeft doorgebracht, waarbij de filmproduktie alle kosten op zich nam, komt ze er weer achter wat de waarde is van dingen en dat maakt dat dingen weer waardevol worden. De taal voelt intuïtief aan wat basale waarheden zijn.

Al sinds mensenheugenis komen de treinen naar Bretagne voor dag en dauw op de plaats van bestemming aan, om duistere redenen waarbij het voordeel of het comfort van de reiziger nooit een rol speelt. Het motregent die dag, zoals op vele andere dagen in Quimperlé. Op het stationsplein troont nog steeds de openbare waterplaats Mannen-Vrouwen, met daarvoor een doolhof die niet alleen bedoeld is om de seksen te scheiden, maar ook de klanten voor vloeibaar of vast, waarbij de eersten geen recht hebben op een zitplaats. In Frankrijk blijft men om redenen waarbij het comfort van de gebruiker evenmin een rol speelt, hardnekkig vasthouden aan die Turkse toestanden waar mannen onveranderlijk de onderkant van hun broek bespatten en de jurken van de vrouwen langdurig in smerig druipwater hangen.

De bus naar Pont-Aven blijkt bij navraag pas over een uur en veertig minuten te vertrekken, om redenen waarbij evenmin, en zo voort. Het Stationshotel is nog niet open. De krantenkiosk ook niet: die gaat in de loop van de dag open, als er geen reizigers meer zijn. Bij het 'Bustrefpunt' haalt een meisje het rolluik op en de passagiers voor Pont-Aven, Névez, Tregunc en Concarneau gaan daar zitten wachten. De bazin achter de tapkast spreekt Bretons met bezoekers die witte wijn drinken. Marion neemt koffie met melk en wat boterhammen en leest *Ouest-France*.

In Pont-Aven wacht Denise op haar. Ze is Marion komen ophalen in haar 203, met haar vader en haar zoontje dat ze onderweg bij school afzet.

'Créac'h is niet meer in Kerviniec,' zegt Denise op de rustige toon waarop hier over het noodlot wordt gesproken. 'Hij is niet dood maar hij heeft een niervergiftiging gekregen en ze hebben hem naar het stadje moeten brengen, naar zijn dochter. Dat betekent het einde voor hem.'

Ze passeren de oude brug over de Aven waar geen rivier meer stroomt maar het afvalwater van de naburige conservenfabrieken. Gauguin heeft ook hier geleefd maar de ronde rotsen die hij in het Bois d'Amour schilderde, zitten nu onder een laag slijmerig mos. Alleen het geluid van het stromende water is niet veranderd.

'De zoon van Jeanne is getrouwd,' begint Denise weer. 'Met een dochter van Melgven is ie getrouwd. Een slagersdochter,' voegt ze er met een zekere afgunst aan toe. Ze zeggen dat slagers hier in de buurt snel rijk worden.

Malecoste zit op de stoel voorin naast zijn dochter, en Marion kijkt aandachtig naar die leren nek die doorgroefd is met rimpels zo diep als je ze alleen bij bergbewoners en zeelui ziet. Langs de rand van zijn pet, die hij overdag nooit afzet, behalve om op zijn hoofd te krabben, loopt een groef waar een rij grijze krullen uitsteekt. Wanneer hij die pet soms optilt, ontdek je een heel ander gezicht, dat weerloos en ontroerend is, met een grote strook wit voorhoofd die nooit de zon heeft gezien. Hij houdt zijn kleinzoon op schoot die net als hij Jean-Yves heet, een lichtblond jongetje van zes jaar, een beetje week, fragiel en gevoelig. Wanneer je naar die eeltige vaders en grootvaders kijkt, die kortaangebonden zijn en stevige handen hebben, ben je domweg verbaasd dat ze dezelfde zoontjes hebben als wij, tenger en met zo'n dun huidje. Je zou het voor je gevoel wel gemakkelijk vinden om te geloven dat die kinderen al grover geboren worden, gehard, kortom, geschapen om op zee te gaan werken. Maar nee! Van die fragiele wezentjes zullen, als het zover is, zeelui moeten worden gemaakt.

'En je man, Denise? Heb je goed nieuws?'

'Ik heb al drie weken geen brief gehad,' antwoordt Denise. 'Het zal wel niet zo best gaan. Als de boot niet aan wal komt, is het omdat de tonijn niet bijt...'

De laatste kilometers kent Marion iedere bocht. Het huis van Josèphe, het dennenbosje, de lager gelegen boerderij, het karrespoor vol water waardoor je in het voorbijgaan altijd met modder wordt bespat... en ten slotte het huis met het rieten dak, heel vierkant aan de rand van de weg.

Na een lange afwezigheid vindt ze het fijn om alleen thuis te komen. De aanwezigheid van derden, vooral als ze van het mannelijk geslacht zijn, bederft het weerzien en maakt de rituele ceremonies waarmee alles weer in werking wordt gesteld ingewikkeld. De meest tolerante partners worden op zulke momenten kokospalm-neushoorns. Ze zuigen de levenskracht uit je.

'Doe met het eten vooral niet ingewikkeld: maak maar iets eenvoudigs!' zeggen ze, woorden die bedoeld zijn om hun een goed geweten te bezorgen, maar die niets betekenen. *Niets.* Of het nu eenvoudig of ingewikkeld is, dat verandert alleen iets aan de gradatie, niet aan de aard van de zaak. Het enige wat telt, is het verschil tussen *doen* en *niet doen*!

De zon begint in de kleur van een gesmolten anijszuurtje door de nevel heen te komen, terwijl Marion de deur opendoet. Ik ga niets klaarmaken, denkt ze, vooral niet iets eenvoudigs. Ik ga doen waar ik zin in heb, wanneer het mij uitkomt, en hardop praten. Ik ga brood met fijngewreven knoflook eten. Het is smerig maar ik vind het heerlijk.

Alle ramen staan nu open. De lucht is hier intelligent, denkt ze terwijl ze diep inademt, die is gevarieerd, die heeft smaak. Er loopt een nog jonge maar al oude vrouw door de straat, die een karretje vol dood hout voortduwt waar bovenop haar zoontje zit met een roze schort. Achter haar nieuwe huis, helemaal onderaan in het dorp, staan rijen preien, worteltjes, knoflook en uien voor de winter... Zo'n bestaan waarin alles zo is geregeld dat je in een gesloten systeem kunt leven, waarin alles wordt gebruikt, de bramen uit de heggen, de paddestoelen, de napslakken, het gras voor de konijnen, waarin je voortdurend andere bronnen moet aanboren om beter te kunnen leven, waarin inspanning niet telt omdat die geen geld kost en, wanneer je het goed aanpakt, benzine of elektriciteit kan vervangen die wel geld kosten... Marion voelde genegenheid voor zulke levens. Ze was nooit jaloers geweest op het lot van Iris.

Plotseling schrikt ze op: er is hard op de deur geklopt en ze loopt haastig naar beneden.

'Zo! Ben je daar eindelijk weer?' zegt de roze hond. 'Ik dacht dat je me deze keer voorgoed in de steek had gelaten.'

'Och arme Slimmie, ben je daar? Wie heeft je verteld dat ik er was?'

'Wat kan jou het schelen,' zegt Slimmie, 'laat me binnen. Je ziet toch wel dat ik vel over been ben!'

'Ik ben bezig met vegen, lieverd, ik wil niet dat je nu binnenkomt. Wacht maar op me in de tuin, dan breng ik je soep.'

'Het is altijd hetzelfde,' bromt Slimmie. 'Ze zeggen "lieverd", maar ze stellen zich aan als ze een deur moeten opendoen. Nou ja, gelukkig weet ik hoe de vork in de steel zit,' besluit hij filosofisch, terwijl hij zich op de granieten tree vlak tegen de deur uitstrekt.

Ze gaat vlug voorgekookte rijst koken en de twee ons poelet die ze bij aankomst voor hem heeft gekocht: dat is de rituele maaltijd bij het weerzien. Ze durft niet tegen de slager te zeggen dat de poelet niet voor haar is: het wordt hier niet als fatsoenlijk beschouwd om geld uit te geven voor een dier.

'De postbode!' zegt plotseling de postbode, terwijl hij aan de deur verschijnt waarvan de bovenste helft opengaat zoals in de stallen van vroeger. 'En? Bent u weer thuis?'

'Ja hoor, ik ben weer thuis.'

'U hebt geen mooi weer meegebracht!'

'Ach, het is niet anders... Laten we hopen dat morgen...'

Die dingen moet je zeggen. Die moeten nu eenmaal zo gezegd zijn. Daarna kun je praten. De postbode brengt een brief van de meisjes: ze komen morgen allebei met de auto van Dominique. Frédéric kan niet komen: zijn vader is erg ziek. En Eddie is vleugellam sinds ik terug ben. Het zal weer zijn zoals vroeger, schatten van me, zoals in de tijd dat jullie mijn twee kleine vrouwtjes waren, dat je in het hele huis struikelde over schelpen en meloenpitten, dat je altijd een gewonde meeuw verborgen hield in een stinkend hoekje, Minik, of stervende katjes die je uit een beek had opgevist; in de tijd dat je zei, jij die er altijd een handje van had om de woorden fantastisch te verminken: 'Kom eens kijken, mama, deze keer is het echt, ik heb een haartje op mijn feniksheuvel!' Ik ben blij dat er morgen geen man bij ons is. Olivier is dood, Yves aan het andere eind van de wereld, Frédéric bij zijn eigen familie, we zijn weer onder elkaar, wij, degenen om wie het draait. Dat heb ik altijd weer als ik jullie samen zo vlak bij me zie, dat dwaze geruste gevoel als van een boom die vrucht heeft gedragen, dat heimelijke geluk. We komen allemaal uit elkaar en jouw kind, Minik, komt ook uit mij.

> *Beeld van oneindigheid*
> *Wanneer het kleine meisje*
> *Haar schelp laat zien*
> *Diep in haar moeders bekken*
> *Viervoudige lip*
> *Natuurlijke mandorla*
> *De één voortdurend door de ander*
> *Maken zij de wereld, eeuwig in elkander.*[1]

De één voortdurend door de ander, maken wij de wereld. Als je ouder wordt, ga je aan je eigen bloed denken, aan de aangelengde voorouders die in jou huizen; als je je eigen

---

1 *Poèmes biologiques* van Hélène Vérins. Ed. José Millas-Martin.

dochter zwanger ziet, word je weer je eigen moeder, word je je bewust van dat 'beeld van oneindigheid wanneer het kleine meisje...' En de dood van een moeder die je meende te hebben geaccepteerd, verwerkt, ontkracht, komt je weer voor de geest, net zo scherp als op de eerste dag. Ik hield niet veel meer van mama toen ze doodging, er was niet veel waarover we het eens waren. Maar er is nog iets diepers waar je geen weet van hebt en dat is het onderbewuste, dat huilt wanneer je ouders sterven. Het is niet eens kinderliefde, het is het gevoel van continuïteit, het is het typische Hindoegevoel van de versmelting met de soort. Ik vraag me af of een man bij de dood van zijn moeder iets anders voelt dan een ijzige verlatenheid. Iedere man is in zekere mate een einde.

Met je onderbewuste moet je ook van je kinderen houden als je niet wilt dat ze je kapotmaken. De achterlijke praatjes van Pauline... ik zou haar moeten haten.

'In plaats van dat je werk voor me zoekt, kon je beter mijn vakantie bekostigen, arme mama, dan kon ik de zoon van Péchiney of de zoon van Schneider misschien tegenkomen!'

'Ik geloof niet in de zoon van Schneider maar in het positieve van werk.'

'En ik geloof niet in het positieve maar in het werk van de zoon van Schneider.'

'Waarom heb je dan een jaar verknoeid met de zoon van huppelepup?' zegt Minik.

'O, maar ik geloof ook in de liefde,' antwoordt Pauline. 'Dat is zelfs het enige waardoor je kunt vergeten hoe absurd werk is.'

'Kortom, leven is voor jou erin slagen het leven te vergeten?'

'Precies. Hoe kun je nu warm lopen voor een zaak? Het wordt op den duur allemaal een zootje. Je ziet, mama, ik vind het fantastisch dat jij nog in de vooruitgang gelooft. Ze zouden jou nog gebakken ijs kunnen verkopen!'

'Je praat net als Ivan. Of als iemand van honderd.'

'Ik heb mezelf niet gemaakt.'

Alle gesprekken van Pauline eindigen met dat onweerlegbare zinnetje, de sombere conclusie van iemand wie het allemaal niets meer kan schelen. Hoe bestaat het dat wij, Minik en ik, gevrijwaard worden voor dat gevoel van absurditeit dat zij terecht ervaart?

Het heerlijke en het trieste van een gezin. Dierbaar en om hard van weg te lopen. Mijn hele leven en toch niet iets voor mijn leven.

'Mama, waar liggen de kussenslopen?' roept Minik.

Bij ons is nu niet meer bij haar. Zij bergt haar eigen kussenslopen op waar het haar goeddunkt en als ze zegt 'bij ons', denkt ze aan het huis van Frédéric. Het heerlijke en het trieste, dat je voortaan niet meer los van elkaar kunt zien. Ik voel de afwezigheid van Yves meer dan ooit als mijn dochters er samen zijn, een heel compact blok jeugd en in wezen zo onverschillig. Met hem samen bied ik tegenwicht, houden mijn gebrek aan toekomst en hun gebrek aan verleden elkaar pijnloos in evenwicht. Ik vind de Galápagos-eilanden vanavond erg ver weg.

Aan de andere kant van de tussenmuur maken Dominique en Pauline ruzie: ze hebben weer de schelle stem van vijandige zussen. In de kamer beneden slingeren overal hun spullen rond. Als dieren hebben ze hun territorium geïnspecteerd en afgebakend. Nu snuffelen ze in de kasten op zoek naar oude vergeten spullen die heel belangrijk zijn.

'Ach, mijn blauwgestreepte jasje, mama, weet je nog,' roept Pauline, terwijl ze mijn slaapkamer binnenkomt.

En de strohoed van de eerste jongen van Minik, die dood is, een oud ingezakt geval dat niemand wil weggooien. En boeken die naar muizen ruiken en vakantiebrieven... Wie was die Jean-Claude ook al weer, mama?

Het schijnt dat koeien neurasthenisch worden in die nieuwe, smetteloze, al te goed verlichte stallen. Ook zij hebben behoefte aan hun aanslibsels, een vertrouwde geur en een verborgen schuilplaats, zoals wij aan dit eenvoudige, diepe huis waar we onze sporen kunnen achterlaten. Hier kom ik langzamerhand weer in de stemming die past bij mijn buitenhuisje. Ik heb geen zin om Proust uit te lezen. Weg met Robbe-Grillet...! Geef mij maar de catalogus van Vilmorin of van Bakker Hillegom uit Holland, waar de naïeve lyriek nog op haar plaats is. Ik wil vanavond de roman van de Peer-Gyntroos lezen, 'waarvan de vijfenveertig zijdezachte blaadjes, van een intense, stralende kleur geel als van een voorjaarsprimula, zijn afgezet met een vloed van vuurrood', of het verhaal van de theehybride, die 'compact en sterk is, en waarvan de bloem langzaam ontluikt en lange tijd overeind blijft, waarbij ze steeds meer een karmijnrode kleur aanneemt'. Of anders het verhaal van de Lagerstroemia, de keizer onder de bloeiende struiken... De taal van mensen die gelukkig zijn, het diepe, trage geluk dat tuinen schenken.

Morgen dopen we dikke boterhammen in onze kommen; Minik zal slaapogen hebben en Pauline een negligé dragen dat belachelijk is voor een buitenhuisje. We zullen de draak met haar steken en ze zal zeggen:

'Jij hebt me zo gemaakt.'

En Minik zal haar koffie met melk omgooien terwijl ze ons een van haar smerige verhalen vertelt, waar we allebei van genieten. En we kunnen er maar niet toe komen ons te gaan aankleden, zoals vroeger, wanneer Yves ons om twaalf uur 's middags in ochtendjas aantrof, en we zullen ons heel even verbeelden dat we bestemd zijn om samen, met z'n drieën, door het leven te gaan, zonder man.

En dan zal het elf uur zijn... een vriend komt Pauline of

Minik opzoeken en plotseling zijn ze heel ver van mij vandaan, op een afstand van vijfentwintig lichtjaren.

'Maakt het jou niet uit, mama, dat we niet thuis komen lunchen?'

'Natuurlijk niet, schatten.'

En ik zal mijn tuin inlopen om poste restante naar Panama te schrijven. Dat hij degene is van wie ik houd. Dat hij geen prachtig dier is, dat het heetwatertoestel het niet doet, dat de Solex kapot is, dat het kamermeisje van de *Moana* mijn bed niet is komen opmaken, maar dat zijn oude zeemanspet nog steeds op de overloop hangt, geruststellend en een heel klein beetje beschimmeld, dat ik een Hata po po po-aardappel-ragoût voor mezelf ga klaarmaken, dat mijn Nieuw- en mijn Oud-Caledonië, mijn Ile des Pins, mijn Tahiti hier in deze tuin liggen, en dat er een plek precies op maat in Kerviniec op hem wacht.

Op maat? Misschien niet. Maar in de maat die wij voor elkaar hebben uitgebeiteld door steeds bij te snoeien, door zachtjes te schuren, door samen te leven, en die werkelijker is geworden dan de werkelijke maat. Yves, schat, deze keer geloof ik dat je er lelijk bij bent. Je hebt me ten slotte weer te pakken en ik voel me helemaal niet meer alleen, ook al doe je alsof je op andere eilanden af koerst.

16
KERVINIEC

'Wat heeft het voor zin, Socrates,
om te leren lier spelen nu je toch doodgaat?'
'Dat ik lier speel voordat ik doodga.'

In dit gehucht in het zuiden van de Finistère slaapt alles en
het is zomer. Achter in het laatste huisje, vlak voor de put
waarvan de rand uit één enkel blok graniet is gemaakt en
die de burgemeester wil laten verplaatsen omdat de put gedeeltelijk op de weg staat en de weinige auto's er last van
hebben, klinkt een wekker. In bed is het lekker als in een
warm land en het gerinkel doorsnijdt pijnlijk als een zaag de
slaap van de man en de vrouw. Ze trekken een zuur gezicht
maar ze gooien de dekens af en staan op zonder langdurige
liefkozingen. Hij gaat, met benen die stram zijn van de
slaap, de koffie opwarmen. Zij doet, met haar ogen nog half
dicht, de zware houten luiken open die lichtblauw geschilderd zijn en waarin een hartvormige opening zit, en consta-
teert op rustige toon:

'Verdomme, het regent!'

Ze trekken zwijgend hun nauwsluitende broeken aan, hun coltruien, hun wollen sokken, hun lieslaarzen en hun gele oliejassen, zetten hun zuidwesters op en gaan naar buiten in de motregen terwijl ze zich zoals elke ochtend afvragen wat hen er toch toe dwingt zich zo vreselijk in te spannen, op zo'n vreselijk tijdstip, in zulk vreselijk weer en niet eens voor geld! Misschien omdat er gezegd wordt: de morgenstond heeft goud in de mond?

De man en de vrouw gaan lopend in de richting van de helling over een weg waarlangs tamarisken staan die helemaal bestoven zijn met heel fijne waterdruppeltjes.

'Het is geen regen,' zegt Yves.

'Nee, het is motregen,' antwoordt Marion.

De hemel en de zee zijn één geheel geworden, en de atmosfeer is zelfs grijs. Parelgrijs is ook het strand, waar het getijde 's nachts het afval van de toeristen heeft weggevaagd en hun voetsporen heeft uitgewist. Het is het tijdstip waarop de vogels vergeten dat ze vleugels hebben en op het maagdelijke zand langs het water komen lopen, waar ze kleine sporen achterlaten van sterretjes met drie armen.

De man laat de praam aan de rand van de stroom in het water zakken. De vogels blijven gewoon zitten: dit is niet het moment om bang te zijn; ieder is er omdat hij er moet zijn. De vrouw gaat aan de roeiriemen zitten. De geluiden zijn ook niet wakker, het is alsof ze gedempt zijn en ze maken niet hun echte geluid.

Het duurt vijf of tien minuten, al naar gelang de wind, voor ze bij de ankerplaats aankomen. De praam stoot tegen de blauwe pinas aan, die zo stevig en betrouwbaar is als een huis. Log door hun laarzen, weggedoken in hun oliejassen, stappen ze allebei aan boord met de traagheid en de precisie van een olifant die de weg kent. Alles is nat, de boot, de hemel en de atmosfeer daartussenin; onder de fijne, dichte druppels heeft de zee kippevel. Ze trekken hun oliejassen strak dicht om hun hals en maken zich klaar om te beginnen aan die dagelijkse vergeefse strijd tegen de elementen, om deze te beletten door te dringen tot het binnenste van hun kleren tot aan de huidplooien waar nog wat van de warmte van het bed is overgebleven. Maar ze weten best dat de zee en de regen ten slotte altijd binnendringen waar ze willen.

Dan knielt de man, duwt het schuifluik weg, draait de toevoerkraan van de stookolie open, draait de contactsleutel om, doet de gashendel omlaag en drukt op de starter. Omdat het regent, haalt hij uit een stinkende kist een spuitbus met Start Pilote en spuit een straal ether op de luchtopening.

De vrouw spreidt een blauw zeil over het dek aan de kant waar ze het schakelnet zullen ophalen, haalt de vishaak te voorschijn, de bootshaak en het schubmes. Zodra ze het rustige glok-glok van de dieselmotor hoort, maakt ze de sluithaak los die aan de meerboei vastzit en geeft ze de man een teken. Ze praten niet. Waarom zouden ze? Ze kennen ieder gebaar dat ze moeten maken, ieder weet op elk moment wat de ander doet en ze weten dat ze gelukkig zijn.

Andere bootjes gaan ook aan de slag, achter het Ile Verte, of in het zuiden, bij de Glénans, op geheime plaatsen waarvan de collega's uit discretie doen alsof ze die niet kennen, maar die ze op zekere dag stilletjes zullen gebruiken.

De *Tam Coat* komt ten slotte aan bij de twee bakens die aangeven waar de netten zijn geplaatst, en dan begint de belangrijkste bezigheid, waarvoor ze om half zes 's ochtends zijn opgestaan en vochtige kleren hebben aangeschoten waarvan de lucht alleen al hen in hun Parijse appartement misselijk zou hebben gemaakt terwijl ze die hier met een toegeeflijke grijns opsnuiven, die bezigheid waarvoor zij haar watergolf verruïneert, haar nagels breekt, eeltplekken op haar handen krijgt, en hij twee uur stilstaat in een vochtige omgeving die hem in de toekomst reumatiek zal bezorgen... de bezigheid die een onschuldige naam heeft, een naam voor een tijdverdrijf hoewel het een grote liefde kan zijn: het vissen.

De man mindert vaart en komt stil te liggen op de streng van oude kurken die de vrouw pakt met de bootshaak en snel aan dek hijst.

Net als over gelukkige mensen valt er over het vissen niets te vertellen; liefde kun je moeilijk in woorden uitdrukken. De vrouw zit op de beste plaats, voorin, en ze trekt aan het net met een beweging die tegengesteld is aan die van een zaaier, en haar blik boort door de diepte van het water waaruit witte of bruine schitteringen opstijgen, een onduidelijke massa, die ze aan boord kiept met een triomfantelijk gespetter, terwijl ze een naam roept naar de man die haar activiteiten aan de motor begeleidt.

Wanneer de tongen, de rog, de ponen, de zeeduivel, de lipvissen, de schelvissen, de pollaks, de zwemkrabben of de zeespinnen zijn losgemaakt en uit het schakelnet zijn bevrijd, legt ze die in één of twee manden neer, in een rangschikking die er zorgvuldig op is gericht de nieuwsgierige of de collega die zou komen kijken waaruit de vangst bestaat, op een dwaalspoor te brengen... Daarna gaat ze voor de stapel netten zitten om ze schoon te maken, ademt ze diep de fruitige geur in van het wier dat uit de diepte naar boven is gekomen en zegt:

'Verdomd, we zitten hier beter dan op Saint-Lazare!'

Ze zegt verdomd omdat je op een vissersboot, met lieslaarzen aan, in de regen, wanneer je gebroken bent doordat je vijftig meter netten hebt binnengehaald en je vingers zijn ontveld, woorden moet gebruiken die passen bij je vermoeidheid, mooie ruwe woorden die krachtig klinken op de oceaan.

Terwijl zij de netten schoonmaakt, laat de man zijn sleephengels te water en cirkelt in grote kringen over de zee, waarbij hij op den duur de aalscholvers stoort die altijd bij elkaar zitten aan de verlaten kant van het Ile Verte, de zuidwestkant. Hij begint weer over een onderwerp dat hem na aan het hart ligt:

'Als we nou eens een wat grotere boot hadden, met een afdak, dat zou zo gek nog niet zijn, weet je.'

'Ja, maar dan ook werkelijk groter, anders zouden we door dat afdak minder plaats hebben voor de netten en de kreeftenfuiken. Hier voel ik me zo prettig.'

'Ja, maar als hij werkelijk groter zou zijn, zou je niet meer in je eentje kunnen gaan vissen, als ik er niet ben...'

Dat was de eeuwige opwindende discussie over de keuze van de beste boot, een discussie in verschillende afleveringen, die steeds weer opnieuw werd gevoerd, waar nooit een eind aan kwam, die hen tengevolge van onhoudbare redeneringen ertoe had gebracht na de kotter met twee kooien een gemakkelijk te hanteren midzwaardboot aan te schaffen, en vervolgens na de midzwaardboot met een te zwakke motor deze solide vissersspinas met een dieselmotor en een emmerzeil, waar ze ook hun twijfels over begonnen te krijgen. Ze droomden van een boot die weinig diepgang had maar wel zeewaardig was, die ruim maar toch klein was, klassiek van bouw maar toch, kunststof dat hoef je niet elk jaar te schilderen, met een afdak zodat je op de eilanden kon gaan slapen, maar toch moest het dek helemaal leeg zijn voor de vis die ze vingen. Dat probleem zouden ze wel houden tot ze stokoud waren.

Tegen negen uur komen de man en de vrouw weer bij de helling terug. Dat is het tijdstip waarop de toeristen op hun beurt de luiken van hun villa's opendoen en roepen:

'Verrek, het regent!'

Een beetje later, 'als het opklaart', gaan ze dapper, want in Bretagne hebben de vakantiegangers plichtsgevoel en willen ze per se van de jodium profiteren, in groepen naar de stranden waar de vissers en de vogels zijn verdwenen, als kamelen beladen met het steeds meer geperfectioneerde materiaal van de strandganger, badjassen waaronder je je kunt verkleden, emmers, scheppen, waardeloze netten, en niet te vergeten het Jokari-spel of het jeu de boules, het vouwstoeltje van oma die de grond zo laag vindt, het handwerk van mama die al voor de winter aan het breien is, de transistor voor papa die zich altijd verveelt in het zand en die zijn wedstrijd niet wil missen, en de chocolade voor na het zwemmen.

Op de weg langs de kust komen de strandgangers de man en de vrouw tegen die enigszins waggelend naar boven lopen, met de mand waaruit de snuit van de tong van drie pond steekt, met de witte kant naar boven. Ze rekenen er al helemaal op dat er een klein Parijzenaartje aankomt en roept: 'Papa, kom eens kijken naar dat enorme dier, wat is dat?', dat een vader die heldhaftig in korte broek is gekleed, zoals alle mannen die graag kennis der natuur onderwijzen, dichterbij komt en op een schoolmeesterachtig toontje zegt: 'Kijk, dat is nou een schar...', waarop zij dan op neutrale toon zullen antwoorden: 'Het is een tong, meneer' en dan bescheiden doorlopen, sloffend op hun laarzen.

In het huisje is het de 'Thuiskomst van de Zeeman'. De vriendin die niet 'voor dag en dauw wilde opstaan', komt haar slaapkamer uit, fladderend in roze nylon, met haar gezicht onder een laag embryonale crème, en deinst verschrikt terug als er een zoen op haar af komt.

'We stinken niet,' zegt de man joviaal, 'we ruiken naar vis!'

Pauline is ook zojuist huiverend naar beneden gekomen en werpt een glazige blik op de tamarisken die grijs zijn van de regen.

'Wat kunnen we vandaag nou weer eens gaan doen?' zegt ze op onheilspellende toon.

De twee bondgenoten maken zich daar niet druk om. Hun dag kan niet meer stuk. Het mag regenen. Ze halen het koude spek uit de koelkast, bakken twee eieren en nemen nog een tweede koffie met melk, terwijl de vriendin, wier lever zich omdraait, bezorgd toekijkt.

'Je zou vanavond met ons de netten kunnen komen uitzetten,' stelt Marion vriendelijk voor, want ze vindt het als ze goedgehumeurd is heerlijk om de sombere bui van haar dochter aan te wakkeren.

'Dank je wel, ik heb al een beginnende angina,' antwoordt Pauline met een nijdig gezicht.

'Wat ik zeggen wilde, heb je misschien Solutricine voor me, Marion? Mijn kamer is wel bijzonder vochtig, geloof ik,' zegt de bezoekster, die een beschuitje in haar Chinese thee doopt terwijl ze naar die twee onbeschaafde types kijkt die met een viswalm om zich heen zitten te eten, met een tevreden blik en hun ellebogen op tafel. 'Je moet toegeven dat ik geen geluk heb,' begint de bezoekster weer, 'iedere keer als ik in Bretagne kom, is het lelijk weer!'

'Het is geen lelijk weer in Bretagne, het is veranderlijk weer,' zegt Marion.

Op de keukentafel wordt de gevangen vis uitgestald. De zwemkrabben schuimbekken van woede en de zeespinnen friemelen en wriemelen in een poging om de noordkant van de gootsteen te bestijgen. De man en de vrouw kijken aandachtig naar het resultaat van hun inspanningen en hebben het kinderlijke, opwindende gevoel dat ze uit de diepte van de zee het eten voor de hele familie hebben opgehaald.

Straks, als ze gedoucht hebben, zich met zeep gewassen hebben en weer aangekleed zijn, zullen ze opnieuw een heer en een dame worden, net als de anderen, de vrienden van de bezoekster. Ware het niet dat hun vingers nog een heel klein beetje naar zeewier ruiken, een lucht waar geen parfum tegen opgewassen is en die hen eraan herinnert dat ze morgenochtend samen weer opnieuw beginnen.